Jean-Luc Bannalec

Jean-Luc Bannalec est le pseudonyme d'un écrivain allemand qui a trouvé sa seconde patrie dans le Finistère sud. Après *Un été à Pont-Aven* (2014), il écrit la suite des aventures du commissaire Dupin dans *Étrange printemps aux Glénan* (2015), *Les Marais sanglants de Guérande* (2016) puis *L'Inconnu de Port Bélon* (2017). Son dernier ouvrage, *Péril en mer d'Iroise*, paraît en 2018.
Tous ses romans ont été publiés aux Presses de la Cité.

UN ÉTÉ
À PONT-AVEN

DU MÊME AUTEUR
CHEZ POCKET

LES ENQUÊTES DU COMMISSAIRE DUPIN

UN ÉTÉ À PONT-AVEN

ÉTRANGE PRINTEMPS AUX GLÉNAN

LES MARAIS SANGLANTS DE GUÉRANDE

L'INCONNU DE PORT BÉLON

JEAN-LUC BANNALEC

UN ÉTÉ À PONT-AVEN

Une enquête du commissaire Dupin

Traduit de l'allemand
par Amélie de Maupeou

PRESSES DE LA CITÉ

TITRE ORIGINAL :

BRETOĮISCHE VERHÄLTĮISSE.

EIĮ FALL FÜR KOMMISSAR DUPIĮ

Pocket, une marque d'Univers Poche,
est un éditeur qui s'engage pour la préservation
de son environnement et qui utilise du papier fabriqué
à partir de bois provenant de forêts gérées
de manière responsable.

ISBN 978-2-266-25536-3

Une mer calme n'a jamais fait un bon marin.

Proverbe breton

à L.

LE PREMIER JOUR

Ce 7 juillet promettait d'être une magnifique journée d'été. L'une de ces belles percées de soleil typiques de l'Atlantique, qui avaient le don de rendre le commissaire Dupin parfaitement heureux. Le bleu du ciel semblait déteindre sur tout. Inhabituellement chaud pour la Bretagne au petit matin, l'air était aussi très léger, transparent, donnant à toute chose une présence claire et précise. Hier soir, encore, régnait une atmosphère de fin du monde. De monstrueux nuages noirs, lourds et menaçants, avaient obstrué le ciel, filant à toute allure tandis que des torrents de pluie s'abattaient en rafales.

Concarneau, la somptueuse « Ville bleue », ainsi nommée en raison des filets de pêche d'un bleu lumineux qui bordaient déjà les quais au siècle dernier, rayonnait. Le commissaire Georges Dupin était installé au fond du café l'Amiral, son journal déplié devant lui. Surplombant le toit du vieux marché couvert où l'on pouvait acheter les poissons fraîchement débarqués, l'horloge indiquait sept heures trente. Le traditionnel café-restaurant, qui avait également fait office d'hôtel par le passé, se dressait en bonne place le long du quai, juste en face de la vieille ville.

Protégée par une muraille massive ponctuée de tours, la ville close avait été construite sur une île de forme oblongue et étroite, de telle manière qu'elle semblait posée au beau milieu du bassin dans lequel débouche le nonchalant Moros. Un peintre n'aurait pu la rendre plus belle.

Deux ans et sept mois plus tôt, à la suite de « diverses dissensions » – c'étaient là les termes avancés par l'administration –, Dupin avait été « déplacé » depuis Paris dans cette province éloignée, une mutation qui l'avait littéralement arraché aux charmes de la capitale où il avait passé toute sa vie. A peine arrivé, il avait pris l'habitude de siroter son café matinal à l'Amiral, un rituel aussi savoureux qu'inaltérable.

Il émanait de l'Amiral cette atmosphère particulière qui rappelait les grandes heures de la fin du XIXe siècle, lorsque des artistes reconnus dans le monde entier, et, un peu plus tard, le commissaire Maigret lui-même, avaient élu domicile ici. Gauguin, par exemple, qui s'était lancé dans une bagarre mémorable juste devant la porte du restaurant, après que des marins un peu éméchés eurent offensé sa toute jeune maîtresse javanaise. Et puis le légendaire Amiral avait ensuite été abandonné à son sort jusqu'à ce que, douze ans plus tôt, Lily et Philippe Basset prennent sa destinée à cœur. Tous deux originaires de Concarneau, ils s'étaient rencontrés à Paris par les méandres du hasard et nourrissaient à l'époque des projets bien différents. Ils avaient conjugué leurs efforts, et fini par rendre à l'établissement une bonne partie de sa grandeur passée. L'Amiral était devenu le point de ralliement officieux de la ville, c'était incontestable. Si pittoresque qu'il fût, tout y était authentique, sans artifice, sans volonté de folklore. La plupart des touristes lui préférant les cafés plus « charmants » qui bordaient la place principale, un peu plus bas dans la ville, l'Amiral offrait un lieu de retrait idéal pour se retrouver entre gens du coin.

— Un autre café, s'il te plaît. Et un croissant !

Il ne s'était pas donné la peine d'articuler et Lily dut s'aider du regard et du geste vif du commissaire pour comprendre ce qu'il désirait. Dupin en était à son troisième café.

— Trente-sept millions ! Vous avez vu, commissaire, on a atteint les trente-sept millions, aujourd'hui, lança Lily depuis l'énorme machine à café qui ne manquait jamais d'impressionner Dupin – un de ces rares engins qui laissaient encore échapper un authentique ronronnement de moulin.

La quarantaine tout juste passée, Lily était une très jolie femme aux boucles châtain clair, débordant d'énergie. Ses yeux d'un vert marin semblaient vouloir se poser sur tout. Rien n'échappait jamais à son regard. Dupin la trouvait sympathique – tout comme Philippe, le patron et cuisinier. Si Dupin ne s'entretenait que rarement avec lui, il appréciait cependant son talent exceptionnel et la passion qu'il mettait à l'ouvrage. Peut-être qu'ils s'entendaient bien justement parce qu'ils se parlaient peu, d'ailleurs. En tout cas, Lily n'avait jamais manifesté de prévention à l'égard du commissaire, ce qui n'était pas une mince affaire dans le coin. Pour les Bretons, il n'y a pas plus étranger qu'un Parisien.

— Bon sang !

Dupin venait de se souvenir qu'il voulait tenter une seconde fois sa chance au Loto aujourd'hui. La somme astronomique qui récompensait la combinaison gagnante tenait tout le pays en haleine. Personne ne l'avait remportée la semaine précédente, ce qui avait amené Dupin à cocher courageusement douze cases. Deux de ses chiffres étaient sortis, hélas dans deux grilles différentes.

— On est déjà vendredi, commissaire, vous aviez oublié ?

— Je sais, je sais.

Il passerait au tabac d'à côté en sortant.

— La semaine dernière, ils étaient déjà à court de billets dès le vendredi matin.

Comme toutes les nuits au cours des dernières semaines, Dupin avait très mal dormi et essayait vainement de se concentrer sur sa lecture. Au mois de juin, le Finistère nord n'avait bénéficié que de 62 % des heures d'ensoleillement normalement constatées pour le mois de juin. D'habitude, on comptait jusqu'à 145 heures de soleil. Un peu plus chanceux, le Finistère sud affichait 70 % de son score habituel tandis que le Morbihan voisin, qui pourtant ne se trouvait qu'à un jet de pierre de là, pouvait se vanter d'un 82 %. L'article faisait la une de *Ouest-France*. Les statistiques météorologiques les plus rocambolesques semblaient être une spécialité de la presse locale : « La Bretagne privée de soleil et de chaleur », s'affolaient les gros titres, ou encore « Le mois de juin le plus catastrophique depuis des siècles ». C'était toujours la même rengaine. L'article se terminait de manière tout aussi prévisible : « La légende se confirme : en Bretagne, il fait beau cinq fois par jour. »

La sonnerie stridente d'un téléphone portable fit sursauter le commissaire. Il n'arrivait pas à s'y faire, à chaque fois elle le prenait au dépourvu, c'était agaçant. Le numéro de Labat, l'un de ses deux inspecteurs, s'afficha et l'humeur de Dupin s'assombrit aussitôt. Il le laissa sonner sans décrocher. Il verrait son collaborateur au commissariat dans une demi-heure, cela pouvait bien attendre jusque-là. Dupin trouvait Labat étroit d'esprit, insupportablement méticuleux, obséquieux et épouvantablement orgueilleux pour couronner le tout. Agé d'une bonne trentaine d'années, plutôt trapu, Labat avait un visage rond aux traits poupins, des oreilles légèrement décollées et un crâne à moitié dégarni, ce qui ne l'empêchait pas de se trouver irrésistible. Il avait été affecté au service de Dupin dès l'arrivée de ce dernier, lequel avait par la suite tenté de s'en débarrasser à plusieurs reprises. Malgré des efforts répétés, le commissaire n'avait malheureusement jamais pu obtenir gain de cause.

Le téléphone sonna de nouveau. Il fallait toujours qu'il se donne de l'importance, celui-là. A la troisième sonnerie, Dupin sentit pourtant une certaine nervosité le gagner.

— Oui ?

— Commissaire, c'est bien vous ?

— Qui d'autre voulez-vous que ce soit, sur mon téléphone portable ? aboya Dupin.

— Le préfet Guenneugues vient d'appeler. Il vous demande de le remplacer ce soir à l'amicale de Staten Stoud, au Canada.

Le ton mielleux de sa voix répugnait à Dupin.

— Comme vous le savez, le préfet Guenneugues est président d'honneur de notre comité. Ce soir, la délégation officielle canadienne, en visite en France pour la semaine, est l'invitée de la Bretonnade, à Trégunc Plage. Un impératif imprévu oblige le préfet à se rendre à Brest et il vous prie d'accueillir en son nom le président général de la délégation, le docteur de la Croix. Trégunc est de notre ressort, après tout.

— Quoi ?

Dupin ne comprenait pas un traître mot de ce que racontait Labat.

— Eh bien, la ville de Staten Stoud, qui se trouve non loin de Montréal, est jumelée à Concarneau. Comme le préfet a des parents éloignés qui résident là-bas, et qui…

— Il est huit heures moins le quart, Labat. Je prends mon petit déjeuner.

— Le préfet accorde une grande importance à l'événement. Il a appelé tout spécialement pour cela. Il m'a demandé de vous en informer immédiatement.

— De m'en informer ?

Dupin raccrocha. Cette conversation avait assez duré, il avait d'autres chats à fouetter. Heureusement, il était trop fatigué pour s'énerver davantage. Dupin ne supportait décidément pas Guenneugues, dont il ne parvenait toujours pas à prononcer le nom. Il se heurtait d'ailleurs à cette difficulté avec un certain nombre de noms bretons, un problème assez embarrassant dans une profession qui l'amenait à rencontrer beaucoup de gens.

Dupin se replongea dans son journal. Comme chaque jour, la page de titre de *Ouest-France* ou du *Télégramme* était consacrée à un récapitulatif relativement sommaire des événements marquants de l'actualité internationale et nationale, pour laisser aussitôt la place à trente pages d'informations régionales ou locales, voire plus que locales. Dupin adorait ces deux quotidiens. Après sa « mutation », il s'était lancé, d'abord à contrecœur puis avec un intérêt croissant, dans l'étude de l'âme bretonne. Au-delà du contact réel avec les habitants du coin, c'était précisément ces petites histoires d'apparence anodine qui lui fournissaient les informations les plus précieuses sur la région. Ces récits relatant la vie des habitants du « bout du monde », du *Finis Terra*, pour reprendre l'expression que les Romains – les envahisseurs ! – avaient adoptée pour désigner la presqu'île aux côtes déchirées, bravant les flots furibonds de l'Atlantique. Pour les gens d'ici, le pays ne s'appelait évidemment pas « Fin du monde », mais précisément son contraire : « Penn-ar-Bed » – le bout du monde, ou, dans sa traduction littérale : « le début de tout ».

Le téléphone sonna de nouveau : Labat, une fois de plus. Dupin s'aperçut que la fatigue ne faisait pas le poids face à la colère, en fin de compte.

— Non, je suis malheureusement dans l'impossibilité de m'y rendre, j'ai beaucoup de choses à faire, j'ai des tas d'obligations professionnelles. Transmettez ce message à Geungeug… dites-le au préfet.

— Un meurtre. Il y a eu un meurtre.

La voix de Labat n'était plus qu'un fil sans timbre.

— Quoi ?

— Pont-Aven, commissaire. Pierre-Louis Pennec, le propriétaire du Central, a été retrouvé mort dans son restaurant il y a quelques minutes à peine. Quelqu'un a prévenu le poste de garde de Pont-Aven.

— Vous plaisantez, Labat ?

— Nos deux confrères de Pont-Aven doivent déjà être sur place.

— A Pont-Aven ? Pierre-Louis Pennec ?

— Que voulez-vous dire, commissaire ?

— Que savez-vous d'autre ?

— Je ne sais rien de plus que ce que je viens de vous raconter.

— Et vous êtes certain qu'il s'agit d'un meurtre ?

— Cela y ressemble beaucoup, oui.

— Pourquoi ?

Dupin n'avait pas encore terminé de formuler sa question qu'elle l'agaçait déjà.

— Je n'ai pas plus de détails que ceux que la personne qui a appelé, le cuistot de l'hôtel, a donnés au policier de service, qui à son tour les a…

— C'est bon, c'est bon. Mais en quoi cette affaire nous concerne-t-elle ? Pont-Aven est sous la responsabilité de Quimperlé. C'est du ressort de Derrien, ça…

— Le commissaire Derrien est en vacances depuis lundi. Nous sommes censés prendre le relais en cas de pépin. C'est pour cette raison que l'équipe de garde de Pont-Aven a…

— Très bien, très bien… Je me mets en route. Vous aussi, venez. Et appelez Le Ber. Je veux qu'il vienne immédiatement.

— Le Ber est déjà en route.

— Très bien. C'est incroyable, tout de même. Quelle barbe !

Dupin raccrocha.

— Il faut que je file, lança-t-il en direction de Lily. Mais elle était plongée dans une conversation téléphonique. Dupin déposa quelques pièces de monnaie sur le zinc et quitta l'Amiral. Sa voiture était garée sur le grand parking du quai, à quelques pas de l'hôtel.

C'est le monde à l'envers, se dit Dupin une fois installé au volant, c'est vraiment incroyable. Un assassinat à Pont-Aven, et puis quoi encore ? En plein été, juste avant l'ouverture de la saison, qui allait transformer la ville en immense musée en plein air – c'est tout au moins ce que les habitants de Concarneau aimaient à clamer d'un ton moqueur. Pont-Aven était un véritable petit paradis. Le bourg pittoresque – un tantinet trop pittoresque, d'ailleurs, au goût de Dupin – était cité dans tous les guides touristiques de France. Le dernier meurtre qui avait défrayé la chronique devait remonter à une éternité, et cette fois-ci, la victime n'était pas un citoyen ordinaire. Le vieux Pierre-Louis Pennec était un hôtelier légendaire, une véritable institution – tout comme l'avaient été son père et surtout, bien sûr, sa grand-mère, la célèbre fondatrice du Central, Marie-Jeanne Pennec.

Dupin tripota avec impatience les touches ridiculement petites du téléphone de sa voiture.

— Où êtes-vous, Nolwenn ?

— Je suis en route vers le commissariat. Labat vient d'appeler. Je suis au courant. Je suppose que vous voulez parler au docteur Lafond.

— Dès que possible, oui.

Depuis un an désormais, un second médecin légiste s'était installé à Quimper. Ewen Savoir était un jeune dadais fort maladroit que Dupin ne supportait pas. S'il bénéficiait d'un équipement technique et technologique impressionnant, cela ne l'empêchait pas d'être idiot et effroyablement compliqué. Dupin ne pouvait pas dire qu'il appréciait vraiment le vieux docteur Lafond, un râleur notoire avec lequel il s'accrochait régulièrement quand il n'obtempérait pas assez vite à son goût. Lafond savait jurer comme un putois, mais il fallait bien reconnaître qu'il fournissait un travail épatant.

— Je m'occupe de tout.

Dupin adorait entendre ces mots dans la bouche de Nolwenn. Elle avait été la secrétaire du commissaire qu'il remplaçait, tout comme du prédécesseur de celui-ci.

Elle était formidable. Compétente, merveilleusement efficace.

— Bien. Je viens de dépasser le dernier rond-point de Concarneau. Je serai là dans dix minutes.

— Commissaire, j'ai bien l'impression que l'affaire est grave. C'est incompréhensible. Je connaissais bien le vieux Pennec. Mon mari a effectué de menus travaux pour lui, à l'époque.

Pendant une fraction de seconde, Dupin eut la tentation de demander de quels « menus travaux » il pouvait bien s'agir, mais il décida de laisser tomber. Il y avait des questions plus urgentes à régler pour le moment. Il n'avait jamais vraiment compris quelle était la profession du mari de Nolwenn. Elle semblait universellement indéfinie. Il effectuait toujours « de menus travaux » pour tout un tas de gens divers et variés.

— Oui. Ah, vous savez, ça va sûrement faire des vagues. C'était une icône du Finistère – de la Bretagne, que dis-je, peut-être même de la France. Bon Dieu… Je vous rappelle.

— Entendu. Je suis déjà à la porte du commissariat.

Dupin roulait vite, bien trop vite pour ces rues étroites. C'était incroyable, tout de même. Ce vieux Derrien était en vacances pour la première fois depuis dix ans, et il ne rentrerait pas avant dix jours. Sa fille s'était mis en tête de se marier à La Réunion, une aberration aux yeux de Dupin puisque le futur époux venait du même patelin qu'elle, à trois kilomètres de Pont-Aven.

Dupin se remit à tripoter les touches de son téléphone de service.

— Le Ber ?

— Commissaire ?
— Vous êtes déjà sur les lieux ?
— Oui. Je viens d'arriver.
— Où se trouve le mort ?
— En bas, dans la salle de restaurant.
— Vous y êtes déjà allé ?
— Non.
— Je veux que personne n'entre avant moi. Vous non plus, d'ailleurs. Qui a trouvé le corps de Pennec ?
— Francine Lajoux. Une employée.
— Qu'est-ce qu'elle a dit ?
— Je n'ai pas encore parlé avec elle.
— Bon. Très bien. J'arrive tout de suite.

Dupin fut frappé par la taille impressionnante de la mare de sang, qui s'était répandue en suivant les contours irréguliers des dalles de pierre.

Pierre-Louis Pennec était un homme de haute taille, au corps mince et musclé. Avec ses cheveux gris coupés court, il avait fière allure malgré ses quatre-vingt-onze ans. Son cadavre gisait sur le dos, dans une posture étrangement contorsionnée, la main gauche disparaissant dans la pliure du genou, la hanche carrément déboîtée, la main droite reposant sur son cœur. Son visage était horriblement déformé et ses yeux grands ouverts fixaient le plafond. Les plaies, clairement visibles sur son torse et son cou, indiquaient qu'il avait été frappé à plusieurs reprises.

— La personne qui a fait ça ne l'a pas loupé. Un vieillard, tout de même ! Qui peut bien faire une chose pareille ?

Le Ber se tenait en retrait, à environ deux mètres de Dupin. Sa voix trahissait l'état de choc dans lequel il se trouvait. Hormis les deux hommes, il n'y avait personne dans la salle. Dupin se taisait. Le Ber n'avait pas tort : ils avaient affaire à un crime d'une brutalité exceptionnelle.

— Bon sang ! laissa échapper Dupin en se passant vigoureusement une main dans les cheveux.

— Ça ressemble à des coups de couteau, mais il n'y a pas la moindre trace de l'arme du crime.

— Du calme, Le Ber.

— Deux collègues de Pont-Aven se chargent de sécuriser l'hôtel, commissaire. Je connais l'un d'eux, Albin Bonnec. Ça fait un bout de temps qu'il travaille avec nous, c'est un très bon flic. L'autre s'appelle Arzhvaelig, j'ai oublié son prénom. Une toute jeune recrue, celui-là.

Dupin ne put réprimer un sourire. Le Ber ne devait pas être beaucoup plus vieux que celui dont il parlait. Agé de trente ans à peine, il était passé inspecteur deux années auparavant. Ce garçon cachait sa précision, sa rapidité et son intelligence sous des apparences légèrement flegmatiques, et sa manière de s'exprimer ne faisait que renforcer cette impression. Il arborait parfois une expression un peu moqueuse que Dupin affectionnait tout particulièrement. Pour parfaire le tout, il ne faisait jamais grand cas de sa personne.

— Personne n'est entré dans cette pièce avant nous ?

Dupin réitéra la question pour la troisième fois sans que Le Ber manifeste la moindre irritation.

— Personne. Le médecin légiste et l'équipe chargée de relever les empreintes ne vont pas tarder, cela dit.

Dupin comprit le message. Le Ber savait que le commissaire aimait prendre le temps de s'imprégner seul de la scène de crime avant que la meute de spécialistes n'envahisse les lieux.

Le corps de Pennec se trouvait dans l'angle le plus reculé de la salle, juste devant le zinc. La pièce était en L, sa partie longitudinale accueillant l'espace restauration tandis que le fond, dans le coin, était investi par le bar. Du restaurant, un couloir étroit menait à la cuisine installée dans une petite annexe, à l'arrière de la bâtisse. Sa porte était fermée.

Devant le zinc, les tabourets étaient méticuleusement alignés, seul l'un d'eux était légèrement décalé vers l'arrière. Un unique verre, presque vide, reposait sur le comptoir, non loin d'une bouteille de lambig. Dupin appréciait lui aussi cette eau-de-vie de pomme si typique de la région. On ne décelait aucune trace de lutte, pas le moindre détail trahissant une activité inhabituelle dans cette partie de la pièce. Manifestement, une équipe de l'hôtel avait pris soin de nettoyer soigneusement la veille au soir, tout comme le reste du restaurant, d'ailleurs. Les tables et les chaises étaient parfaitement rangées, le couvert était déjà dressé sur les nappes aux motifs campagnards de couleur vive, le sol étincelait de propreté.

La salle à manger et le bar avaient dû être refaits récemment, tout était flambant neuf. L'isolation était exemplaire, pas le moindre bruit ne filtrait de l'extérieur. Malgré trois fenêtres, on ne percevait pas davantage le vacarme de la rue que celui de l'entrée, qui faisait office de réception. Toutes les fenêtres étaient hermétiquement fermées, Dupin l'avait personnellement vérifié.

L'ordre et la propreté impeccables, l'impression de routine huilée qui se dégageait de la pièce, tout contrastait avec le spectacle effrayant du cadavre. A l'instar de tous les autres murs de la ville, les cloisons blanchies à la chaux étaient décorées des incontournables reproductions d'œuvres d'artistes de la colonie datant de la fin du XIXe siècle. Pont-Aven semblait littéralement tapissé de ces peintures qu'on pouvait admirer jusque dans les cafés et les boutiques les plus insignifiants.

Dupin commença par faire le tour de la pièce en marchant très lentement et en laissant traîner son regard sans but précis. Il ne vit rien d'anormal. Il extirpa maladroitement son petit carnet de notes rouge de la poche de son pantalon et griffonna quelques remarques désordonnées.

Soudain, la poignée de la porte que Dupin avait verrouillée de l'intérieur s'abaissa vigoureusement. L'instant d'après, des coups se firent entendre. Dupin fut tenté de les ignorer mais il ne s'interposa pas quand Le Ber, après l'avoir brièvement consulté du regard, ouvrit la porte. D'un coup, Salou fit irruption dans la pièce, accompagné de la voix empressée de Labat :

— Le docteur Lafond est là. L'équipe technique de René Salou aussi.

Dupin lâcha un profond soupir. Il oubliait toujours Salou et son peloton d'« Experts ». Il s'était déplacé avec trois acolytes qui le suivaient à pas feutrés, sans dire un mot. Fermant la marche, le docteur Lafond se dirigea droit vers le cadavre en marmonnant à l'intention de Dupin un « Bonjour, M'sieur ! » à peine audible.

Salou se tourna vivement vers Labat et Le Ber.

— Messieurs, pourrais-je vous prier de quitter les lieux jusqu'à ce que nous ayons effectué notre travail ? Pendant toute cette durée, l'accès au restaurant doit être réservé au commissaire, au docteur Lafond, à mon équipe et à moi-même. Pouvez-vous vous assurer qu'il en soit ainsi, s'il vous plaît ? Ah, bonjour, commissaire. Bonjour, docteur !

Peu enclin à contenir ses humeurs, Dupin préféra garder le silence. Les deux hommes ne s'étaient jamais beaucoup appréciés.

— Docteur Lafond, je vous serais reconnaissant à vous aussi de bien vouloir être extrêmement prudent. Cela m'embêterait que vous ajoutiez de nouvelles empreintes. Merci.

Salou avait dégainé son imposant appareil photographique.

— Mes collègues vont se lancer tout de suite dans les recherches dactyloscopiques. Lagrange, venez là, je veux commencer par les empreintes qu'on trouvera sur le bar : le verre, la bouteille et surtout les environs immédiats de la victime. Procédez systématiquement, s'il vous plaît.

Lafond déposa paisiblement sa sacoche sur l'une des tables installées près du bar. A son air impassible, on pouvait douter qu'il ait entendu les mots de Salou.

Soudain pressé de s'en aller, Dupin quitta les lieux sans mot dire.

L'agitation avait fini par gagner le hall de l'établissement aménagé en modeste réception. Manifestement, la nouvelle s'était répandue dans tout l'hôtel et jusqu'au village comme une traînée de poudre. Plusieurs clients se tenaient devant l'accueil, discutant avec virulence tandis qu'une petite femme aux cheveux courts et à la silhouette frêle, contrastant vivement avec son grand nez busqué et sa voix forte, s'efforçait de préserver un semblant de calme dans la maisonnée.

— Mais non, mais non, ne vous inquiétez pas. Nous allons veiller à ce que tout rentre dans l'ordre dans les plus brefs délais.

Un meurtre dans l'hôtel où ces vacanciers avaient choisi de passer les plus belles semaines de l'année, ce n'était vraiment pas de chance. Si Dupin comprenait l'agitation des clients, il compatissait également avec l'embarras de leur hôtesse. La saison n'allait pas tarder à commencer, et la moitié des chambres de l'établissement étaient déjà occupées, avait précisé Le Ber. Vingt-six locataires, dont quatre enfants, pour la plupart des étrangers. La plupart des Français n'étaient pas encore en vacances mais d'ici une semaine, ça promettait d'être la pagaille. Quand bien même l'hôtel n'était pas encore complet, cela ne changeait rien aux allées et venues des clients, que ce fût en plein jour ou pendant la nuit. Commettre un meurtre dans ces conditions, c'était prendre le risque d'être surpris. Il était impossible par exemple d'exclure de croiser un client en traversant le vestibule pour quitter l'établissement. Il en était de même pour le bruit : n'importe qui aurait pu entendre le vacarme d'une lutte, un appel au secours ou le cri désespéré de Pennec. Sans compter qu'une partie du personnel de l'hôtel devait encore se trouver sur place au moment des faits. L'endroit n'était pas de ceux où l'on commettait un meurtre en toute tranquillité.

Le Ber apparut en haut de l'escalier. Etonné de voir le commissaire dehors, il l'interrogea du regard.

— Eh oui, Le Ber. La scène du meurtre appartient aux professionnels, maintenant, c'est comme ça.

Le Ber ouvrit la bouche pour une nouvelle question puis se ravisa. Avec le temps, Dupin avait fini par le dissuader de l'interroger sans cesse sur son mode de fonctionnement et ses projets. C'était le seul trait de caractère de Le Ber qui agaçait parfois Dupin : il voulait toujours comprendre la manière dont son supérieur envisageait de procéder. Aujourd'hui encore, il lui arrivait de le questionner à ce sujet.

— Que font les flics du coin ? Il faut déplacer la réception, je veux que cette pièce reste dégagée.

— Labat les a emmenés en haut, il voulait commencer à interroger les clients au sujet de la nuit dernière.

— Que personne d'autre que la clientèle et le personnel hôtelier n'entre ou ne sorte d'ici. Que quelqu'un surveille le hall d'entrée. Pas vous, Le Ber. Un agent de police local fera l'affaire. Vous disiez que c'était une employée qui avait retrouvé Pennec ?

— Oui, Francine Lajoux. Cela fait plus de quarante ans désormais qu'elle travaille ici. Elle se trouve dans la salle du petit déjeuner, une femme de chambre lui tient compagnie. Elle est en état de choc, nous avons appelé un médecin.

— J'aimerais lui parler.

Dupin hésita un instant, incertain de ce qu'il devait faire, puis il sortit son calepin.

— Il est neuf heures cinq. Labat a appelé à sept heures quarante-sept. A cette heure-là, il venait tout juste d'être prévenu par les collègues de Pont-Aven, qui avaient quant à eux reçu un coup de fil depuis l'hôtel. Madame Lajoux a donc dû trouver le corps de Pennec vers sept heures trente. Si mes calculs sont bons, cela remonte à moins de deux heures. Jusqu'à maintenant, nous ne sommes pas bien avancés.

Bien que la manière peu banale qu'avait le commissaire de prendre des notes fût de notoriété publique, Le

Ber ne pouvait pas croire que Dupin avait scrupuleusement noté toutes ces informations sous cette forme.

— Pierre-Louis Pennec a un fils, Loïc. Ah, et puis il y a aussi un frère ou plutôt un demi-frère, qui vit à Toulon. Les proches du défunt ne vont pas tarder à être mis au courant, commissaire.

— Un fils ? Où vit-il ?

— Ici même, à Pont-Aven. Du côté du port, avec sa femme Catherine. Ils n'ont pas d'enfants.

— Je vais aller les voir. Mais avant, je voudrais m'entretenir avec madame Lajoux.

Le Ber savait que cela ne servait à rien de l'en dissuader : il ne connaissait que trop bien l'état d'esprit dans lequel se trouvait le commissaire dès qu'ils étaient confrontés à une affaire « sérieuse ».

Et il ne faisait aucun doute que ce cas-là était sérieux.

— Je vais vous trouver l'adresse exacte de Loïc Pennec et aussi le numéro de téléphone de son demi-frère. Vous savez, c'est une célébrité politique dans le midi, André Pennec. Cela fait deux décennies maintenant qu'il est élu à l'Assemblée, à droite.

— Est-ce qu'il est ici en ce moment ? Je veux dire : est-ce qu'il se trouve dans la région ?

— Non, pas que nous sachions.

— Très bien. Je l'appellerai tout à l'heure. Pas d'autres liens familiaux ?

— Non, rien.

— Demandez à Salou de vous faire un compte rendu précis dès qu'il aura terminé. Quant à Lafond, qu'il me passe un coup de fil. Ne le laissez pas vous dire qu'il ne se prononce jamais avant d'avoir rédigé son rapport.

— Entendu.

— Ah, et je voudrais parler à Dercap. Que quelqu'un essaie tout de suite de le joindre.

Dercap connaissait Pont-Aven comme sa poche. Sa maîtrise du terrain pouvait être précieuse, et puis c'était aussi son enquête, après tout.

— Je crois que Bonnec est déjà sur le coup.

— Que fait le fils ? Il travaille à l'hôtel ?

— Il semblerait que non. Labat sait seulement qu'il possède une petite entreprise.

— Une entreprise de quoi ?

— De miel.

— De miel ?

— Oui, la marque s'appelle Miel de Mer. Les ruches se trouvent à vingt-cinq mètres maximum de la mer. Ils produisent le meilleur miel du monde, à en croire…

— Très bien. Voilà nos priorités, Le Ber : je veux savoir ce que Pennec a fait au cours des derniers jours et des dernières semaines. Un emploi du temps aussi précis que possible, jour après jour. Je veux que chacun de ses faits et gestes soit documenté de la manière la plus détaillée possible. N'omettez rien, pas même les informations les plus banales de la vie quotidienne. Ses rituels, ses habitudes… Tout doit y être.

Soudain, des éclats de voix retentirent depuis le hall d'entrée. Un client s'énervait visiblement.

— Vous avez tout intérêt à nous rembourser. C'est absolument inacceptable !

L'homme était peu avenant, trapu, du genre libidineux. Sa femme le considérait avec dévotion.

— N'imaginez pas que nous allons rester ici une seconde de plus, nous partons tout de suite. Parfaitement : tout de suite !

— Permettez-moi d'en douter, cher monsieur. Jusqu'à nouvel ordre, personne ne quitte l'hôtel.

Ecumant de rage, l'homme se retourna vers Dupin, trop heureux de trouver une victime sur laquelle déverser sa colère.

— Permettez-moi de me présenter : commissaire Dupin, de la police judiciaire. Je regrette d'avoir à vous annoncer que vous allez devoir vous soumettre à un interrogatoire de police, comme tous les clients de cet établissement.

Dupin avait prononcé ces mots d'une voix très basse, presque sifflante. Ajoutée à sa stature imposante, la tactique fit son petit effet. L'homme recula aussitôt de quelques pas.

— Inspecteur Le Ber, ajouta Dupin en retrouvant sa voix sonore et professionnelle, dites à nos hommes d'interroger monsieur…

S'interrompant, il interrogea l'homme du regard jusqu'à ce que ce dernier se mette à bredouiller « Galvani » d'une petite voix chevrotante, puis il reprit :

— … monsieur Galvani ainsi que son épouse, au sujet des événements de la nuit dernière. Tout de suite, s'il vous plaît. Vérifiez leurs papiers et procédez à leur identification.

Dupin était grand et solide, pour ne pas dire massif, et ses épaules jetaient une ombre impressionnante. Les mauvaises langues prétendaient qu'il avait l'air d'une brute, et personne, assurément, ne s'attendait à l'habileté rapide, précise et impromptue qui le caractérisait la plupart du temps. Il n'avait en rien l'apparence d'un commissaire, d'autant qu'il portait généralement pour travailler un jean et un polo, et il usait volontiers de la confusion qu'il provoquait chez ses interlocuteurs.

Monsieur Galvani bougonna quelque chose que personne ne comprit et chercha des yeux le soutien de son épouse qui le dépassait au moins d'une tête. Quand Dupin se détourna, il vit que l'employée de l'hôtel le regardait en souriant discrètement. Il lui rendit son sourire puis se tourna de nouveau vers Le Ber, qui affichait une mine quelque peu embarrassée.

— Faites-vous aider de Labat et reconstituez surtout la journée et la soirée d'hier, aussi précisément que possible. Qu'est-ce que Pennec a fait ? Où il était ? A quel moment ? Qui l'a vu en dernier ?

— Nous sommes sur le coup. Il semblerait que le cuistot soit le dernier à l'avoir vu.

— Très bien. Quels employés travaillent ce matin ?

Le Ber sortit de sa poche un minuscule carnet noir.

— Mademoiselle Kann et mademoiselle Denoelalig, toutes deux très jeunes, des femmes de chambre. Et puis madame Mendu, qui, si j'ai bien compris, est censée prendre la succession de madame Lajoux. C'est elle qui est responsable du petit déjeuner. Madame Mendu est là, d'ailleurs.

Le Ber désigna la réception du menton.

— Ensuite madame Lajoux et le cuistot, Edouard Glavinec, et enfin un de ses assistants.

Dupin nota soigneusement toutes ces informations.

— Le cuistot ? Qu'est-ce qu'il fait ici à cette heure ?

— Il va faire les courses au grand marché de Quimper à l'aube.

— Comment s'appelle le garçon de cuisine ?

Le Ber feuilleta dans son calepin.

— Ronan Breton.

— Breton ? Il s'appelle Breton ?

— Breton.

Dupin voulut ajouter quelque chose, mais il se ravisa.

— Et c'est donc le cuisinier qui a vu Pennec en dernier ?

— A ce qu'il semblerait, oui.

— J'aimerais lui parler dès que j'en aurai fini avec madame Lajoux. Ce ne sera pas long.

Dupin tourna les talons et commença à gravir les marches de l'escalier. Sans prendre la peine de se retourner, il lança :

— Où exactement, au premier étage ?

— Tout de suite sur votre droite, la première porte.

Il frappa discrètement à la porte de la salle du petit déjeuner avant d'entrer. Dupin s'était attendu à une femme plus jeune. Francine Lajoux comptait sûrement soixante-dix ans, sa chevelure était entièrement grise et son visage pointu était parcouru de rides. Elle était assise dans le coin le plus éloigné de la pièce, à côté d'une jeune femme de chambre rousse et plantureuse, plutôt petite mais dotée d'un visage charmant bien qu'un peu replet – mademoiselle Kann, qui gratifia le commissaire d'un sourire empreint d'un certain soulagement. Immobile, le regard rivé au sol, madame Lajoux sembla tout d'abord ne pas remarquer la présence de Dupin.

Le commissaire s'éclaircit la voix.

— Bonjour, madame, permettez-moi de me présenter : commissaire Dupin, je suis responsable de l'enquête. On me dit que c'est vous qui avez retrouvé le cadavre de Pierre-Louis Pennec dans le restaurant, ce matin.

Les yeux de madame Lajoux étaient rougis par les larmes, son mascara avait coulé. Dupin dut attendre un moment avant qu'elle ne lève les yeux vers lui.

— Ce meurtre est abominable, vous ne trouvez pas, monsieur le commissaire ? C'est un meurtre abominable. Un meurtre commis de sang-froid. Cela fait trente-sept ans que j'assure fidèlement mon service auprès de monsieur Pennec. Je n'ai pas été malade un seul jour. Deux fois, tout au plus… Il est sacrément amoché, non ? L'assassin a dû le frapper avec un grand couteau. J'espère que vous l'attraperez vite, celui-là.

Si elle s'exprimait sans précipitation, son débit ininterrompu était néanmoins impressionnant et sa voix prenait des intonations aussi abruptes qu'inattendues.

— Ce pauvre monsieur Pennec. Quel homme merveilleux. Qui peut bien avoir fait une chose aussi affreuse ? Tout le monde l'aimait, monsieur le commissaire, tout le monde. Tout le monde l'estimait – oui, les gens l'estimaient et l'admiraient. Et ça – ça, une chose pareille, dans notre beau village de Pont-Aven. Un lieu si paisible, vous vous rendez compte ? La flaque de sang était énorme. Est-ce que c'est normal, monsieur le commissaire ?

Dupin ne savait pas quoi dire. A laquelle de ses questions était-il censé apporter une réponse ? Un peu découragé, il sortit son calepin et nota quelque chose. Un silence curieux s'installa. Mademoiselle Kann jetait au carnet de Dupin des coups d'œil à la dérobée.

— Pardonnez-moi, je sais que ce doit être particulièrement douloureux pour vous d'évoquer ce moment, mais pourriez-vous me raconter comment vous avez trouvé le cadavre ? Est-ce que la porte était ouverte ? Etiez-vous seule ?

Il était conscient de ne pas faire preuve d'une grande empathie en répondant de la sorte.

— J'étais toute seule. Est-ce que c'est vraiment important ? La porte était fermée, mais elle n'était pas verrouillée. D'habitude, elle l'est toujours. Oui. Monsieur Pennec la ferme toujours à clé avant de partir, le soir. Quand j'ai vu ça, je me suis bien dit que quelque chose ne tournait pas rond. Je crois qu'il était sept heures quinze. Plus ou moins, en tout cas. Vous savez, c'est moi qui prépare le petit déjeuner, le matin. Cela fait trente-sept ans que je suis ici tous les matins à six heures sonnantes. Trente-sept ans. A six heures, pas une minute de plus. Il manquait les petites cuillers. Ici, à la table du petit déjeuner. Vous savez, quand il n'y a pas encore trop de clients, nous ne servons qu'à l'étage, le matin. Le restaurant, c'est pour la saison. Alors j'ai voulu aller chercher des petites cuillers au restaurant. Ce n'est pas la première fois qu'elles manquent, il faut être vigilant, vous savez. Je m'époumone à le dire ! Il faut que j'en reparle à madame Mendu. En tout cas je n'ai rien remarqué de particulier, au restaurant. Enfin, hormis le cadavre, évidemment. Pauvre monsieur Pennec. Savez-vous pourquoi personne n'a rien entendu, hier soir ? Eh bien, à cause de la fête. Le village entier faisait un vacarme du tonnerre, c'est toujours la même chose pendant les festivités, ici. On peut dire qu'ils s'amusent ! Je n'ai pas fermé l'œil avant trois heures. Oui, j'étais seule. Et c'est là que je me suis mise à crier. Mademoiselle Kann a accouru tout de suite. C'est elle qui m'a accompagnée ici. C'est une bonne âme, vous savez, monsieur le commissaire. C'est tellement affreux !

— Vous n'avez donc rien remarqué d'anormal hier ou au cours des derniers jours ? Monsieur Pennec, l'hôtel, tout était comme d'habitude ? Réfléchissez bien. Le plus petit détail peut avoir son importance.

Peut-être même quelque chose qui vous semble insignifiant.

— Tout était comme d'habitude. Tout était parfaitement en ordre. Monsieur Pennec accordait beaucoup d'importance à cela.

— Rien ne vous a frappée, alors ?

Madame Lajoux esquissa un geste résigné.

— Non, rien. Nous nous sommes déjà réunis pour en parler, tout à l'heure. Je veux dire, tous les employés de l'hôtel présents aujourd'hui. Personne n'a rien remarqué de spécial.

— Et de manière plus générale, avez-vous une petite idée de ce qui a bien pu se tramer, ici ?

— Monsieur le commissaire !

Elle semblait sincèrement indignée.

— Vous me demandez cela comme si un crime avait été commis !

Dupin fut tenté de lui dire qu'un meurtre entrait effectivement dans la catégorie des crimes, mais il se contenta de reprendre :

— Parmi les employés au service de Pierre-Louis Pennec, c'est vous la plus ancienne, n'est-ce pas ?

— Oh, oui !

— C'est donc vous qui le connaissiez le mieux.

— Bien entendu. Une maison comme celle-ci, monsieur le commissaire, c'est un véritable engagement, vous savez. Un sacerdoce, pour reprendre les mots de monsieur Pennec.

— Est-ce que vous avez remarqué quelque chose de différent dans le restaurant, ou dans le bar ? Hormis le cadavre, cela va de soi.

— Non. Vous voyez, la saison vient tout juste de commencer. Cette période de l'année est toujours assez stressante. Nous avons un emploi du temps très chargé.

Soudain, l'expression de son visage changea du tout au tout et elle reprit d'une voix lente, traînante, presque étouffée :

— Vous savez, on entend de ces rumeurs… terribles. Certaines personnes sous-entendent que nous… que monsieur Pennec et moi avons eu une aventure, pendant les années qui ont suivi la mort tragique de sa femme. C'était un accident de bateau. J'espère en tout cas que vous n'accorderez aucun crédit à ces racontars, monsieur le commissaire. C'est un mensonge éhonté. Monsieur Pennec n'aurait jamais fait une chose pareille. Il n'a jamais cessé d'aimer sa femme, et il lui est resté fidèle, même après son décès. Pendant toutes ces années… Ils disent cela parce que nous étions très proches, amicalement je veux dire. Les gens ont parfois une imagination débordante.

Dupin était un peu perplexe.

— Bien sûr, madame Lajoux. Vous avez raison.

Un bref silence s'installa.

— Vous parliez d'un accident de bateau ?

Dupin avait posé cette question sans intention particulière.

— C'est arrivé sans crier gare, un beau jour. Il y a eu une tempête et Darice Pennec est passée par-dessus bord. Ça s'est passé à la nuit tombante. Il faut que vous sachiez que personne ne porte de gilet de sauvetage, ici. Ils revenaient des Glénan. Vous savez bien, l'archipel. J'imagine que vous n'y connaissez pas grand-chose, vous êtes nouveau dans la région, d'après ce qu'on dit. En tout cas, c'est un endroit magnifique. Comme la Méditerranée ! Certains disent même que ça ressemble aux Caraïbes. Un sable blanc, éblouissant.

Dupin hésita à rétorquer qu'il connaissait évidemment les Glénan puisqu'il habitait la région depuis bientôt trois ans. Comme beaucoup de gens du coin, madame Lajoux semblait partir du principe que tout individu ne vivant pas en Bretagne depuis de nombreuses générations était un « nouvel arrivant ». Au fil du temps, Dupin avait fini par comprendre que protester ne menait à rien et il encaissait donc ce préjugé sans broncher.

— Vous savez, une tempête est vite arrivée, par ici. Elle a disparu tout de suite. La mer vous réserve parfois ce genre de surprises. Il est resté dehors jusqu'au matin, il l'a cherchée sans relâche. C'était il y a un bail, vous savez. Vingt ans. Elle avait cinquante-huit ans. Ce pauvre Pennec. Il était tellement épuisé, quand il est arrivé au port, qu'il serait presque tombé dans les pommes.

Dupin se garda bien d'intervenir.

— Et vous ? dit-il en se tournant sans préambule vers mademoiselle Kann, encaissant au passage un coup d'œil déconfit de madame Lajoux. Est-ce que vous avez remarqué quelque chose d'inhabituel, que ce soit hier, aujourd'hui ou au cours des derniers jours ? Ne serait-ce qu'un détail ?

La femme de chambre le considéra avec effroi, manifestement surprise de se retrouver si soudainement au centre de l'attention du commissaire.

— Moi ? Non, rien. J'ai eu beaucoup de travail, ces derniers temps.

— Savez-vous si quelqu'un d'autre que vous et madame Lajoux est entré dans le restaurant, ce matin ?

— Non, personne. J'ai moi-même fermé la porte à clé.

Dupin nota l'information dans son carnet.

— Très bien. Quand avez-vous vu monsieur Pennec pour la dernière fois, toutes les deux ?

Dupin s'interrompit soudain, puis il reprit :

— Enfin, quand l'avez-vous vu vivant pour la dernière fois, bien entendu.

— Hier soir, je suis partie vers dix-neuf heures trente, répondit madame Lajoux. Je pars toujours vers cette heure-là. En tout cas depuis dix ans. Avant je restais aussi le soir, mais je n'y arrive plus maintenant. Ce n'est plus comme avant. Nous avons échangé quelques mots avant que je parte, monsieur Pennec et moi. Des informations concernant le fonctionnement de l'hôtel, vous voyez de quoi je parle. La routine.

— Et vous, mademoiselle Kann ?

— Je ne sais plus très bien. Peut-être vers quinze heures, hier après-midi. Je l'avais déjà vu dans la matinée, au moment où il est sorti de sa chambre. Vers sept heures. Il m'avait priée de faire sa chambre tout de suite.

— Il occupait une chambre dans l'établissement ? Monsieur Pennec habitait son hôtel ?

Mademoiselle Kann jeta un coup d'œil lourd de sens à madame Lajoux, qui s'empressa de répondre à sa place.

— Il a une maison dans la rue des Meunières, tout près de l'hôtel. Mais il a aussi une chambre ici. Au deuxième. Ces dernières années, il restait de plus en plus souvent dormir ici. C'était devenu fatigant pour lui de rentrer chez lui le soir. Il restait jusqu'à l'extinction des feux, tous les soirs. Il ne partait jamais avant minuit. Jamais. Il vérifiait que tout se passe bien. Vous savez, c'était un hôtelier hors pair. Tout comme son père, d'ailleurs. Et sa grand-mère aussi ! Une vraie tradition familiale.

— Pourquoi a-t-il voulu que vous fassiez sa chambre tout de suite ?

Mademoiselle Kann sembla réfléchir un instant.

— Je ne sais pas.

— Est-ce que vous en aviez l'habitude ?

Elle sembla de nouveau réfléchir intensément.

— Non, ce n'était pas courant.

— Quelles sont les tâches dont Pierre-Louis Pennec se chargeait encore seul, dans l'hôtel ? Existe-t-il un gérant, par exemple ?

— Monsieur le commissaire ! (Le regard comme le ton de madame Lajoux exprimaient une véritable horreur.) Monsieur Pennec faisait tout lui-même, cela va de soi. C'est lui qui dirigeait l'hôtel depuis 1947. Je ne sais pas si vous connaissez l'histoire du Central, après tout vous êtes nouveau dans la région. Vous devriez vous renseigner à ce sujet ! C'est ici qu'a été inventé l'art moderne. C'est ici même que Gauguin a créé sa célèbre école, l'école de Pont-Aven…

— Madame Lajoux, je…

— C'est la grand-mère de Pierre-Louis Pennec qui a fondé cette institution, elle seule, oui. Elle était une grande amie de ces artistes, voyez-vous. Elle les soutenait autant qu'elle le pouvait. Elle leur a même fait construire des ateliers. Il faut absolument que vous sachiez tout cela, monsieur le commissaire. Marie-Jeanne figure dans tous les livres d'histoire de l'art. Sans la pension de Marie-Jeanne Pennec et l'hôtel de Julia Guillou, juste à côté, tout cela n'aurait pas existé. Parfois les artistes y étaient logés et nourris sans avoir à débourser le moindre sou, d'ailleurs ils ne possédaient rien. Et puis…

Elle s'interrompit et son regard exprima soudain une véritable colère.

— Et si vous voulez mon avis, le fait que l'on fasse plus grand cas de mademoiselle Julia que de Marie-Jeanne Pennec est une énorme injustice. Vous êtes au courant de l'affaire, monsieur le commissaire ?

— Je… Non, je n'en savais rien.

— Vous devriez acheter le livre. C'est indispensable. La maison de la presse se trouve juste à côté du pont, vous verrez. Lisez tout, cette histoire est très connue, ici.

— Madame Lajoux, je…

— Je comprends bien, oui, c'est surtout l'enquête policière qui vous intéresse. Vous m'avez donc demandé si Pierre-Louis Pennec dirigeait l'hôtel seul ? C'était bien la question, n'est-ce pas ? Eh bien, oui ! Il l'a dirigé pendant soixante-trois ans, vous imaginez ! Il avait vingt-huit ans à la mort de son père, le merveilleux Charles Pennec. Ah, il n'a pas fait de vieux os, celui-là. Il a hérité l'hôtel de sa mère. D'ailleurs, celle-ci…

Madame Lajoux s'interrompit de nouveau et sembla s'exhorter elle-même à un peu plus de concentration.

— Donc, le moment venu et malgré ses vingt-huit ans, le jeune Pierre-Louis n'a pas reculé devant le poids de la tradition familiale quand l'heure de reprendre le flambeau a sonné. Il a repris l'hôtel et l'a dirigé seul jusqu'à aujourd'hui.

Francine Lajoux laissa échapper un soupir à fendre l'âme.

— Et moi, moi je suis responsable du petit déjeuner des chambres et des femmes de chambre. De la réception, aussi, des réservations, de tout ça. Enfin, c'est plutôt madame Mendu qui s'en occupe, maintenant. Depuis quelques années, déjà. Elle se débrouille plutôt bien, d'ailleurs.

Francine Lajoux se tut un instant et prit une profonde inspiration avant de laisser échapper d'une voix quasi imperceptible, comme épuisée :

— Mais je suis encore là, moi.

Mademoiselle Kann vint aussitôt à sa rescousse.

— Madame Mendu a repris les fonctions de gouvernante de madame Lajoux. Vous avez dû l'apercevoir, à la réception. Elle a une assistante, mademoiselle Denoelalig, qui travaille à la réception l'après-midi et assure le service au restaurant dans la soirée. Pendant ce temps, c'est madame Mendu qui fait la réception, et le matin aussi.

A peine avait-elle terminé sa phrase que la femme de chambre consulta madame Lajoux d'un air quelque peu incertain, qui trouva sa justification un instant plus tard.

— Mais enfin, il ne s'agit là que de basses besognes. C'est monsieur Pennec seul qui assurait la direction de l'hôtel. Moi…

Le ton de sa voix se fit coupant. Elle s'arrêta net, manifestement effrayée par ses propres propos.

— Tout va bien, madame Lajoux ?

Dupin comprit qu'elle était à bout de force.

— Oui, oui. Mes nerfs ont un peu souffert de toute cette histoire.

— Un ou deux détails encore, si cela ne vous ennuie pas, madame. Par quoi monsieur Pennec terminait-il habituellement ses journées ?

— Quand le service commençait, au restaurant, il vérifiait que tout se passe bien et discutait les points essentiels avec madame Leray et le cuisinier. Corinne Leray n'arrive qu'en fin d'après-midi, c'est elle qui dirige le restaurant. Elle n'a rien à voir avec l'hôtel, elle. C'est ce que vous vouliez savoir, monsieur le commissaire ?

Le petit diagramme que Dupin avait confectionné à partir du nom des employés de l'hôtel, de leurs domaines de compétence, de leur hiérarchie et de leurs heures de travail devenait de plus en plus indéchiffrable.

— Et ensuite ? Je veux dire : plus tard, dans la journée ? Que faisait-il avant de partir ?

— Quand tout était fini et que le restaurant était déjà prêt pour le service du lendemain, il restait un moment au bar. Fragan Delon lui tenait parfois compagnie, ou bien c'était un autre habitué de la maison, ou encore quelqu'un du coin. La plupart du temps, cependant, il était seul.

Mademoiselle Kann ressentit manifestement le besoin de préciser ce dernier point.

— Monsieur Delon était le meilleur ami de monsieur Pennec. Il lui rendait régulièrement visite à l'hôtel, parfois pour déjeuner ou alors l'après-midi, parfois aussi le soir.

— Mademoiselle Kann ! Pour des personnes extérieures, ce n'est pas si facile de juger qui est le meilleur ami de quelqu'un. C'est une question très personnelle.

Francine Lajoux regarda la femme de chambre avec l'air désapprobateur d'un professeur envers une élève un peu trop sûre d'elle, qui se serait mise en avant sans y avoir été invitée.

— Ils s'entendaient bien, c'est tout ce que nous pouvons dire. Ils n'étaient pas toujours d'accord, non plus.

— Est-ce que monsieur Delon était là, hier soir ?

— Je ne crois pas, non. Il faudrait demander confirmation à madame Mendu. Mademoiselle Kann et moi-même ne sommes pas là en soirée.

— A quelle heure monsieur Pennec se rendait-il au bar, d'ordinaire ? Est-ce qu'il buvait toujours un lambig ?

— Eh bien, on peut dire que les nouvelles vont vite. Oui, toujours son lambig. C'est notre liqueur de pomme locale ! C'est aussi bon que le calvados, croyez-moi. Les autres font plus de publicité, c'est tout. Pierre-Louis Pennec ne buvait que le lambig de Menez Brug, aucun autre. Il allait au bar vers vingt-trois heures, tous les soirs, et il y restait toujours une demi-heure, jamais davantage. Est-ce que cela vous aide ?

Quelqu'un frappa, et la tête de Le Ber apparut aussitôt dans l'encadrement de la porte, interpellant le commissaire d'un ton pressant.

— Commissaire, Loïc Pennec est au bout du fil. Sa femme et lui sont déjà au courant.

Dupin voulut savoir comment la nouvelle était arrivée jusqu'à eux, mais la question était idiote. Bien entendu, le village entier était au courant à l'heure qu'il était.

— Dites-lui que j'arrive tout de suite. Je me mets en route.

Le Ber disparut de nouveau dans le couloir.

— Je vous remercie beaucoup de votre aide. Merci à toutes les deux. Les informations que vous m'avez données sont très précieuses. Je vous serais très reconnaissant si vous pouviez nous communiquer le plus vite possible tout ce qui pourrait encore vous venir à l'esprit. J'ai vraiment abusé de votre patience, j'en suis désolé.

— Je veux que vous trouviez l'assassin, monsieur le commissaire.

Le visage de madame Lajoux semblait de marbre.

— Je suis joignable à n'importe quelle heure du jour ou de la nuit, madame Lajoux, mademoiselle Kann, et je reviendrai certainement vers vous dans les prochains jours.

— Je me tiens à votre disposition, monsieur le commissaire, répondirent les deux femmes d'une seule voix.

Le Ber se tenait juste à côté de la porte quand le commissaire sortit enfin.

— Monsieur et madame Pennec vous attendent dans…

— Le Ber, une fois que l'équipe technique en aura fini avec les empreintes, emmenez madame Lajoux dans le restaurant. J'aimerais qu'elle vérifie une dernière fois s'il manque quelque chose ou si un objet a été déplacé. Et d'ailleurs, qu'elle le fasse dans l'ensemble de l'hôtel. Et demandez à madame Mendu si l'ami de Pennec, Fragan Delon, ou quelqu'un d'autre, est venu au restaurant pendant la soirée d'hier. Je veux savoir si quelqu'un était avec Pennec au bar, même si ce n'est qu'un instant. Ah, et puis n'oubliez pas de parler avec madame Leray !

— Très bien. J'ai la liste complète des employés de l'hôtel.

— Existe-t-il une seconde entrée dans cette maison ?

— Oui, dans la cuisine. Elle donne sur la cour, à laquelle on accède par la ruelle qui se trouve derrière l'hôtel. Vous verrez une lourde porte en fonte dont personne ne semble se servir. Elle est toujours verrouillée. La clé est suspendue à la réception.

— Qu'est-ce que Pont-Aven fêtait, hier soir ?

— Eh bien, le fest-noz d'ici, c'est tout. Vous savez bien, il s'agit…

— Oui, oui, je sais de quoi il s'agit.

L'été, ces fêtes traditionnelles se succédaient à un rythme effréné. Dupin n'était pas friand de la musique folklorique, mais il n'avait pas le choix : tous les villages en organisaient un, peu importe sa taille. L'été, ici, n'était qu'une seule danse interminable.

— Commissaire, vous devriez vraiment…

— Le cuisinier, juste un instant.

Le Ber s'attendait visiblement à cette réponse. Il lui indiqua le couloir d'un geste à peine résigné.

— Nous avons réquisitionné une des chambres inoccupées.

Il tenta une dernière fois sa chance :

— Si vous voulez, je peux me charger d'interroger le chef.

— J'en ai pour un instant.

— De toute façon, Edouard Glavinec n'est pas du genre bavard, commissaire.

Dupin regarda Le Ber d'un air surpris.

Pour une bâtisse aussi ancienne, la chambre était étonnamment spacieuse et lumineuse, décorée de meubles en bois blanc simples mais coquets, savamment disposés sur un parquet ancien de chêne. Des tissus clairs complétaient le tout. Un jeune homme dégingandé assis à une petite table, non loin de la porte, semblait parfaitement étranger au remue-ménage qui l'entourait. Il ne parut même pas remarquer leur entrée.

— Bonjour, monsieur. Commissaire Dupin, de la police judiciaire. On me dit que vous avez vu Pierre-Louis Pennec, hier soir.

Glavinec hocha brièvement la tête et son visage prit une expression bienveillante.

— Quelle heure était-il ?

— Vingt-deux heures quarante-cinq.

— Vous êtes sûr de l'heure ?

Glavinec opina de nouveau.

— Comment pouvez-vous en être aussi certain ?

— J'avais terminé tout ce que j'avais à faire, il ne restait plus que la cuisine à ranger. Il est toujours autour de vingt-deux heures quarante-cinq quand j'en suis là.

— Vous l'avez vu où, exactement ?

— En bas.

— Et plus précisément ?

— Près des escaliers.

— Il se rendait où ?

— Il arrivait d'en haut.

— Et vous ?

— J'allais sortir fumer une cigarette.

— Où allait-il ?

— J'en sais rien. Au bar, j'imagine. Il allait toujours au bar, dans la soirée.

— Vous avez échangé quelques mots ?

— Oui.

La conversation était pour le moins poussive. Dupin avait toutes les peines du monde à imaginer d'où cet homme puisait la passion dont il devait faire preuve dans son métier. Ce n'était pas un cuisinier renommé, mais Dupin savait qu'il bénéficiait d'une certaine considération. Nolwenn elle-même recommandait sa cuisine, elle devait donc être bonne.

— De quoi avez-vous parlé ?

— De rien en particulier.

Le regard perplexe de Dupin encouragea Glavinec à ajouter quelques mots.

— On a parlé de ce qu'on allait faire aujourd'hui.

— C'est-à-dire ?

— Eh bien, ce qu'on allait servir aujourd'hui, le plat du jour, tout ça. Nous proposons toujours un plat du jour. Monsieur Pennec y tenait.

La phrase était étonnamment élaborée.

— Vous n'avez parlé que du menu, de rien d'autre ?

— Non.

— Et vous n'avez rien remarqué d'inhabituel chez monsieur Pennec ? Vous a-t-il semblé différent de d'habitude ?

— Non, répondit Glavinec, égal à lui-même. Rien.

Dupin laissa échapper un soupir.

— Il vous a semblé dans son état normal, si je comprends bien ?

— Oui.

— Etait-il seul ? Attendait-il quelqu'un ?

— Je n'ai vu personne.

— Et à part ça, dans l'hôtel ? Avez-vous remarqué quoi que ce soit d'inhabituel chez d'autres membres du personnel ?

Dupin savait que la question était superflue. Avant même de laisser à Glavinec le temps de répondre, il ajouta :

— Je vous prierai de bien vouloir nous appeler tout de suite, si vous vous souvenez de quoi que ce soit qui vous semble digne d'intérêt. Vous êtes un témoin important, pour nous. Il semblerait que Pierre-Louis Pennec se soit rendu au bar juste après avoir parlé avec vous, et il a été assassiné très peu de temps après. Comprenez-vous pourquoi votre déposition est si importante pour nous ?

L'expression de Glavinec ne changea pas d'un iota. Dupin se résigna.

Glavinec se leva, tendit la main au commissaire sans ajouter un mot et s'en alla. Le Ber et Dupin se retrouvèrent seuls dans la pièce.

— Bon.

Dupin se leva à son tour et se tourna pour prendre congé. Il ne put réprimer un sourire. D'une certaine manière, il venait d'assister à une conversation typiquement bretonne. Secrètement, il devait bien reconnaître que le cuisinier lui plaisait. Il était même décidé à venir dîner ici prochainement. Décidément, il avait appris beaucoup de choses.

— Qu'est-ce que vous en dites, commissaire ? Ce serait tout de même le diable si personne n'avait rien vu ni entendu d'anormal hier soir, non ?

Dupin voulut rétorquer qu'il n'en était pas à son premier démêlé avec le diable, mais il s'abstint.

— On verra bien. Ne laissez personne entrer dans les pièces du bas, Le Ber. Dès que les collègues ont terminé, on boucle tout. Je file chez les Pennec.

Le Ber avait l'habitude. Dupin avait la manie de verrouiller les lieux du crime pendant une période indéfinie dépassant largement le temps nécessaire aux équipes techniques pour analyser la scène. Peu lui importait qu'il s'agisse parfois de lieux publics. Son supérieur ne cédait le terrain que quand il avait l'impression d'avoir épuisé toutes les informations dont il avait besoin. Cette attitude lui attirait invariablement de gros ennuis, d'autant plus que cette pratique ne trouvait de justification dans aucune réglementation judiciaire. De manière générale, le commissaire avait une vision très particulière des choses. Le Ber savait aussi qu'il ne servait à rien de discuter. Il avait bien vu, d'ailleurs, que les méthodes peu orthodoxes de son patron apportaient parfois des résultats étonnants. Les premières enquêtes de Dupin en Bretagne avaient entraîné de nombreuses mises au point plutôt musclées avec toutes sortes de personnes, pas seulement avec Guenneugues, et Dupin ne s'en était pas toujours tiré la tête haute. Après quelques succès en tant que commissaire, cependant, et surtout après qu'il eut tiré au clair l'assassinat spectaculaire de deux pêcheurs au thon pendant sa deuxième année de service, les rappels à l'ordre s'étaient espacés. L'affaire avait bouleversé toute la région et Dupin y avait gagné une certaine renommée.

Le Central se trouvait sur la ravissante place Gauguin, au cœur même du village. C'était une jolie bâtisse du XIXe siècle d'un blanc immaculé. Tout, dans son apparence, indiquait qu'elle avait été l'objet d'une attention et d'un soin constants au cours des années. Juste à côté, le Julia le dominait très nettement. Le célèbre hôtel portant le prénom de sa propriétaire, Julia Guillou, avait plus tard été transformé en mairie et accueillait depuis quelques années une partie du musée de l'Ecole de Pont-Aven. Devant l'hôtel se dressaient aujourd'hui encore les magnifiques platanes que Julia Guillou y avait fait planter. A l'époque, elle s'était battue contre le conseil municipal au grand complet, farouchement opposé à l'idée de planter des arbres à cet endroit, pour offrir un peu d'ombre rafraîchissante aux artistes qui se tenaient sur sa terrasse en été.

Loïc Pennec et sa femme habitaient dans la rue Auguste-Brizeux, non loin du Central – à Pont-Aven, rien ne se trouvait bien loin du Central. Dupin ne fut pas mécontent de faire quelques pas au grand air, mais il avait cruellement besoin d'un café. Il lui fallait toujours du café, beaucoup de café, aujourd'hui plus que jamais. Il était convaincu que son cerveau ne fonctionnait à plein régime qu'à partir du moment où il avait ingurgité une certaine dose de caféine.

Dupin traversa l'Aven en empruntant le vieux pont de pierre et tourna immédiatement dans la rue du Port, qui menait droit au quai et débouchait sur la rue Auguste-Brizeux. Autour des berges de l'Aven, rivière aux mille légendes qui embrassait le port comme un écrin, se dressaient d'imposantes collines. Dupin devait reconnaître que les premiers habitants de la région avaient eu du flair : le site où ils avaient choisi de s'installer était tout bonnement exceptionnel. Après avoir serpenté à travers la vallée tortueuse, la rivière se muait en fjord, dessinait des méandres sur sept kilomètres, se divisait en d'innombrables bras et formait des lacs pittoresques avant de déboucher sur la mer au milieu d'un paysage grandiose. Soumis aux diktats de la marée, l'Aven était inéluctablement lié à la mer.

En été, les petits bars et autres cafés du village, tous plus affreux les uns que les autres si l'on en croyait Dupin, grouillaient de monde.

Peu avant d'arriver au port, le commissaire se décida pour l'un d'eux, un troquet relativement sobre dont les murs n'affichaient aucune des sempiternelles photographies grand format de crêpes et de gâteaux.

Si son breuvage arriva vite, il se révéla tellement amer que Dupin renonça à en commander un deuxième. Les bienfaits de la caféine ne tardèrent pas à se faire sentir, et Dupin s'abîma un instant dans ses réflexions. Il n'était pas parvenu à se faire une impression fiable de madame Lajoux et ne savait trop que penser d'elle. Une chose était sûre : elle n'était pas aussi naïve qu'elle voulait bien le laisser croire. Dupin sortit son calepin et prit quelques notes. Il avait déjà consigné pas mal d'informations, et d'expérience il savait que ce n'était pas bon signe. Moins il comprenait où une affaire le menait, plus il prenait de notes « importantes ». Les événements de la matinée lui semblaient encore très irréels, mais ce sentiment de flou et d'incertitude, précisément, ne lui était que trop familier. Il fallait qu'il se ressaisisse. Il y avait eu un meurtre, tout de même. C'était son rôle de retrouver le coupable.

Les Pennec habitaient l'une des douze ou treize villas massives en pierre sombre, presque noire, que l'on trouvait en bordure de port. Dupin les avait toujours trouvées tristes, peu engageantes, et leurs proportions ne s'accordaient pas avec le cadre. « Villa Saint-Gwénolé », lut-il sur un panneau d'émail surplombant l'entrée de la maison.

— Entrez, monsieur, je vous en prie.

Dupin n'avait sonné qu'un bref coup, mais la porte s'était ouverte aussitôt. Catherine Pennec se tenait devant lui, vêtue d'une robe noire boutonnée jusqu'au cou. Elle parlait d'une voix basse, d'un ton grave et coupant à la fois, tout à fait en accord avec sa silhouette sèche.

— Mon mari va descendre dans un instant. Allons nous asseoir dans le salon. Est-ce que je peux vous proposer un café ?

— Volontiers. Très volontiers, oui.

Dupin rêvait de se débarrasser de l'arrière-goût détestable de son café précédent.

Madame Pennec précéda le commissaire dans le grand salon.

— Mon mari arrive tout de suite.

Elle quitta la pièce par une porte étroite. La maison était aménagée de manière ostensiblement cossue. Dupin était bien incapable de dire s'il s'agissait là d'authentiques meubles d'époque, mais en tout cas il régnait là un ordre impeccable, presque maniaque.

Dupin entendit des pas descendre l'escalier du vestibule et, quelques instants plus tard, la silhouette de Loïc Pennec se découpa sur le seuil. Il ressemblait au vieux Pennec de manière frappante, à en croire les portraits du jeune Pierre-Louis que Dupin avait aperçus dans le salon de l'hôtel. On l'y voyait dans les années soixante et soixante-dix, entouré de ses célèbres invités. Loïc Pennec avait hérité de la haute stature de son père, mais il l'avait largement dépassé en corpulence. Il avait la même chevelure dense, coupée court, le même nez, seule sa bouche était plus grande et plus mince. Tout comme son épouse, Loïc Pennec était vêtu de manière plutôt formelle, d'un costume gris anthracite. Ses traits étaient marqués et sa mine blafarde.

— Je suis vraiment désolé de… commença Dupin.

— Mais non, mais non, je vous en prie. Votre travail passe avant tout. Nous voulons à tout prix que vous progressiez aussi vite que possible dans votre enquête. C'est épouvantable, ce qui est arrivé.

Loïc Pennec s'exprimait d'une voix étouffée, un peu balbutiante. Entre-temps, sa femme était revenue chargée d'un plateau et avait pris place à côté de son mari sur le canapé. Le fauteuil dans lequel Dupin s'était installé s'accordait parfaitement au reste du mobilier. En bois sombre, très ornementé, il était doté d'un coussin clair.

La situation n'était pas des plus simples. Dupin n'avait pas relevé la phrase de Pennec, mais s'était contenté d'extraire ostensiblement son calepin de sa poche.

— Est-ce que vous avez déjà des pistes ou des indices ? Avez-vous trouvé un point de départ, quelque chose qui puisse vous mettre sur la voie ?

Catherine sembla soulagée que son mari reprenne le cours de la conversation. Elle essayait manifestement de se composer une expression impassible.

— Non, rien. Pour l'instant, je n'ai rien trouvé. Ce n'est pas évident d'imaginer les mobiles qui auraient pu pousser quelqu'un à tuer un homme de quatre-vingt-onze ans, d'autant plus que ce dernier semblait unanimement respecté et apprécié. C'est un crime terrible. Je suis vraiment désolé. J'aimerais vous exprimer mes plus sincères condoléances.

— Je n'arrive pas à y croire.

Perdant son sang-froid, Loïc Pennec ajouta d'une voix blanche :

— Je n'y comprends rien.

Avant d'enfouir son visage entre ses mains.

Catherine Pennec passa un bras autour des épaules de son mari.

— C'était un homme merveilleux. Un grand homme.

— Je tenais vraiment à vous apprendre la nouvelle personnellement. Je suis désolé que vous l'ayez apprise autrement. J'aurais dû m'en douter. Ce n'est pas étonnant, dans un si petit village.

Le visage de Loïc Pennec était encore caché entre ses mains.

— Ne vous faites pas trop de reproches, vous avez beaucoup à faire.

Madame Pennec resserra son étreinte autour de son mari avant de prendre la parole. Son geste inspirait davantage la protection que le réconfort.

— En effet. Les débuts d'une enquête, surtout, sont assez intenses.

— Il faut absolument que vous mettiez rapidement la main sur le meurtrier. Il faut qu'il paie pour cet acte barbare.

— Nous faisons tout ce qui est en notre pouvoir, madame. Je repasserai certainement très bientôt, d'ailleurs, à moins que je ne vous envoie l'un de mes inspecteurs. Les informations que vous possédez nous seront assurément d'une grande aide. Pour le moment, je ne veux pas vous importuner plus longuement.

Dupin se rabroua intérieurement : il ne pouvait mettre un terme à leur conversation d'une manière aussi abrupte, tout de même.

— A moins, bien entendu, que vous ne souhaitiez tout de suite me faire part de quelque chose qui puisse nous aider à élucider le meurtre de votre père…

Loïc Pennec releva enfin la tête.

— Je vous en prie, ne perdons pas de temps, commissaire. Je veux vous aider autant que je le peux. Parlons-en tout de suite, ne vous inquiétez pas.

— Je me disais…

— Si, si, j'y tiens.

— Eh bien, cela nous serait très utile si vous pouviez passer en revue toutes les pièces de l'hôtel, avec l'un de mes inspecteurs, au cours des prochains jours. Nous voudrions vérifier que rien ne vous frappe, que tout est bien à sa place. Le plus petit détail peut avoir son importance.

— Mon mari va reprendre la direction de l'hôtel. Il le connaît par cœur, dans les moindres recoins. C'est pour ainsi dire l'endroit où il a grandi, vous savez.

— C'est exact. Je le ferai volontiers, commissaire. Dites-moi quand cela vous arrange le mieux.

Loïc Pennec semblait s'être ressaisi.

— Vous devriez savoir, cependant, que mon beau-père ne conservait aucun objet de valeur dans l'hôtel. Aucune somme d'argent importante, non plus. Il n'y a rien, là-bas, qui puisse véritablement intéresser un cambrioleur.

— Mon père n'accordait aucune importance aux objets de valeur. Il ne s'y est jamais intéressé. La seule chose qui avait de l'importance à ses yeux, c'était son hôtel. Il s'en était fait une mission personnelle. Quant à sa fortune, il possède un compte en banque ici, au Crédit Agricole. Depuis soixante ans, déjà. C'est toujours là qu'il a gardé son argent. A chaque fois qu'il avait rassemblé une somme suffisante, il achetait une maison. C'est tout au moins ainsi qu'il a procédé au cours des dernières décennies. Il a investi toute sa fortune dans l'immobilier. Il n'a jamais rien accumulé.

Maintenant, Pennec semblait littéralement soulagé de pouvoir s'exprimer. Madame Pennec considérait son mari avec insistance, sans que Dupin parvienne à saisir ce que ce regard pouvait bien vouloir dire.

Loïc Pennec poursuivit :

— De manière générale, il n'achetait rien pour lui. Hormis son bateau, bien sûr – et il n'hésitait pas à la dépense pour l'entretien de celui-ci. Peut-être que la caisse du restaurant était pleine ce soir-là, ça, je n'en sais rien. Vous allez sûrement pouvoir vérifier tout cela.

— Mes collègues ont tout vérifié, la caisse de l'hôtel, celle du restaurant, tout. Nous n'avons rien remarqué d'inhabituel, pour le moment.

— On n'est vraiment à l'abri de rien, de nos jours ! s'exclama madame Pennec d'un air indigné.

— Mon père possède quatre maisons, à Pont-Aven. Sans parler de l'hôtel, bien entendu.

— Eh bien, c'était manifestement un excellent homme d'affaires ! Il est parvenu à amasser une fortune respectable.

— Vous savez, certaines de ces maisons auraient bien besoin d'être rénovées. Cela fait des années qu'on aurait dû s'en occuper. Deux d'entre elles nécessitent une toiture neuve. Et puis n'oubliez pas que les touristes préfèrent les maisons en bord de mer. Ici, les prix ne sont pas comparables à ceux des bâtisses de bord de mer. Mais il n'y avait rien à faire : il voulait toujours acheter dans le village. Les loyers aussi sont moins élevés, ici.

— Cela fait douze ans qu'il n'a pas augmenté le tarif des chambres, à l'hôtel – sans parler du loyer de ses maisons.

Madame Pennec parut soudain s'apercevoir du ton ouvertement réprobateur qu'elle avait employé et se tut aussitôt.

— Mon père aurait certainement pu faire des affaires plus rentables, voilà ce que veut dire mon épouse. C'était un homme très généreux. Tout comme son père, et ma grand-mère, aussi. Un mécène plus qu'un homme d'affaires avide.

— Et de manière générale, avez-vous remarqué quoi que ce soit qui vous semble d'importance ? Est-ce que votre père s'était disputé ? Avait-il exprimé son mécontentement envers quelqu'un, ou encore une personne avait-elle quelque chose à lui reprocher ? Votre père vous a-t-il parlé de quoi que ce soit qui le préoccupait particulièrement, au cours des derniers mois ou semaines ?

— Non. Il n'avait pas d'ennemis.

Pennec marqua une courte pause, puis il reprit :

— Pas que je sache, en tout cas. Pourquoi en aurait-il eu ? Il n'était jamais en désaccord avec personne. Je parle de désaccords sérieux, bien entendu. Il n'y avait que… oui, il n'y avait que son demi-frère avec lequel il était brouillé. André Pennec. Un homme politique influent, qui a fait carrière dans le Sud. Je connais à peine mon oncle.

Il observa un nouveau silence.

— Il ne parlait pas beaucoup de ses sentiments. Mon père, je veux dire. Nous nous entendions très bien, mais il ne racontait pas grand-chose. Je ne sais pas ce qui s'est passé entre eux.

— Est-ce que quelqu'un d'autre est au courant ?

— Je ne suis pas sûr que mon père en ait révélé les détails à qui que ce soit. Peut-être à Delon. Peut-être aussi que la femme de son demi-frère est au courant. Sa troisième femme. Elle est beaucoup plus jeune que lui. Mon père et son frère ne se sont pas beaucoup parlé au cours des vingt dernières années. André Pennec a seize ans de moins que mon père.

— Votre grand-père a donc eu une aventure extra-conjugale ?

— Très précisément, oui. Avec une fille du Midi, toute jeune. C'était au début des années trente. Ça n'a pas duré longtemps.

— Quelque temps, tout de même, ajouta Catherine Pennec avant de préciser : Leur relation a duré plus de deux ans.

Pennec jeta un coup d'œil critique à sa femme.

— Peu importe : toujours est-il que cette femme est tombée enceinte et qu'elle est repartie dans le Midi, dans sa famille. Mon grand-père n'a pas vu son fils très souvent. A son décès, André ne devait pas avoir vingt ans. Je ne saurais même pas vous dire qui d'autre connaît cette histoire. A part André, bien sûr.

Dupin prenait consciencieusement des notes.

— Fragan Delon était donc le meilleur ami de votre père ?

— Ils étaient vieux copains, oui. Des amis d'enfance. Le vieux Delon n'est pas vraiment un type ouvert. Cela fait un bout de temps qu'il vit seul, lui aussi. Je crois que la vie n'a pas été tendre avec lui.

Il fallait qu'il parle à Delon, il s'en était déjà fait la remarque pendant son entretien avec madame Lajoux.

— Connaissez-vous bien Fragan Delon ?

— Pas très bien, non.

— Et connaissez-vous le contenu du testament de votre père ?

La question était arrivée comme un cheveu sur la soupe. Le visage de Pennec se teinta d'une légère indignation.

— Vous voulez parler du document ? Non.

— Vous n'en avez jamais parlé ?

— Si. Bien entendu. Mais je n'ai jamais vu le testament. Il voulait que je reprenne l'hôtel. Nous en avons beaucoup parlé, ces dernières années. Cela revenait toujours sur le tapis.

— Je suis très heureux de l'apprendre. C'est une véritable institution, dans la région.

— C'est aussi une tâche énorme. Mon père l'a repris il y a soixante-trois ans de cela, il avait vingt-huit ans à l'époque. Mon arrière-grand-mère, Marie-Jeanne, l'a fondé en 1879. Mais j'imagine que vous êtes au courant de tout cela.

— Ah, on peut dire qu'elle était une vraie Pennec. Elle a tout de suite compris où était l'avenir : dans le tourisme. Et puis dans les artistes, bien entendu. Elle les connaissait tous. Tous, sans exception. Elle a tout de même été enterrée dans la même tombe que Robert Wylie, un peintre américain. Elle avait cette classe-là.

La voix de madame Pennec était chargée de fierté.

Dupin se résigna à entendre l'histoire du Central et de l'école de Pont-Aven encore une fois, et ce ne serait pas la dernière au cours de cette enquête. N'importe quel enfant de la région était en mesure de réciter d'une seule traite l'histoire complète de l'hôtel et de la colonie d'artistes. Il ne faisait aucun doute que Marie-Jeanne Pennec avait senti poindre une ère nouvelle : l'invention de la villégiature, l'attrait à nouveau exercé par la côte, la mer, la plage et le soleil. C'est cette intuition précoce qui l'avait amenée à ouvrir un modeste hôtel sur la place du village. Robert Wylie avait été le premier artiste à séjourner ici. Après son installation à Pont-Aven, en 1864, il n'avait pas tardé à inviter tous ses amis à suivre son exemple. Tous avaient été émerveillés par cette « parfaite idylle ». Bientôt les Irlandais, les Hollandais, les Scandinaves et enfin les Suisses s'étaient à leur tour laissé gagner par la Bretagne, mais ce n'est qu'une dizaine d'années plus tard qu'on vit arriver les peintres français. Les gens du coin regroupaient tout ce monde sous une seule appellation : « les Américains ». Gauguin arriva en 1886. De la colonie d'artistes naquit l'école de Pont-Aven, qui inventa une forme de peinture radicalement nouvelle.

Nombreux étaient les attraits qui avaient motivé l'arrivée des artistes à Pont-Aven, dans le vieux pays celtique de la Bretagne – l'Armorique, « le pays du bord de mer », comme les Gaulois avaient coutume de le nommer. Il y avait les paysages magiques, témoins de l'époque mystérieuse des menhirs et des dolmens, des druides et des grandes légendes, mais aussi l'exemple de Monet, qui travaillait déjà depuis un moment sur Groix, une île visible à l'œil nu depuis l'estuaire de l'Aven. Peut-être, aussi, cherchaient-ils alors une authenticité, une simplicité, quelque chose de brut qu'ils trouvèrent dans la nature campagnarde des gens du coin, dans les vieilles coutumes et fêtes de la région. Sans oublier, bien entendu, le penchant ancestral des Bretons pour le merveilleux et le mystique. Si toutes ces raisons étaient suffisantes en soi, il n'empêchait que les deux hôtelières Julia Guillou et Marie-Jeanne Pennec avaient joué un rôle non négligeable en pratiquant une hospitalité aussi généreuse. Toutes deux s'étaient donné pour devoir de faire du « plus grand atelier de peinture en plein air » un lieu aussi confortable que possible.

— Oh, j'imagine bien, monsieur Pennec, que diriger cet hôtel était une vocation bien plus qu'un simple commerce.

Dupin fut le premier surpris du ton emphatique qu'il avait employé. Manifestement, l'évocation de cette grande époque rassérénait quelque peu les Pennec.

— Quand allez-vous ouvrir son testament ?

L'expression de Loïc Pennec se teinta de nouveau d'agacement.

— Je n'en sais rien encore. Nous allons devoir prendre rendez-vous chez le notaire.

— Est-ce que votre père a nommé d'autres héritiers que vous ?

— Non. D'où vous vient cette idée ?

Pennec hésita.

— Enfin, je n'en mettrais pas ma main à couper, bien entendu.

— Allez-vous entreprendre de grands changements ?

— Des changements ? Que voudriez-vous que je change ?

— Eh bien, dans l'hôtel par exemple, ou dans le restaurant.

Le commissaire s'aperçut que sa question pouvait sembler un peu grossière, et qu'elle était certainement prématurée. Il ne pouvait pas s'expliquer pourquoi elle lui avait traversé l'esprit à cet instant précis. De toute manière, l'entretien avait assez duré, il était grand temps d'y mettre un terme.

— Vous voyez, il me semble tout à fait normal, voire nécessaire, que chaque génération apporte sa nouveauté. C'est le seul moyen de conserver l'ancien tout en préservant une certaine tradition, vous ne croyez pas ?

— Oui, oui, bien sûr. Vous avez raison. Nous n'avons cependant pas encore réfléchi à cette question.

— Bien entendu. Je comprends très bien. Ma question était tout à fait hors de propos.

Les Pennec le considéraient avec curiosité, comme s'ils attendaient quelque chose.

— Croyez-vous que votre père vous aurait parlé d'une dissension ou d'un conflit, s'il en avait eu ?

— Oui, bien sûr. Enfin, je crois. C'était un homme très têtu. Il avait toujours une vision des choses bien à lui.

— Bien, il me semble que je vous ai retenus suffisamment longtemps. Excusez-moi, je vous prie. Je vais vous laisser tranquilles. Vous traversez une épreuve très douloureuse, ce crime est particulièrement atroce.

Madame Pennec hocha vigoureusement la tête.

— Je vous remercie, commissaire. Vous faites de votre mieux, j'en suis certaine.

— Si jamais quelque chose vous revient à l'esprit, appelez-moi. Je vous laisse mon numéro. N'hésitez surtout pas, peu importe de quoi il s'agit.

Dupin déposa sa carte de visite sur la table basse et empocha son carnet de notes.

— Vous pouvez compter sur nous.

Loïc Pennec se leva, aussitôt imité par sa femme et par Dupin.

— Nous espérons que vous allez vite trouver une piste, commissaire. Je serai infiniment soulagé de savoir le meurtrier de mon père sous les verrous.

— Je vous appelle dès que j'ai du nouveau.

Loïc et Catherine Pennec le raccompagnèrent jusqu'à la porte et prirent congé avec force formules de politesse.

La journée tenait ses promesses en affichant une température merveilleusement estivale. Un peu plus de trente degrés, c'était plus que de coutume dans la région. Après l'atmosphère oppressante du domicile des Pennec, Dupin était heureux de retrouver l'air marin. Il aimait profondément la brise à la fois douce, discrète et pourtant omniprésente qui arrivait de l'océan Atlantique. Un coup d'œil à sa montre lui indiqua qu'il était bien plus tard qu'il ne le pensait, la matinée était finie depuis bien longtemps.

Par ces grandes chaleurs, tout le monde était à la plage et même le port semblait déserté. La marée était à son niveau le plus bas, et les bateaux gisaient sur leur flanc dans le sol boueux, comme endormis. Dupin se laissait toujours surprendre par le spectacle pittoresque de Pont-Aven. Malgré sa petite taille, le bourg était divisé en deux quartiers distincts, celui du haut et celui du bas, près du port – ou, plus précisément, de la rivière et de la mer qui, malgré leur proximité immédiate, créaient des paysages, des impressions et des atmosphères très différentes. Ce phénomène avait inspiré un grand nombre d'artistes résidant ici.

Dupin se souvenait très bien de la première fois qu'il était venu ici, depuis Concarneau. Quand il s'était garé place Gauguin, tout lui avait semblé bien différent de ce qu'il connaissait. A commencer par l'air. Concarneau sentait le sel, l'iode, les algues et les coquillages, l'immensité infinie de l'océan dont la clarté et la lumière étaient comme distillées dans l'atmosphère. Pont-Aven en revanche sentait le fleuve, la terre lourde et humide, le foin, les arbres, les forêts, la vallée et les ombres, le brouillard mélancolique – la terre ferme. Pour reprendre les termes celtes d'origine, c'était l'Armor et l'Argoat : la Bretagne littorale et la Bretagne boisée. Dupin n'avait pas tardé à comprendre que le monde breton s'était essentiellement construit sur cette opposition, tout au long de son histoire et jusqu'à nos jours. Jamais il n'aurait cru que deux mondes aussi proches puissent être aussi éloignés l'un de l'autre, aussi étrangers l'un pour l'autre. Pont-Aven, c'était avant tout l'Argoat, la terre, les fermes, l'agriculture – mais c'était aussi l'Armor, tout particulièrement ici, au port, où la marée ramenait du grand large tout ce qui caractérisait la mer, et tout particulièrement son atmosphère. Parfois, les trois cent vingt mètres qui formaient le quai historique de la rive droite – une plaque vantait fièrement ses dimensions – accueillaient une ribambelle de voiliers majestueux qui ne laissaient aucun doute sur la proximité immédiate de la mer.

Une faim dévorante vint rappeler à Dupin qu'il n'avait rien mangé depuis son croissant matinal. Il oubliait souvent de se nourrir quand il était plongé dans une enquête, et ne s'en apercevait généralement qu'au moment de défaillir. Il se résolut à remonter jusqu'à la place Gauguin et à tenter sa chance dans l'un des bistrots qui proposaient une nourriture convenable, tout en lui permettant de garder un œil sur l'hôtel.

Il choisit le café qui se trouvait à l'autre bout de la place, juste en face du Central, et s'installa à une table en terrasse. Il ne se passait pas grand-chose dans le port. Une grappe de badauds se tenait encore devant le Central, les discussions animées allaient bon train. La place Gauguin était baignée de soleil et on ne pouvait qu'être reconnaissant à Julia Guillou de s'être battue pour y planter ses platanes. Dupin commanda un grand crème, un jambon-fromage et une bouteille de Badoit à un serveur fort prévenant qui hocha la tête d'un air entendu. Le commissaire aurait volontiers cédé à son penchant pour les galettes complètes, mais il se tenait strictement au principe que lui avait inculqué Nolwenn et ne commandait jamais de crêpe ailleurs que dans une bonne crêperie.

Dupin se cala sur sa chaise qui était étonnamment confortable. Il observait les allées et venues sur la place quand une imposante limousine noire, une grosse Mercedes, attira son attention. Le véhicule traversait la place à une lenteur remarquable. Au même instant, son téléphone sonna. Dupin reconnut immédiatement le numéro de Nolwenn mais décrocha de mauvaise grâce.

— Vous avez reçu beaucoup de coups de fil, commissaire.

— Je m'en doutais, oui.

Les rares fois où il éteignait son téléphone, comme il venait de le faire chez les Pennec, les appels étaient automatiquement redirigés vers son bureau.

— Je suis en train de déjeuner. Enfin, j'essaie.

— Bon appétit ! Alors, il y a eu le préfet Guenneugues, puis Le Ber, trois fois. Le docteur Lafond. Le docteur Bernez Pelliet. Puis Fabien Goyard, le maire de Pont-Aven. Ah, et votre Véro, aussi. Le préfet s'inquiète beaucoup…

— Bon sang, qu'il me fiche la paix avec son comité… Et puis ce n'est pas *ma* Véro…

Cette histoire avec Véro était du passé. Pour lui, en tout cas. C'était du moins ce qu'il lui semblait. Il en était quasiment sûr. Comme toutes les histoires qu'il avait eues depuis qu'il avait quitté Paris, d'ailleurs. Quant aux sept années passées avec Claire, à Paris, celles-là étaient bel et bien révolues. Point final. Il se le répétait sans cesse. Mais ce n'était pas le propos pour le moment.

— De quel comité parlez-vous ? Le préfet voulait vous exprimer ses inquiétudes au sujet de ce meurtre affreux. Il craint des répercussions énormes.

— Ah oui ? Vous m'étonnez, là.

— Quant au docteur Bernez Pelliet, il a affirmé que c'était important, mais il n'a rien voulu me dire de plus.

— Je déjeune, là.

— Très bien, je ne vous dérange pas plus longtemps.

Le docteur Bernez Pelliet était le médecin traitant de Dupin, à Concarneau, un type grincheux. Dupin n'avait pas la moindre idée de ce qu'il pouvait bien avoir à lui dire de si urgent. Sa dernière visite remontait à quelques mois, et ils avaient contrôlé tout ce qu'il y avait à vérifier. Le fait que son médecin traitant veuille lui parler de toute urgence était tout sauf agréable.

Son sandwich laissait à désirer, les ingrédients étaient secs et la baguette trop cuite, mais Dupin se força à en venir à bout et hésita même à en commander un deuxième, tant sa faim était grande. Son café n'était pas meilleur que celui du matin. Décidément, il était d'humeur exécrable. Il l'avait pressenti dès l'aube, en se rendant à l'hôtel : la pression à laquelle il serait exposé pour éclaircir cette affaire « dans les plus brefs délais » promettait d'être énorme. On s'attendait au moins à ce qu'il présente rapidement des éléments substantiels. L'attente ne tarderait pas à se faire sentir de toutes parts. Assassiner une personnalité comme Pierre-Louis Pennec, c'était frapper l'ensemble des Bretons en plein cœur. Sans parler du fait qu'on se trouvait à la veille de la haute saison ! L'idée qu'un criminel circule librement dans les rues de Pont-Aven avait de quoi inquiéter la population. Les personnes influentes de la région, surtout, n'allaient pas le laisser en paix, il pouvait en être certain. Les politiques, tous les notables du coin allaient se donner le mot pour lui administrer ce qu'ils considéraient comme de précieux conseils. Il en avait vu d'autres, mais il ne s'y habituait pas pour autant. Il allait avoir droit aux appels quotidiens de la préfecture de Quimper, c'était inévitable.

Son téléphone sonna de nouveau. Cette fois, c'était Le Ber. Dupin savait bien qu'il devait décrocher, mais il le regarda sans bouger jusqu'à ce que la sonnerie se taise. Malheureusement, elle reprit aussitôt. Nolwenn, de nouveau.

— Oui ?

— Le docteur Bernez Pelliet vient d'appeler. Cette fois il était au bout du fil en personne, ce n'était pas son assistante.

— Est-ce qu'il vous a dit de quoi il s'agissait ?

— Non, il a juste demandé que vous le rappeliez. Il n'a même pas dit que c'était urgent, vous savez comme il est.

— Très bien, je vais l'appeler.

Dupin sortit son porte-monnaie et déposa rageusement quelques pièces dans la soucoupe en plastique avant de se mettre en route. Il avait été bien mal inspiré de venir ici. On lui en ficherait, de la nourriture convenable ! Qu'est-ce qu'il s'était imaginé en choisissant cette terrasse, en face de l'hôtel, qu'il allait voir le meurtrier en sortir en brandissant son arme ?

Il lui fallait coûte que coûte rendre visite à Fragan Delon. Il fouilla son carnet pour retrouver ses coordonnées. L'homme décrocha au bout de deux sonneries, tout au plus.

— Oui ?

Sa voix semblait parfaitement indifférente.

— Bonjour, monsieur. Commissaire Dupin. Je m'occupe du meurtre de Pierre-Louis Pennec.

Dupin marqua une pause mais son interlocuteur ne releva pas l'information.

— J'aimerais vous rencontrer. Je suis sûr que vous pouvez nous être d'une grande aide. Nous devons nous faire une idée de la personnalité de Pierre-Louis Pennec, de la manière dont il vivait. D'après ce qu'on m'a dit, vous étiez son ami le plus ancien, le plus proche.

Delon ne manifesta pas plus de réaction et laissa le silence s'installer sans paraître en être dérangé le moins du monde.

— Allô ? Vous êtes encore au bout du fil, monsieur Delon ?

— Quand voulez-vous passer ?

Sa voix n'exprimait aucune réticence, bien au contraire. Delon parlait très calmement, très clairement.

— Je pourrais être là dans un quart d'heure. Vingt minutes, tout au plus.

Il fallait d'abord qu'il rappelle Le Ber. Ce dernier avait très certainement tout un tas de choses à voir avec lui.

— Très bien.

— A tout de suite, monsieur Delon.

Son interlocuteur raccrocha encore plus vite que lui.

Sortant de sa poche un petit plan de la ville déniché à la réception de l'hôtel, Dupin vérifia l'adresse de Delon : il résidait en bordure ouest de Pont-Aven, il fallait compter environ un quart d'heure de marche pour s'y rendre.

Le Ber avait à la fois beaucoup et pas grand-chose à dire. Cette fois, ils s'y étaient pris à cinq : Le Ber, Labat, les deux confrères de Pont-Aven qu'ils connaissaient déjà, Bonnec et Arzhvaelig, ainsi qu'un troisième larron. Ils avaient tout d'abord interrogé l'ensemble des clients ainsi que des employés de l'hôtel, puis avaient établi des listes avant d'entreprendre une seconde fouille des lieux. Un travail de routine. L'équipe technique et Lafond avaient également fait leur boulot, les comptes rendus allaient être livrés incessamment. A première vue, ils n'avaient rien remarqué de particulier.

Il fallait bien se rendre à l'évidence : jusqu'à présent, rien de concluant ne ressortait de leur travail, absolument rien. Personne n'avait vu ou entendu quoi que ce soit durant la nuit, pas d'intrus dans les couloirs, aucune arrivée, aucun départ n'avait été observé après la fermeture de la réception. Manifestement, le cuisinier était bien le dernier homme à avoir vu Pennec de son vivant. Durant toute la soirée, Pennec avait fait des allers et retours entre le restaurant et la cuisine, échangeant quelques mots ici et là, faisant le tour des tables, s'entretenant avec les employés. Personne n'avait détecté chez lui le moindre comportement inhabituel.

Dupin connaissait bien ces enquêtes où la vie des personnes impliquées semblait suivre son cours « habituel » jusqu'au moment où un meurtre était perpétré. Personne n'avait jamais « rien à signaler », bien entendu. Un détail, cependant, méritait un examen plus approfondi : l'avant-veille, Pierre-Louis Pennec s'était entretenu avec un étranger, dehors, sur la place devant l'hôtel. Le vieil homme avait semblé quelque peu échauffé par cet échange, mais juste un peu, et puis personne n'en était vraiment certain. C'était là le seul événement saillant sur lequel trois employés s'accordaient, mais seule madame Lajoux s'était permis de remarquer que la discussion avait été animée. Labat s'était aussitôt porté volontaire pour éclaircir ce point. Voilà tout ce qu'ils avaient pour l'instant.

Juste avant d'atteindre le seuil de la maison de Delon, Dupin ressortit son téléphone de sa poche. Le coup de fil du docteur Pelliet le turlupinait. Que pouvait-il y avoir de si urgent pour que son médecin traitant l'appelle deux fois de suite sans raison apparente ?

— Cabinet du docteur Bernez Pelliet, je vous écoute.

— Bonjour, mademoiselle Rodellec. C'est Georges Dupin. Le docteur Pelliet…

— Ah oui, il a essayé de vous joindre. Je vous le passe tout de suite.

Mademoiselle Rodellec assistait admirablement le docteur Bernez Pelliet. A eux deux, ils formaient une équipe parfaitement rodée, qui allait droit au but, sans perdre de temps.

— Monsieur Dupin ?

— Oui, c'est moi.

— Ecoutez, il faut que je vous parle. En personne, de préférence.

— En personne ? Vous voulez me voir ?

— Oui.

— Eh bien, pensez-vous que cela puisse attendre jusqu'à ce que je… Je pourrais passer au cours des prochains jours, par exemple…

— Le plus tôt serait le mieux.

Comment allait-il se débrouiller ? Enfin, il irait, il n'avait pas le choix. Son médecin ne tolérait pas d'atermoiements. Il passerait juste avant la fermeture du cabinet. Sans attendre sa réponse plus longtemps, le docteur Pelliet reprit :

— Je vous attends.

— Quoi, maintenant ?

— Vous êtes bien à Pont-Aven, non ? Cela vous prendra une demi-heure, tout au plus.

Dupin fit une dernière tentative :

— Je suis désolé, je crois que ce ne sera pas possible. J'ai un rendez-vous important dans quelques minutes.

— C'est à propos de votre enquête, justement.

Dupin ne trouva plus rien à redire.

— De l'enquête ? Je crois que… Vous voulez dire du meurtre de Pierre-Louis Pennec ?

— Oui.

Cela ne servait à rien de l'interroger plus longuement au téléphone. Dupin étouffa un soupir.

— J'arrive, docteur.

Le commissaire possédait une vieille Citroën XM bleu marine, un grand modèle, anguleux et massif. Bien qu'il ne nourrît pas de passion particulière pour les voitures, il adorait la sienne. Il mettait d'ailleurs un point d'honneur à clamer qu'il avait succombé aux charmes des Citroën bien avant que Nolwenn lui eût expliqué que la marque venait de Rennes. Comme Charles Vanel et bien d'autres merveilles encore, elle était donc bretonne.

Il lui fallut une éternité pour arriver à Concarneau. L'été, les touristes circulaient au ralenti entre Pont-Aven et Concarneau, et traversaient ainsi le ravissant village de Névez qu'il chérissait tant. Sachant que la plupart des étrangers ne maîtrisaient pas plus les règles de priorité en vigueur que la langue française, l'entrée du village de Névez et l'ensemble des ronds-points qui parsemaient la route étaient régulièrement le théâtre d'impressionnants embouteillages.

Pendant tout le trajet, Dupin s'était demandé dans quelle mesure Bernez Pelliet pouvait être impliqué dans l'affaire Pennec. C'est Nolwenn qui lui avait recommandé le médecin quand il s'était installé à Concarneau, quelques années auparavant. Bernez Pelliet avait été le médecin traitant de ses enfants. Depuis lors, Dupin le consultait pour tout ce qui avait trait à sa santé. Peu importe ce que c'était, le docteur avait toujours réponse à tout.

En traversant le grand pont juché sur ce qui ressemblait à de hautes échasses plantées entre deux collines, loin au-dessus du Moros, Dupin ressentit une véritable joie à l'idée de retrouver Concarneau. Dans la ville, il s'engagea à droite dans la rue Dumont-d'Urville, dépassant la halle du marché avant de prendre la rue des Ecoles. Le cabinet du docteur Bernez Pelliet se trouvait dans une de ces anciennes maisons de pêcheurs typiques du coin, une bâtisse étroite, construite tout en hauteur. Les deux premières rangées de maisons bordant le port étaient exclusivement construites sur ce modèle. Il se gara non loin de la nouvelle église, qui se démarquait des autres monuments de la ville par sa laideur spectaculaire, et gravit les derniers mètres à pied.

— Comment se porte votre estomac ?

Pendant un instant, Dupin ne comprit pas où son médecin voulait en venir. L'assistante de Bernez Pelliet l'avait fait passer directement dans la salle de consultation où le médecin l'attendait, installé dans un grand fauteuil derrière son bureau. Agé de soixante-dix ans tout au plus, le docteur était concarnois de naissance, comme en témoignait la plaque de son cabinet annonçant le Dr Bernez – et non Bernard – Pelliet. De haute stature, plutôt mince, il avait le visage long et le front haut. Le trait dominant qui se dégageait de sa présence était un calme infini, à croire que rien ne pouvait jamais lui faire perdre son flegme.

Depuis des années, déjà, Dupin souffrait de maux d'estomac récurrents, devenus insupportables quelques mois plus tôt. Quand il s'était enfin décidé à consulter, le docteur Pelliet l'avait écouté pendant quelques minutes avant de conclure : « Votre estomac est trop nerveux. Arrêtez la caféine. Vous voulez tout de même que je vous ausculte ? »

— Tout va bien, merci.

Cette histoire d'estomac lui semblait soudain déplacée dans le cadre de son enquête.

— Je veux dire : ça va bien. Enfin, mieux, beaucoup mieux, oui, bafouilla-t-il, conscient de sembler confus.

Le docteur Pelliet releva la tête de ses papiers et considéra Dupin d'un œil sévère avant de conclure :

— Tant mieux.

Si Dupin considéra avec soulagement que la discussion était close, son médecin le contempla encore un moment d'un air inquisiteur. Aussi discrètement que possible, Dupin fouilla ses poches en quête d'un stylo. C'était peine perdue. Son bloc-notes reposait déjà sur ses genoux mais son stylo était introuvable.

— Son espérance de vie était très limitée.

La phrase était tombée sans préambule. Surpris, Dupin attendit la suite, mais son interlocuteur sembla estimer que cette information suffisait.

Le médecin s'exprimait toujours d'une voix claire et imperturbable sans être froide pour autant, qui s'accordait parfaitement avec son apparence. Il était évident qu'il faisait allusion au vieux Pennec, mais Dupin ne put s'empêcher de demander confirmation :

— Pennec ?

Pelliet ignora sa question.

— C'était le cœur. Il aurait eu besoin de plusieurs pontages, et assez rapidement si vous voulez mon avis. Il souffrait de sténoses conséquentes. C'est un miracle qu'il ait pu vivre ainsi aussi longtemps. C'était tout à fait improbable.

— Vous connaissez donc l'état de son cœur ? Je veux dire, vous êtes également son médecin traitant ?

— On ne peut pas dire que j'étais son médecin *traitant*, non, puisqu'il refusait de se faire ausculter depuis trois décennies. Il ne venait jamais, pas même pour les visites préventives les plus évidentes. Il ne me consultait que pour son dos. Il y avait quelques années déjà qu'il en souffrait, alors je lui faisais une piqûre de temps en temps. Lundi matin, il est venu me voir pour des douleurs à la poitrine. Il a fallu que j'insiste pour qu'il accepte que je lui fasse un électrocardiogramme.

Le docteur s'interrompit.

— Et ensuite ?

— Eh bien, il aurait dû se faire opérer d'urgence, il n'y avait pas de temps à perdre, mais il n'a pas voulu.

— Il ne voulait rien entreprendre ?

— Voilà ce qu'il m'a dit : si on commence à se faire opérer à mon âge, on est perdu.

Le visage de Pelliet n'exprimait rien.

— Il aurait survécu combien de temps ?

— Comme je vous le disais : d'un point de vue purement médical, reprit Pelliet en insistant sur chaque syllabe, il aurait déjà dû être mort.

— Et les médicaments ? Suivait-il un traitement ?

— Il ne voulait pas en entendre parler.

— Qu'est-ce que vous lui avez recommandé, dans ces conditions ?

— Rien.

— Il savait qu'il allait en mourir ?

— Oui.

Pelliet marqua une pause avant d'ajouter, comme pour clore le sujet :

— Un homme sain d'esprit, âgé de quatre-vingt-onze ans.

Dupin observa un instant de silence.

— Est-ce que quelqu'un était au courant de sa maladie, ou plutôt de son état ? Qui aurait pu savoir que ses jours étaient comptés ?

— Je ne pense pas qu'il l'ait dit à qui que ce soit. Je crois que cela l'aurait gêné. Il n'aimait pas être au centre de l'attention, vous savez. Il m'a même demandé si mon assistante était au courant, et il a été très soulagé d'apprendre qu'elle ne savait pas évaluer les résultats d'analyses médicales.

Remarquant la surprise de Dupin, Pelliet ajouta :

— C'était un homme volontaire, c'est le moins qu'on puisse dire.

— N'était-il pas affaibli ? Son état de santé n'était-il pas visible, tout au moins au cours des dernières semaines ?

Aucune des personnes interrogées n'avait évoqué la moindre baisse de régime ni, d'ailleurs, le moindre changement notable chez Pennec.

— Vous savez, ce n'est pas si simple. Il avait une volonté de fer, ajoutée à une grande fierté. Et puis cela faisait un bout de temps qu'il n'était plus aussi alerte. Après tout, il avait quatre-vingt-onze ans.

Pelliet avait prononcé ces derniers mots très lentement, en regardant calmement Dupin comme pour lui signifier qu'il n'en dirait pas davantage.

— Je vous remercie, docteur. Cette information est essentielle pour mon enquête.

Dupin réalisa qu'il avait employé un mot un peu présomptueux dans le contexte actuel. Rien, pour l'heure, ne justifiait un tel enthousiasme. La maladie de Pennec n'aurait peut-être aucune incidence sur son enquête. Une chose, pourtant, était sûre : cette information rendait toute cette histoire d'autant plus absurde.

— Avez-vous déjà des pistes ou une idée, peut-être, commissaire ?

Dupin accueillit la question avec soulagement. Elle lui ôtait l'impression désagréable qui l'avait poursuivi tout au long de leur conversation : celle de se trouver là en tant que patient. Il s'efforça de répondre avec assurance, mais n'y parvint que partiellement.

— Eh bien, nous avons différentes pistes…

— Donc, vous n'avez rien. C'est une affaire terrible. Vraiment terrible.

Pour la première fois depuis le début de leur entrevue, la voix du médecin s'était altérée, trahissant une violente émotion. Il se leva et tendit la main à Dupin.

— Merci encore, docteur ! s'exclama Dupin en se relevant un peu précipitamment avant de serrer la main de Pelliet et de s'éloigner d'un pas vif.

Une fois sur le trottoir, Dupin prit le temps de mettre ses idées au clair. Il n'avait pas la moindre idée de ce qu'il devait faire de cette nouvelle information, et pourtant c'était une révélation de poids. La victime d'un meurtre barbare n'était pas seulement un vieillard, mais un homme dont le cœur menaçait à tout instant de lâcher. Pennec aurait fort probablement succombé à sa déficience cardiaque dans un avenir très proche. Pour couronner le tout, l'homme était parfaitement conscient de son état. Pourtant, aucune des personnes qu'il fréquentait quotidiennement n'avait fait allusion à sa santé ou à un quelconque changement dans son comportement. Avait-il gardé cette information pour lui, comme le supposait le docteur Pelliet ? Dans ce cas, la maladie mortelle de Pennec n'avait rien à voir avec son assassinat. Mais si ce n'était pas le cas ? Une chose, cependant, était sûre : Pennec, lui, savait qu'il n'en avait plus pour longtemps et cette certitude avait certainement eu d'importantes répercussions pour lui, il ne pouvait en être autrement. Même pour un homme de quatre-vingt-onze ans.

Dupin sentit une vague de nervosité le gagner. Il n'aimait pas cela. Il composa le numéro de Labat.

— J'aimerais connaître l'emploi du temps précis de Pierre-Louis Pennec au cours de cette semaine, depuis lundi. Je veux tout savoir, ce qu'il a fait, les personnes qu'il a rencontrées, celles avec lesquelles il s'est entretenu personnellement, ou par téléphone. Interrogez tout le monde encore une fois, en insistant bien sur ces quatre derniers jours. Prévenez Le Ber. On se concentre sur ces quatre journées, depuis lundi matin jusqu'à la nuit dernière.

— Seulement ces quatre jours ? Pourquoi ?

— Oui. Non. Pas seulement, évidemment. Mais principalement sur ces quatre jours. C'est notre priorité.

— Pourquoi ? Pourquoi précisément sur ces quatre derniers jours, commissaire ?

— Un pressentiment, Labat, juste un pressentiment.

— Vous voulez que nous basions notre travail sur un pressentiment ? J'ai encore deux-trois urgences, moi aussi, commissaire.

— Plus tard, Labat. Il faut d'abord que je rende visite à Fragan Delon.

Nolwenn avait passé un coup de fil à Fragan Delon pour reporter la visite de Dupin à dix-sept heures. Il était maintenant seize heures trente. Il avait tout juste le temps de passer acheter quelques stylos à la maison de la presse du coin, où il avait ses habitudes. Il choisissait invariablement les mêmes stylos Bic noirs, qu'il égarait plus vite qu'il ne lui fallait de temps pour les remplacer. Il lui fallait aussi quelques cahiers. Depuis sa formation, Dupin était resté fidèle aux mêmes carnets Clairefontaine, un peu plus étroits qu'un format A5 classique, sans lignes, et dont la couverture rouge vif était facilement repérable au milieu de ses affaires. Il avait également gardé la même écriture désespérément brouillonne depuis sa scolarité. Sous sa plume, les mots se formaient toujours dans des tailles différentes, si bien que toute personne qui voyait ses pages annotées devait le prendre pour un type particulièrement confus. Quand il était plongé dans une enquête, il repassait inlassablement ses notes en revue. Pourtant, il aurait été bien embarrassé d'expliquer pourquoi il notait tel élément et pas tel autre en apparence tout aussi important. Le seul principe auquel il se tenait était de noter tout ce qui retenait son attention au moment où il l'apprenait, sans motif apparent. C'étaient là des mots-clés, des tableaux, des esquisses qui proliféraient parfois à l'infini. Il en avait besoin car, à son grand dam, sa mémoire fonctionnait de manière pour le moins arbitraire. La plupart du temps, il se souvenait de choses dont il n'avait aucune utilité, voire qu'il aurait préféré oublier, des détails insignifiants dépourvus du moindre intérêt, et en contrepartie il oubliait les informations dont il souhaitait et devait absolument se souvenir.

L'activité battait son plein chez le marchand de journaux-bureau de tabac du quai Péneroff, la plus grande place de Concarneau. L'effervescence avait fini par gagner l'intégralité de la ville qui préparait activement le temps fort de l'année, la fête parmi toutes les festivités estivales : le festival des Filets Bleus.

Dupin aimait tout particulièrement l'endroit : comme toute bonne maison de la presse, ses murs étaient littéralement recouverts de journaux, magazines, livres, cahiers, matériel d'écriture, friandises, jouets en plastique et autres babioles qui emplissaient le moindre recoin.

Dupin s'apprêtait à sortir après avoir payé quand son téléphone sonna, indiquant un numéro masqué. Il décrocha sans mot dire.

— Commissaire ?

— C'est moi.

— Fabien Goyard, maire de Pont-Aven, à l'appareil.

Dupin avait déjà entendu parler de Goyard, mais il ne se souvenait plus du contexte. Il détestait par principe les personnalités politiques, dont seules quelques rares exceptions bénéficiaient de sa sympathie. Il trouvait que les politiciens trahissaient les grandes idées alors que les enjeux étaient généralement tout sauf négligeables. Et puis, ils avaient tendance à prendre pour de grands naïfs les gens qui pensaient comme Dupin.

— Je vous appelle parce que j'aimerais savoir si vous avez avancé dans votre enquête. Cette affaire est terrible pour notre petite ville, voyez-vous. Je dirais même catastrophique, absolument fatale, surtout en tout début de saison. Vous imaginez bien…

Une immense vague de lassitude s'abattit sur Dupin. La loi implacable se vérifiait une fois de plus : les « grands » de ce monde se souciaient avant tout de deux choses : l'argent et leur réputation. Dupin, lui, s'en fichait comme d'une guigne, mais il ne pouvait s'empêcher d'être agacé quand cela lui faisait perdre du temps. De ce point de vue, on ne pouvait pas dire que son chef Guenneugues lui était d'une aide quelconque, bien au contraire.

Le maire poursuivait son discours sur ce ton si caractéristique, à la fois servile et péremptoire. Dupin lui coupa la parole :

— Nous faisons de notre mieux, monsieur le maire, croyez-moi.

— Savez-vous que certains vacanciers ont déjà fait leurs valises ? Pas seulement des clients du Central, mais aussi des résidents d'autres hôtels ! Vous imaginez un peu les conséquences pour nous, surtout en cette période de crise ? Et dire que nous observons déjà une nette baisse de fréquentation par rapport à l'année dernière… Il ne manquait plus que cela, vraiment !

Se gardant bien de réagir, Dupin laissa le silence se prolonger.

— Vous avez bien une piste, commissaire ? Si je peux me permettre : dans une si petite ville, ce genre d'événement ne peut passer complètement inaperçu, tout de même.

— Monsieur le maire, je ne suis pas payé pour ébaucher des suppositions.

— Mais quel est votre sentiment ? Qui a tué Pennec ? Un étranger ou plutôt quelqu'un du coin ? C'est sûrement un étranger. Vous devriez vous concentrer là-dessus.

Dupin ne réprima pas un soupir.

— Pensez-vous que le meurtrier se trouve encore en ville ? Il va sûrement chercher une nouvelle victime, vous ne croyez pas ? Cela va déclencher une panique inimaginable !

— Monsieur le maire, pardonnez-moi, il faut que je libère la ligne, j'ai un appel important en attente. Je vous tiens au courant dès que j'ai du nouveau, comptez sur moi.

— Vous comprenez ma position, tout de même, je…

Dupin raccrocha sans plus de ménagement.

Il n'était pas peu fier de lui. Il parvenait de mieux en mieux à contrôler ses émotions. Il n'avait aucune envie d'une nouvelle mutation, il fallait donc qu'il apprenne à se taire de temps en temps, quand bien même cela lui coûtât. A Paris, il avait manqué à ce principe un peu trop souvent. Finalement, c'est une « offense personnelle » – c'est tout au moins ce qui figurait dans son dossier – à l'encontre du maire de la ville et futur président de la République, lors d'une cérémonie officielle, qui lui avait porté le coup de grâce. Certes, les insultes ou, selon la version officielle, les « vexations scandaleuses » qu'il avait infligées à son supérieur n'avaient pas arrangé son dossier.

Il était assez satisfait de ses progrès, cependant. Non pas que cela le rendît heureux – il regrettait amèrement, au contraire, de devoir contenir sa rage dans ces moments-là. C'était déjà assez triste de ne pouvoir se targuer d'aucune des « failles » courantes, voire réglementaires pour qui exerçait sa profession : addiction à la drogue ou au moins à l'alcool, névrose, dépression grave, passé criminel inavouable, degré de corruption avancé ou encore prédilection pour les divorces sanglants. Aucun de ces signes distinctifs ne s'appliquait à lui. Entre-temps, Dupin était arrivé à son véhicule. Il allait être à l'heure à son rendez-vous.

S'il avait fondé de gros espoirs sur sa conversation avec Fragan Delon, Dupin dut bientôt se rendre à l'évidence : elle ne lui avait apporté aucun élément décisif.

Manifestement, les personnes qui avaient été les plus proches de Pennec de son vivant étaient Francine Lajoux et Fragan Delon. S'il avait confié des inquiétudes ou des angoisses à qui que ce soit, ce ne pouvait être qu'à l'un d'eux. Pourtant, Delon n'était pas au courant de son état de santé déplorable et il ne savait pas non plus si Pennec en avait informé quelqu'un d'autre. Il n'avait jamais entendu non plus parler de dispute ou d'un quelconque conflit ayant opposé la victime à qui que ce soit au cours des derniers mois ou des dernières semaines, voire de sa vie entière. Hormis, bien sûr, ses dissensions avec son demi-frère. A l'évocation de ce dernier, Delon s'était soudain montré fort concerné, voire volubile. Il avait une opinion très arrêtée sur la raison de leur mésentente, tout comme il semblait formel sur la relation que madame Lajoux avait entretenue avec Pennec : il n'y avait jamais eu de liaison proprement dite, ça, il pouvait en jurer. Pennec ne le lui avait jamais confirmé ouvertement, mais il en était certain.

Delon exprimait ses opinions de manière succincte mais toujours très aimable. La conversation avait été plutôt brève. A en croire Delon, le lien de Pennec avec son fils n'était pas très étroit, mais il ne lui en avait jamais beaucoup parlé. Il évoquait rarement, d'ailleurs, sa vie privée. « On parlait de choses et d'autres, mais pas de nous. » Un phénomène plutôt courant pour deux Bretons, surtout de cette génération. Bien que Delon ne l'exprimât pas, sa profonde tristesse était palpable.

Dupin savait par l'intermédiaire de Le Ber que Delon n'avait pas rencontré son ami au cours des trois jours précédant sa mort. Il se trouvait à Brest, chez sa fille. Il ne leur était donc d'aucune aide dans la reconstitution des journées de la victime depuis sa visite chez le médecin, lundi matin.

Une chose, cependant, ressortait clairement : la vie entière de Pennec tournait autour de son hôtel, de son héritage et de toutes les obligations qui l'accompagnaient. Pennec s'était engagé dans un certain nombre de comités et autres associations communales pour la « préservation de la tradition » tout comme pour le soutien de la jeune création artistique de Pont-Aven.

En revanche, Dupin avait appris – et c'était tout de même une nouveauté – quelques détails concernant la vie et la personnalité de Pennec. Ses passe-temps, ses habitudes, quelques-uns des loisirs qu'il partageait avec Delon. Cela faisait plus de cinquante ans que les deux hommes partageaient la passion des échecs. Ils s'y défiaient régulièrement depuis leur jeunesse, de préférence le soir. Il leur arrivait également de se mêler aux parties de pétanque des villageois, en bas, au port. Une fois par semaine, peu importait la météo, les deux hommes sortaient le bateau de Pennec pour un après-midi de pêche. Leurs saisons favorites étaient le printemps et l'automne, quand les bancs de maquereaux migraient le long de la côte. Et, tous les trois ou quatre jours, ils se retrouvaient au bar de l'hôtel pour partager un lambig.

Pourtant, et malgré la sympathie que lui avait inspirée son hôte, Dupin quitta la maison de Delon déçu.

Entre-temps, les ruelles entourant le vieux centre-ville et la place Gauguin s'étaient animées. La plupart des vacanciers étaient rentrés de la plage et flânaient entre galeries et boutiques avant de s'asseoir à la table d'un restaurant pour dîner. Le nombre de galeries était impressionnant, et c'était encore plus frappant maintenant, à la haute saison. Elles semblaient avoir poussé d'un coup, comme des champignons. La courte rue du Port en comptait à elle seule douze, Dupin était allé jusqu'à en vérifier le nombre. La plupart des commerces d'art se trouvaient dans les environs du musée. On pouvait y acquérir toutes les reproductions possibles et imaginables des tableaux de l'école de Pont-Aven, des plus simples aux plus onéreuses, mais aussi des toiles originales. Les peintres contemporains qui tentaient leur chance en ces lieux fondateurs pour la peinture n'étaient pas rares. Jusqu'à présent, cependant, Dupin n'avait vu exposées là que d'épouvantables croûtes.

Si des estivants avaient quitté les lieux par poignées, comme le prétendait le maire, leur absence n'était pas encore palpable. A intervalles réguliers, des petits groupes ralentissaient en arrivant devant le Central et s'entretenaient à mi-voix en désignant l'une ou l'autre fenêtre de l'établissement. De l'inquiétude qu'il avait pu observer le matin même, il ne restait rien. Le village semblait avoir retrouvé sa rassurante routine touristique.

Il était dix-neuf heures, et Dupin commença à ressentir un vertige familier. Il n'avait rien avalé depuis le sandwich de l'après-midi, or sa journée était loin d'être terminée. Il sortit son téléphone de sa poche.

— Nolwenn ?

Certain de la trouver là, Dupin avait directement appelé au bureau.

— Demain matin, j'aimerais rencontrer le notaire qui a établi le testament de Pierre-Louis Pennec. Et si vous pouviez aussi nous procurer un accès aux comptes bancaires de Pennec, j'aimerais avoir un aperçu précis de ses biens mobiliers et immobiliers.

Pour ce type de requête, la voie « officielle » était toujours très compliquée, il fallait obtenir des autorisations écrites du tribunal et remplir toutes sortes de formalités. Nolwenn, pourtant, s'acquittait toujours de ces tâches en l'espace de quelques heures, sans plus de commentaires.

— C'est noté. Le Ber a essayé de vous joindre à plusieurs reprises, il aimerait que vous le rappeliez. Il a du nouveau.

— Il est encore à Pont-Aven ?

— Il y était il y a une demi-heure, en tout cas.

— Dites-lui que j'arrive à l'hôtel dans un instant. Nous pourrons nous entretenir sur place.

Il observa un silence avant d'ajouter :

— Labat et les deux confrères de Pont-Aven feraient bien de se tenir prêts, eux aussi.

Non pas qu'il en eût envie, mais il était important qu'il soit à jour. Après tout, peut-être avaient-ils avancé de leur côté et en savaient-ils davantage sur l'emploi du temps de Pennec au cours des dernières journées.

— André Pennec a appelé. C'est Loïc Pennec qui l'a mis au courant, il est arrivé à Pont-Aven en début d'après-midi.

— Il est venu tout de suite ? Il a tout laissé en plan pour venir ici ?

— Il aimerait vous rencontrer demain matin, vers huit heures.

— Très bien. Il faut que je lui parle, moi aussi.

— Je m'occupe du rendez-vous. Voulez-vous le rencontrer à l'hôtel ?

Dupin réfléchit un instant.

— Non. Dites-lui de venir me voir au commissariat. Huit heures, c'est parfait.

— Est-ce que vous allez repasser, commissaire ? Je ne vais pas tarder à rentrer à la maison.

— Bien sûr, rentrez chez vous. Je ne repasserai pas ce soir.

— Concarneau risque d'être bondé en fin de soirée, les cérémonies d'ouverture du festival vont commencer. Pensez-y pour le retour. Ah, et le préfet vous prie de le rappeler, tout comme le maire de Pont-Aven. Je leur ai dit à tous les deux que vous étiez en rendez-vous jusque tard dans la nuit.

— Vous êtes formidable.

Dupin admirait Nolwenn. Rien n'ébranlait jamais sa détermination et son sens pratique. Rien ne lui semblait jamais impossible. Pour elle, les choses n'étaient qu'une question d'approche, bonne ou mauvaise. Quand elle lui avait été présentée, à son arrivée au poste de Concarneau, l'intelligence volontaire qui brillait dans ses yeux vifs l'avait immédiatement séduit. C'était une belle femme d'une cinquantaine d'années, de petite taille et à la chevelure blonde coupée court. Nolwenn lui était tout bonnement indispensable, et ses connaissances locales et régionales inépuisables constituaient un atout précieux. Elle était née et avait grandi à Concarneau – à *Konk-Kerne*, pour reprendre l'appellation originelle de la ville – et ne s'en était jamais éloignée. Nolwenn, qui, en véritable Bretonne, regardait encore la France d'un œil suspicieux – après tout, la Bretagne ne faisait partie de la France que depuis 1532, cinq cents « petites » années depuis l'annexion –, l'aidait à comprendre l'âme de la Bretagne et de ses habitants. Au début, il n'avait pas mesuré à quel point ce travail d'immersion serait indispensable pour la bonne marche de son travail dans la région. Depuis le premier jour de son arrivée au poste de police, son assistante lui prodiguait quotidiennement des leçons sur l'histoire de la Bretagne, sa langue, sa culture et sa cuisine au beurre. Elle avait accroché au-dessus de son bureau deux phrases encadrées de bleu. L'une était la fameuse citation de Marie de France datant du XIIe siècle : « La Bretagne est poésie », la seconde était extraite d'un dictionnaire de conversation et rédigée en lettres enluminées d'un goût douteux : « A l'image de ces rudes contrées fouettées par les tempêtes, le Breton a l'humeur mélancolique et sa nature est réservée, bien qu'il soit doté d'une imagination vivace et poétique, d'une grande sensibilité et d'un tempérament passionné caché sous une rudesse et une froideur apparentes. » Pour Dupin, la formulation même de cette citation était un bel exemple de l'imagination poétique vivace typique de ces contrées. Pourtant, il avait fini par se convaincre au fil du temps du fond de vérité qui reposait dans ces quelques mots.

A moitié par jeu, Nolwenn s'était par ailleurs donné pour mission de réconcilier Dupin avec les traits de caractère quelque peu rébarbatifs des Bretons – leur obstination légendaire, leur ruse paysanne, leur côté taciturne et bavard à la fois. Ou bien, aussi, leur engouement presque exagéré pour les comparatifs et les superlatifs dès qu'il était question de leur pays : on ne parlait que du plus grand producteur d'artichauts du monde, de la deuxième force marémotrice du monde (jusqu'à quatorze mètres !), du plus grand nombre de costumes régionaux à l'échelle internationale (soixante-six, sans compter les mille deux cent déclinaisons !), du plus grand port de pêche au thon d'Europe (Concarneau), de la plus grande masse de varech et d'algues échoués de la planète, du journal le plus lu de France (*Ouest-France*), de la plus grande densité de monuments historiques, du plus grand nombre de producteurs de conserves de poisson, de la plus grande variété d'oiseaux de mer d'Europe et bien d'autres records encore. Sans oublier, bien entendu, les sept mille sept cent soixante-dix saints que l'on honorait encore de nos jours de manière plus ou moins solennelle. Chaque pépin, chaque bobo, si insignifiant soit-il, avait son saint. Les gens du coin n'hésitaient pas non plus à avancer des chiffres ordinaires avec une telle emphase qu'ils forçaient l'admiration. Qu'il existât quatre millions de Bretons, par exemple, n'avait rien d'exceptionnel, ni d'ailleurs que la Bretagne représentât un sixième de la surface de l'Hexagone. Ils n'étaient pas bien nombreux, somme toute, se disait Dupin, et cela n'avait rien de grave.

Si Dupin, après sa mutation, avait eu toutes les peines du monde à s'acclimater à sa nouvelle vie, cela faisait un bout de temps désormais qu'il se considérait comme un « Breton de cœur », et la sévère Nolwenn le lui confirmait régulièrement en louant ses progrès. Ses éloges, d'ailleurs, restaient généralement très superficiels, Dupin ne se faisait aucune illusion à ce sujet. Quand bien même il épouserait une Bretonne, mettrait au monde des petits Bretons et déciderait de passer le restant de ses jours dans la région, il resterait irrémédiablement un « étranger ». Trois, quatre générations en terre bretonne n'empêcheraient pas ses arrière-petits-enfants de se voir secrètement taxer de « Parisiens ».

C'était magique, comme la lumière changeait à cette heure de la soirée. Les couleurs prenaient des nuances fabuleuses et l'ensemble de la ville rayonnait d'une teinte chaude et douce à la fois, presque dorée. A croire que le soleil, avant de disparaître à l'horizon, transmettait mystérieusement aux choses le pouvoir de briller par elles-mêmes. Au lieu d'être éclairées de l'extérieur, elles semblaient irradier depuis l'intérieur. Cette lumière-là, Dupin ne l'avait vue nulle part ailleurs qu'en Bretagne. C'était certainement là, se disait Dupin, la raison principale pour laquelle les peintres s'étaient installés ici. Il était toujours un peu gêné de se surprendre – lui, le Parisien par excellence – à ce genre d'émerveillement romantique, mais il devait bien se rendre à l'évidence : cela lui arrivait de plus en plus fréquemment.

Dupin se dirigea vers le Central. Quelqu'un avait accroché une grande pancarte en carton à la porte du restaurant, indiquant : « Fermeture exceptionnelle du restaurant. L'hôtel reste ouvert. » Il émanait de cet affichage quelque chose de désespéré. Dupin décida de longer l'hôtel par la droite et de passer par la porte de fer forgé qui menait à la cour de l'établissement.

A peine s'était-il engagé dans la ruelle qu'il se retrouva seul, personne ne s'aventurait par ici depuis la grande place, et le bruit lui-même semblait rechigner à pousser jusque-là. L'apparence de la porte indiquait qu'elle ne servait pas souvent. Elle était fermée et scellée, conformément aux ordres de l'équipe technique. Décidément, ils avaient fait du bon travail.

— Commissaire ! Je suis là.

Dupin releva la tête avec une pointe d'agacement et découvrit Labat à quelques pas de lui.

L'intérieur de l'hôtel était étrangement désert, seule une femme de chambre se tenait au beau milieu de la réception, totalement indifférente à son environnement. L'air perdu, la jeune femme entortillait une mèche de cheveux autour de son doigt et ne releva que brièvement la tête quand les deux hommes passèrent à côté d'elle.

— Où se trouvent les collègues de Pont-Aven – ou plutôt l'équipe d'ici ? Est-ce que vous avez réussi à joindre Dercap ? s'enquit Dupin en se tournant vers Labat.

— Pas encore, non. Ils ont essayé de le retrouver par l'intermédiaire de l'hôtel où il a séjourné. Arzhvaelig vient de partir, il était en service depuis hier midi. Bonnec est encore là, en plein interrogatoire. Ils ont fait du bon boulot aujourd'hui, tous les deux. La collaboration fonctionne à merveille.

— Formidable !

Dupin s'était exprimé sur un ton presque solennel. Faute d'être là, Dercap leur avait tout au moins laissé des hommes de valeur.

— Nous avons établi un premier aperçu de l'emploi du temps de Pennec au cours des derniers jours et nous possédons aussi quelques informations complémentaires. Voulez-vous que nous commencions par là ?

— Oui, très bien.

La porte de la chambre transformée en quartier général était ouverte et, dans la lumière tombante, il émanait de la pièce quelque chose de triste. L'air abattu, Le Ber était installé à l'unique petite table de la chambre. A vrai dire, Labat n'affichait pas une mine beaucoup plus réjouie. Dupin prit place sur l'une des chaises pendant que Labat poursuivait son compte rendu.

— Peut-être devrions-nous tout de même commencer…

— Je veux l'emploi du temps de Pennec au cours des quatre derniers jours !

— Je voulais seulement…

Labat se reprit et commença :

— Habituellement, les journées de Pennec se déroulaient de la manière suivante : il se levait tous les matins à six heures et descendait vers six heures trente. Depuis quelques années en effet, il passait la plupart de ses nuits sous ce toit.

Labat était lancé maintenant, on le sentait dans son élément. Dupin ne supportait pas l'orgueil que son collaborateur mettait dans cet étalage de diligence méticuleuse. Le jeune homme s'exprimait toujours d'une manière artificiellement concise pour aborder les sujets les plus banals et Dupin le trouvait à la fois ridicule et pathétique. Il s'efforça néanmoins de l'écouter attentivement.

— Il prenait son petit déjeuner dans la petite salle de restaurant, habituellement seul, parfois avec l'un ou l'autre de ses employés, par exemple madame Lajoux, avec laquelle il réglait les questions concernant l'hôtel et le restaurant. Il restait assis à sa place quand les premiers clients arrivaient. Apparemment, l'hôtel compte un grand nombre d'habitués qui reviennent tous les étés depuis des années, parfois même des décennies.

— Avez-vous noté tous leurs noms ?

— Tous. Pierre-Louis Pennec restait au restaurant ou à l'hôtel jusqu'à neuf heures et demie et donnait un coup de main là où c'était nécessaire. Ensuite, il sortait faire une promenade. Il a pris cette habitude il y a quelques années de cela.

— Seul ?

— Oui, toujours seul.

— Où allait-il ?

La réponse n'intéressait pas Dupin outre mesure, mais le zèle insupportable de Labat lui donnait toujours envie de le prendre en défaut. Malheureusement, ce petit plaisir se retournait en général contre lui.

— Il commençait généralement par remonter la grand-rue, puis il tournait à droite, vers la rivière, où il longeait la rive. Une fois arrivé au bout du village, il commençait…

A la sonnerie du téléphone de Dupin, tout le monde sursauta. Le commissaire décrocha plus par réflexe que par envie.

— Oui ?

— C'est moi.

Il fallut quelques instants à Dupin pour reconnaître la voix de son interlocutrice, et il se prit aussitôt à bredouiller.

— Pardon ?

— C'est moi, Véro. Je pourrais passer chez toi après le boulot, ce soir. A moins que des fruits de mer… Ça te dirait d'aller manger des huîtres ? Je…

Il ne manquait plus que ça.

— Je suis en pleine enquête, là. Je… je te rappelle.

Il raccrocha sous les regards intrigués de Le Ber et Labat.

Il fallait vraiment qu'il règle cette histoire avec Véro. Ça faisait trois mois, déjà, que ça durait, et il ne savait toujours pas ce qu'il voulait. Une chose était certaine, cependant : ça ne pouvait pas continuer ainsi.

— Bon, je reprends.

Labat ne cachait pas son agacement.

— Donc, une fois arrivé au bout du village, Pennec poursuivait sa promenade dans la forêt. Il empruntait toujours la même route mais faisait demi-tour plus ou moins tôt. L'ensemble de la promenade durait une ou deux heures, selon les jours. Au cours des derniers mois, il semblerait qu'il n'ait pas poussé très loin. Pennec revenait à l'hôtel pour assister à la mise en place du service de midi. Il n'était pas rare qu'il ait des rendez-vous à déjeuner, mais il restait généralement ici, en bas, tout comme pour le dîner. Il voulait voir si tout se passait bien. Ensuite, depuis de nombreuses années déjà, il remontait dans sa chambre vers quatorze heures trente, pour se reposer. Puis, autour de seize heures, seize heures trente, il sortait de nouveau pour faire quelques courses. Il rentrait à l'hôtel dès dix-huit heures. Il supervisait les préparatifs pour la soirée et le dîner, échangeait quelques mots avec des employés ou le cuistot, parfois des clients. Il dînait tôt, en compagnie des employés, avant l'arrivée des résidents. Vers dix-huit heures trente. Dans la salle du petit déjeuner. Ils mangeaient toujours le plat du jour, Pennec y attachait beaucoup d'importance – il voulait que chacun ait un repas équilibré. Pendant le service, il se tenait ici ou là, attentif au bon déroulement des choses, saluant les uns et les autres. Parfois, aussi, il faisait le tour des tables. Il passait également pas mal de temps dans la cuisine, ou au bar.

Le Ber se manifesta pour la première fois.

— Pendant la demi-heure précédant l'ouverture officielle du restaurant, à dix-neuf heures trente, Pennec se tenait toujours au bar. Des amis ou des connaissances l'y rejoignaient parfois, ou encore certains clients. Pennec sortait peu, il préférait toujours rencontrer les gens ici, et jamais pendant très longtemps. En tout cas, il était rarement seul à cette heure-là, si l'on en croit les employés de l'hôtel. Cela n'a pas changé au cours des derniers jours. Nous avons les noms de toutes les personnes qu'il a rencontrées depuis lundi.

Dupin griffonna quelques notes. Les rituels des autres l'avaient toujours intrigué : le déroulement de leurs journées, leur manière d'organiser leur temps. Il était convaincu du fait que rien ne révélait plus clairement les rouages secrets d'une personnalité que la manière dont étaient organisées ses journées, et que c'était en observant sa manière de vivre qu'on commençait réellement à comprendre quelqu'un.

Le Ber poursuivit sur le même ton sévère et appliqué :

— En fin de journée, il prenait son lambig au bar, seul la plupart du temps. Une ou deux fois par semaine, Fragan Delon l'y rejoignait, ou quelqu'un de son entourage proche. Apparemment, c'était un véritable honneur d'être convié à partager le lambig de Pennec.

— Et au cours des derniers jours ? Depuis lundi ?

— Eh bien, reprit Le Ber, ça n'a pas été si évident. Les éléments que nous avons concernant la période allant de lundi à aujourd'hui sont encore à vérifier. Lundi matin, Pennec est sorti tout de suite après le petit déjeuner, et il est resté absent pendant deux heures. Nous ne savons pas encore où il s'est rendu. Il n'en a dit mot à quiconque. Mais cela n'a rien d'extraordinaire. Il signalait rarement où il allait quand il quittait l'hôtel. Il ne possédait pas de téléphone portable. Lundi après-midi, en tout cas, il avait rendez-vous chez le coiffeur, à seize heures. Il s'agit du salon de coiffure du port, en bas, dont il était un client fidèle depuis plusieurs décennies. Il y restait généralement une heure. Il avait appelé le jeudi de la semaine précédente pour fixer le rendez-vous.

Décidément, Pennec avait une personnalité hors du commun. Dupin trouvait extraordinaire qu'une personne ayant reçu une nouvelle aussi redoutable que l'annonce de son décès imminent ne trouve rien de mieux à faire que d'honorer son rendez-vous chez le coiffeur.

— Nous allons nous entretenir avec celui qui lui a coupé les cheveux.

— Faites-le, c'est important. Les gens racontent beaucoup de choses à leur coiffeur, même les plus taiseux.

A vrai dire, Dupin ne comptait pas beaucoup sur cette éventualité dans le cas de Pennec. D'après ce qu'il avait appris sur la personnalité du vieil homme, il y avait peu de chances qu'il ait fait exception à ses habitudes. Mais on n'est jamais trop prudent.

— Lundi soir, avant le dîner, il a retrouvé madame Lajoux au bar. Ils ont parlé affaires, rien de bien exceptionnel si on en croit madame Lajoux. Après la fermeture du restaurant il est resté seul au bar, d'habitude Fragan venait volontiers le lundi soir, mais cette fois il était en voyage. Mardi matin, un certain

Frédéric Beauvois est passé le voir vers neuf heures et est resté environ une heure. C'est un professeur d'art retraité qui dirige, entre autres, l'association des artistes du village. Il a également des fonctions au musée d'à côté. Pennec faisait parfois des donations à cette institution, mais nous n'avons pas encore le détail des sommes versées. A l'initiative du maire de Pont-Aven et de Pierre-Louis Pennec, Beauvois se charge également de visites guidées quand des invités de marque séjournent au village. Dans ces cas-là, le Central est évidemment un des points importants du parcours touristique. La prochaine visite guidée devait avoir lieu demain. Il y a quelques années de cela, Beauvois a rédigé une petite brochure pour Pennec. Elle s'intitule *La Colonie d'artistes de Pont-Aven et l'hôtel Central*, on la trouve partout dans l'hôtel. Pennec a tout payé, impression comprise. Il voulait absolument la compléter, c'est de cela qu'ils devaient s'entretenir hier.

— D'où nous vient cette information ?

— De madame Lajoux. Delon aussi était plus ou moins au courant, d'ailleurs, mais pas dans les détails.

Delon n'avait pas évoqué Beauvois au cours de sa conversation avec Dupin.

— Madame Lajoux savait que Pennec voulait rencontrer Beauvois au sujet de la brochure.

— Qu'entendez-vous par « entre autres » ?

— « Entre autres » ?

— Oui, vous avez dit que Beauvois dirigeait « entre autres » l'association des artistes.

— Ah, oui. Il est également le directeur de plusieurs associations et organisations.

Le Ber jeta un œil à ses notes.

— Il y a l'association des amis de Gauguin, l'amicale de Pont-Aven, le comité chargé de la mémoire de l'école de Pont-Aven, le club des mécènes…

— C'est bon, c'est bon, Le Ber.

Dupin avait l'habitude. En Bretagne, le plus petit village comptait davantage d'associations que d'habitants.

— Quand se sont-ils donné rendez-vous ?

— Lundi, seulement. Mais ils se voyaient régulièrement. Pennec a dîné avec les employés de l'hôtel tous les soirs de la semaine, comme à son habitude.

— Quoi d'autre ?

Le Ber consulta de nouveau ses notes.

— Le fils de monsieur Pennec est passé mercredi soir mais ça, il vous l'a sûrement dit lui-même.

Dupin réalisa qu'il avait omis d'interroger les Pennec sur ce genre de détails pratiques. A sa décharge, sa visite avait eu un autre objectif que de les questionner.

— Son fils passait généralement une fois par semaine. La plupart du temps, il le rejoignait au bar une demi-heure avant que le dîner soit servi. Il ne s'éternisait jamais. Le jeudi, c'est le capitaine du petit port de Pont-Aven qui passait, monsieur Carlé, qui assume également pas mal de responsabilités au village. Il est, lui aussi, président de tout un tas d'associations dont Pennec était membre. Leur discussion a duré un peu plus longtemps que la demi-heure réglementaire – jusqu'à dix-neuf heures quarante-cinq, en gros. Apparemment, ils se seraient surtout concertés au sujet de la place d'amarrage du bateau de Pennec, dans le port. Ce dernier voulait prolonger son bail, je crois qu'il bénéficiait d'un emplacement privilégié. Nous avons brièvement parlé avec Carlé. Il n'avait pas grand-chose à signaler, Pennec lui a semblé égal à lui-même.

— Le bateau de Pennec mouille l'ancre dans le port de Pont-Aven ?

— Il a deux bateaux, qui sont tous les deux ici, oui.

— Deux bateaux ?

Jusque-là, on ne lui avait jamais parlé que d'un bateau.

— Deux bateaux à moteur. Un récent et grand, un Jeanneau Merry Fisher 725.

Les yeux de Le Ber s'étaient mis à briller.

— Et puis un autre, très vieux, beaucoup plus petit à ce qu'il semblerait. Le vieux aussi est amarré ici, au port, mais nettement plus bas. Il utilisait surtout son nouveau bateau, même pour ses excursions avec Delon.

— A quoi lui servait le second bateau, dans ce cas ?

— D'après ce qu'on m'en a dit, il le sortait quelquefois pour descendre l'Aven, parfois jusqu'au Belon où il ramassait des huîtres. Mais c'était plutôt rare.

— Quoi d'autre ? Qu'avez-vous de plus, Labat ?

— Les employés de l'hôtel n'ont rien remarqué de spécial au cours des derniers jours. Nous nous sommes longuement entretenus avec chacun d'eux. Tous semblent tomber d'accord sur le fait qu'il s'est comporté tout à fait normalement.

— C'est aussi ce que j'ai entendu.

Labat ne se laissa pas démonter.

— Nous les avons priés de nous contacter immédiatement si quelque chose leur venait à l'esprit.

— Poursuivez.

— Pennec a parlé un peu longuement avec trois personnes au cours des trois derniers jours, dont deux habitués de l'hôtel. Un entretien a eu lieu le mardi soir, pendant la demi-heure précédant le dîner, et l'autre le mercredi, tard dans la soirée, au bar. Là aussi, la discussion aurait duré environ une demi-heure. Nous avons les identités. Le Ber s'est déjà entretenu avec eux. Ils auraient parlé du temps, de bouffe et de la Bretagne en général. De la saison. Et puis il y a aussi cette conversation qu'il a eue avec un étranger, nous en avons déjà parlé.

— C'était quand ?

— Mercredi, vers l'heure du déjeuner. Ça s'est passé juste devant l'hôtel.

— Ah, oui.

Dupin feuilleta dans son carnet de notes, un peu confus.

— Il nous faut absolument son identité.

— Nous nous en occupons. Il s'est entretenu aussi tous les soirs avec le cuistot, mais ça vous le savez déjà. Vous avez passé un bon moment avec lui.

Le Ber reprit la parole.

— Nous avons également commencé à relever ses conversations téléphoniques. S'il avait une ligne personnelle dans sa chambre, il préférait utiliser l'un des trois téléphones sans fil de la réception. Il en gardait toujours un sur lui, même quand il était dans sa chambre, à l'étage. Tous les appels effectués depuis ces combinés figurent sur le relevé global de l'établissement. Malheureusement, il est impossible de savoir qui a passé le coup de fil.

— Je veux tout savoir.

L'espace d'un instant, Labat sembla vouloir se défendre, mais il se ravisa.

— Nous savons tout au moins qu'au cours des quatre jours précédant son décès, il a appelé son demi-frère une fois. Il a passé ce coup de fil depuis sa ligne personnelle, mardi après-midi, et leur conversation a duré dix minutes. De toute façon, vous vouliez rencontrer personnellement André Pennec, n'est-ce pas ? Ces dernières semaines, nous avons relevé quelques brèves conversations téléphoniques avec Delon, une autre avec une notaire de Pont-Aven, une avec le professeur d'art et une dernière avec le maire.

— Quels appels datent de cette semaine ? Celui de la notaire ?

— Oui, c'était lundi après-midi.

— L'avez-vous interrogée ?

— Non, pas encore.

— Est-ce qu'il s'agit de la notaire attitrée de Pennec ? Enfin, vous comprenez ce que je veux dire : est-ce que c'est la notaire qui s'occupait habituellement des dossiers personnels de Pennec ? Est-ce qu'elle est responsable de son testament ?

— Nous n'en savons rien pour le moment.

— Il faut absolument que nous ayons accès à ce document. Voyez cela avec Nolwenn demain matin, dès la première heure. Je crois qu'elle m'a pris un rendez-vous avec le notaire qui a fait le testament de Pennec. Comment s'appelle-t-il ?

— Camille de Denis. C'est une femme. D'après nos confrères de Pont-Aven, elle s'occupe de tous les notables de la ville.

— Madame de Denis ?

— Oui.

— Très bien.

Dupin la connaissait de vue. Elle était très appréciée dans la région, sa bonne réputation allait même jusqu'à Concarneau. Sans aucun doute une belle femme, un peu plus jeune que lui, une petite quarantaine d'années.

Son élégance, son style irréprochable et son intelligence aiguë lui valaient admiration et respect. « Une vraie Parisienne », aurait-on été tenté de dire si elle n'avait pas passé la quasi-totalité de sa vie à Pont-Aven. Elle avait bien étudié quelques années dans la capitale, mais en était revenue peu impressionnée.

— Demandez à Nolwenn de voir si elle était également la notaire personnelle de Pennec. Il faut que nous sachions cela au plus tôt, dès demain matin. Profitez-en pour prendre rendez-vous avec elle. Combien d'appels figurent sur la liste de la ligne générale de l'hôtel, pour cette semaine ? Je parle des appels sortants, évidemment.

— Au moins quatre cents, vers environ cent cinquante numéros différents.

— Appelez-les tous, découvrez qui Pennec a appelé et de quoi il a parlé. Je veux savoir exactement qui Pennec a contacté pendant les dernières semaines. Sans exception, surtout pour les appels datant de cette semaine.

Le visage de Le Ber ne manifesta aucune surprise, celui de Labat en revanche s'empourpra légèrement.

Dupin était conscient du fait que les recherches pour le moins poussées qu'il imposait à son équipe n'avaient de sens que dans le cadre d'un meurtre prémédité. Si, en revanche, il s'agissait d'un meurtre impulsif, la conséquence d'une querelle que personne n'avait vue venir, toute la peine qu'ils se donnaient se révélerait inutile – du temps perdu.

— Maintenant, il faut que la chance soit avec nous.

Labat considéra le commissaire d'un air légèrement goguenard.

— Il pourrait aussi s'agir d'une personne que nous n'avons pas encore prise en considération.

— Je vais m'entretenir avec son demi-frère. Dès demain matin. Est-ce que Lafond a rappelé ? Ou peut-être René Salou ?

— Nous avons parlé avec chacun d'eux. Salou ne veut pas encore se prononcer mais, à mon avis, il n'a rien pour le moment. Vous le connaissez, il n'aurait pas pu s'empêcher de pavoiser s'il avait trouvé quelque chose. Le docteur Lafond confirme que l'arme du crime était probablement un couteau et non un autre objet coupant et pointu. Il a compté quatre blessures. Selon lui, l'heure du décès se situerait entre vingt-trois heures et une heure du matin – c'est tout au moins sa première estimation.

Dupin s'étonna que Lafond se soit prononcé, ce n'était pas son genre.

— Il ne sait rien de plus, malheureusement, enchaîna Le Ber, anticipant d'éventuelles questions complémentaires. Ni la longueur de la lame, ni la taille ou la forme du couteau.

— Cela ne nous avance pas beaucoup.

Dupin jeta un coup d'œil à sa montre. Vingt heures trente. Le Ber et Labat avaient fait du bon travail, c'était indéniable.

— Bravo, inspecteurs. Rentrez chez vous, maintenant, vous avez bien travaillé.

Dupin était sincère. Surpris par ce compliment imprévu et par la sollicitude soudaine de leur supérieur, les deux inspecteurs restèrent assis sans rien dire, aussi Dupin prit-il les devants.

— On se voit demain.

Ses deux interlocuteurs se levèrent en même temps, manifestement indécis quant à l'attitude à adopter : le commissaire parlait-il sérieusement ?

— Vous pouvez y aller, je vous assure. Je ne vais plus rester longtemps ici, moi non plus. Couchez-vous tôt et prenez des forces, demain promet d'être une dure journée. Bonne nuit.

Labat et Le Ber s'arrêtèrent une dernière fois sur le seuil de la pièce.

— Bonne nuit, commissaire.

Puis ils s'éloignèrent d'un pas rapide.

Dupin avait hâte de refaire un tour dans le restaurant et le bar après que son inspection matinale eut été abruptement interrompue par l'équipe technique. Il avait besoin de s'imprégner des lieux. Après avoir détaché les bandes adhésives qui en interdisaient l'accès, il ouvrit la porte et la referma soigneusement derrière lui. Tout était exactement dans l'état dans lequel la pièce se trouvait quand ils avaient découvert le cadavre de Pennec. Surtout, et c'était bien plus important, tout était exactement dans l'état dans lequel le meurtrier avait laissé la pièce en quittant l'hôtel la nuit précédente. Dupin s'approcha du bar, jusqu'à l'endroit précis où ils avaient retrouvé le cadavre de Pennec. S'étant agenouillé, il considéra son environnement sous ce nouvel angle. L'atmosphère paisible qui émanait de la pièce était presque inquiétante.

Les murs étaient blanchis à la chaux, à grands aplats grossiers. Les peintures, reproductions et autres copies, très simplement encadrées, avaient été accrochées les unes à côté des autres dans un savant désordre, parfois elles étaient mêmes superposées. Ces tableaux recouvraient la quasi-totalité des murs du restaurant et du bar. Essentiellement des paysages, des vues de Pont-Aven et de la côte, des moulins. Des paysannes bretonnes. Pendant son inspection matinale,

Dupin n'avait pas mesuré à quel point elles étaient nombreuses.

La salle à manger du Central n'était pas authentique mais elle gardait quelques restes de la grande époque. On imaginait sans peine le charme et l'atmosphère d'antan, ce mélange singulier alliant la pauvreté provinciale d'un village de pêcheurs et de paysans à la modernité mondaine qui s'était brusquement invitée ici avec l'arrivée des artistes parisiens ou étrangers. Dupin se rappela un cliché aperçu dans un ouvrage sur Pont-Aven que Nolwenn conservait au bureau. Un groupe d'artistes se tenait sur le pont recouvert de mousse : assis sur le muret de pierre, ils regardaient fixement l'objectif, la plupart vêtus des tenues les plus extravagantes, à la fois raffinées et élimées, la tête coiffée de grands chapeaux. Derrière eux, trois ou quatre maisons illustraient bien l'austérité dans laquelle vivaient alors les paysans et les pêcheurs, travaillant dur pour gagner leur pain. Le Central se dressait à gauche du pont. Ils étaient tous là, tous les membres de l'école de Pont-Aven : Gauguin, son jeune ami Emile Bernard, Charles Filiger et Henry Moret. Quand Nolwenn entreprenait de les énumérer, la liste n'en finissait plus. Dupin lui-même n'en connaissait qu'une toute petite partie. Manifestement, les artistes s'étaient amusés à chausser des sabots à pointe typiquement bretons, ils tendaient leurs jambes devant eux pour les rendre bien visibles sur la photo.

Soudain, on frappa à la porte. Dupin se redressa en sursaut. Les coups se répétèrent et le commissaire alla ouvrir la porte à contrecœur. Madame Lajoux se tenait devant lui.

— Me permettez-vous d'entrer, monsieur le commissaire ? Mademoiselle Kann m'a dit que je vous trouverais ici.

Dupin se résigna :

— Bien sûr. Entrez, madame Lajoux.

Francine Lajoux avança avec précaution et s'immobilisa au bout de quelques pas.

— Ce n'est pas si facile, monsieur le commissaire.

Elle semblait avoir pris dix ans depuis le matin, c'était un spectacle attristant que de voir son visage affaissé et ses yeux rouges. Dupin s'aperçut soudain que sa chevelure était d'une blancheur de neige.

— J'imagine à quel point ce doit être éprouvant pour vous, madame Lajoux. Monsieur Pennec et vous étiez très proches, n'est-ce pas ?

— C'est ici qu'il a été assassiné.

Elle fournissait visiblement un effort important pour garder son sang-froid.

— Préférez-vous que nous parlions dehors ?

— Non, non. Nous étions très proches, c'est vrai, monsieur le commissaire, mais…

Elle considéra le commissaire d'un air incertain :

— … mais pas si près que cela, non plus. Ça, jamais… Enfin vous voyez de quoi je parle.

— Bien sûr, bien sûr, je comprends très bien. Je n'y faisais aucune allusion.

— Les gens n'arrêtent pas de jaser. Depuis ce matin, tout le monde me regarde de travers. Ah, ces mauvaises langues ! Il aimait sa femme. Vous savez, monsieur le commissaire, je ne dis pas cela pour moi, c'est pour lui que je m'inquiète. Pour sa réputation.

— Vous ne devriez pas y prêter attention, madame Lajoux. Vraiment pas.

L'intéressée gardait les yeux rivés au sol.

— Vous en savez un peu plus maintenant, monsieur le commissaire ?

— Nous avons appris une ou deux choses, mais rien de concluant pour le moment.

— Est-ce que je peux vous aider d'une quelconque manière ? J'aimerais vraiment vous donner un coup de main, il faut à tout prix qu'on attrape le meurtrier. Il doit être puni. Qui est capable de faire une chose pareille ?

— Ah, ça… on ne sait jamais.

— Vraiment, vous croyez que cela pourrait être n'importe qui ? Quelle pensée abominable.

— Est-ce que vous avez croisé André Pennec ?

Il avait changé de sujet de manière pour le moins abrupte, et pourtant madame Lajoux lui répondit du tac au tac, d'une voix très claire.

— Oh, oui. Il a eu le toupet de se prendre une chambre ici, dans l'hôtel. C'est madame Mendu qui s'est chargée de l'installer. Il est arrivé tout droit de l'aéroport, au volant d'une énorme limousine. Quel homme odieux ! C'est une honte qu'il ose s'installer ici. Quelle hypocrisie ! Monsieur Pennec aurait été furieux s'il l'avait appris. Il a quitté l'hôtel dans sa grosse voiture juste après avoir déposé ses affaires.

— Savez-vous où il est allé ?

— Il n'a rien dit à personne.

Dupin sortit son carnet et griffonna quelques mots.

— Madame Lajoux, il y a en effet quelque chose que j'aimerais vous demander : voudriez-vous réfléchir encore une fois très précisément aux quatre derniers jours de la vie de Pierre-Louis Pennec ? Il faut absolument que nous sachions ce qu'il a fait au cours de ses dernières journées. Cela nous aiderait beaucoup.

— L'inspecteur Le Ber m'a déjà posé la question. Je lui ai dit tout ce que je savais, monsieur le commissaire.

Elle hésita un instant.

— Est-il vrai, monsieur le commissaire, que le meurtrier retourne toujours une fois au moins sur les lieux de son crime ?

— Eh bien, c'est un peu plus compliqué que cela. Il n'y a pas de règle quand il s'agit de meurtres – il n'y a pas de règle du tout, d'ailleurs, croyez-moi.

— Je comprends. J'avais lu ça dans un livre, c'était un commissaire qui le disait.

— Madame Lajoux, il ne faut pas prendre trop au sérieux ce qu'on lit dans les romans policiers. J'ai une dernière question : connaissez-vous ce professeur d'art qui dirige le petit musée ?

Encouragé par la volubilité soudaine de madame Lajoux, Dupin s'était décidé à poser quelques questions supplémentaires. Manifestement, le fait de parler apportait à Francine une forme de soulagement.

— Bien entendu. Je le connais fort bien, c'est un homme merveilleux. Pont-Aven doit énormément à monsieur Beauvois, vous savez. Monsieur Pennec l'estimait beaucoup. Cette nouvelle brochure était très importante pour lui.

— Où en est-elle ?

— Je ne sais pas exactement. Je crois qu'ils ont élaboré une sorte de prototype avec une photographie du restaurant – ou plutôt deux, une de l'époque et une d'aujourd'hui. C'était la pièce préférée de Pierre-Louis Pennec, voyez-vous. Nous avons rénové tout le rez-de-chaussée au début de l'année dernière, les murs, les sols, tout. Il a même fait installer un tout nouveau système d'air conditionné. Il ne regardait jamais à la dépense quand il s'agissait de son hôtel.

Dupin réalisa en cet instant que l'air était tout à fait respirable dans la pièce, pourtant restée fermée pendant toute la journée par cette chaleur estivale. La climatisation semblait en effet remplir son rôle de manière satisfaisante.

Madame Lajoux reprit en soupirant :

— Monsieur Pennec était heureux dans cette pièce. Il aura passé toutes ses soirées ici, vous savez, jusqu'au dernier jour.

— De quoi vous êtes-vous entretenus au cours du dîner, pendant cette semaine ? A-t-il évoqué son demi-frère ? En parlait-il, de manière générale ?

— Non, pas un mot à ce sujet.

— Vous parlait-il de son fils, de temps en temps ?

— Non, il n'en parlait quasiment jamais. Il évoquait parfois sa belle-fille, Catherine Pennec. Elle l'agaçait, je crois qu'il ne l'aimait pas beaucoup. Oh, je ne devrais pas dire une chose pareille…

Madame Lajoux se retenait visiblement d'en dire davantage.

— Qu'est-ce qui l'agaçait ? demanda Dupin sans pouvoir réprimer un petit clin d'œil.

— Je ne sais pas précisément. Elle voulait de nouveaux meubles pour sa maison, quelque chose de ce goût-là. Pierre-Louis trouvait qu'elle vivait au-dessus de ses moyens, qu'elle voulait jouer les grandes dames. Mais je ne devrais vraiment pas répandre ce genre de potins.

Elle hésita un moment avant d'ajouter :

— Elle n'est peut-être pas des plus aimables, mais ce n'est certainement pas une criminelle.

— N'ayez crainte, cela restera entre nous.

Madame Lajoux laissa de nouveau échapper un profond soupir.

— Pourquoi le meurtrier a-t-il tué monsieur Pennec ici ? Pensez-vous qu'il le connaissait, savait-il qu'il passait ses soirées ici ? Est-ce qu'il l'a observé ce soir-là, est-ce qu'il a vu qu'il était seul ?

Tout à coup, elle sembla plus abattue encore qu'auparavant. Un léger tremblement la parcourut.

— Nous n'en savons rien pour le moment. Madame Lajoux, vous feriez mieux de rentrer chez vous. Il est déjà tard, il faut que vous vous ménagiez. Vous devriez prendre quelques jours de congé, ce serait plus raisonnable.

— Je ne ferais jamais une chose pareille, monsieur le commissaire ! Pierre-Louis Pennec a plus besoin de moi que jamais, maintenant.

Dupin fut tenté de la contredire mais il réfléchit un instant avant de conclure :

— Je comprends, oui. Mais essayez tout au moins de vous reposer un peu ce soir.

— Vous avez raison. Je suis lessivée.

Elle tourna les talons et s'apprêta à quitter la pièce.

— Juste une dernière question, madame. Il semblerait que Pierre-Louis Pennec se soit entretenu avec un homme, devant l'hôtel. Le…

Dupin feuilleta vainement dans son carnet de notes pour retrouver la date et reprit :

— Bref, au cours des derniers jours. Etes-vous certaine qu'il ne s'agissait pas d'un client de l'hôtel ou d'un habitant du village ?

— Ah, non, ce n'était pas un client. Je connais tout le monde, ici. Et ce n'était certainement pas non plus quelqu'un de Pont-Aven.

— Vous ne l'aviez jamais vu auparavant ?

— Non, jamais.

— Pourriez-vous me le décrire ?

— L'un de vos inspecteurs a déjà tout noté, vous savez. Il n'était pas très grand et plutôt mince.

Malheureusement, je les ai juste aperçus du coin de l'œil, depuis le haut des escaliers. Je ne sais pas combien de temps ils ont parlé, mais leur discussion était plutôt animée.

— Qu'entendez-vous par « animée » ?

— Eh bien, c'est difficile à décrire... C'est plutôt une impression que j'ai eue.

— J'aimerais beaucoup que vous me décriviez ce qui vous a donné cette impression.

— Ils gesticulaient, mais je... enfin, ce n'était vraiment rien de plus qu'une impression. Est-ce que cela vous aide ?

Dupin se gratta la tempe droite.

— Merci beaucoup. Oui, c'est intéressant. Passez une bonne nuit, madame Lajoux.

— J'espère que vous coincerez bientôt l'assassin. Mais vous aussi, il faut que vous vous ménagiez, monsieur le commissaire. Et puis il faut vous nourrir !

— Mille mercis, madame Lajoux. Je vais faire de mon mieux. Bonne nuit.

Elle sortit en refermant la porte derrière elle.

Dupin se retrouva enfin seul. Il était certain que madame Lajoux ne savait rien de l'état de santé préoccupant de Pennec. Visiblement, ce dernier ne s'était pas confié à elle.

Un bruit de voix étouffé lui parvint au travers des volets soigneusement scellés par l'équipe chargée de sécuriser les lieux, puis le silence revint.

La fatigue de Dupin s'était faite de plus en plus palpable au fur et à mesure de leur conversation, sans parler de sa faim. Il ne savait pas précisément ce qu'il venait chercher ici, au bar. Il ne s'était rien promis de concret. Tout jeune policier, déjà, il avait pris l'habitude de retourner fréquemment sur les lieux du crime.

A chaque fois, il essayait de se figurer le déroulement exact des événements en fonction des informations obtenues. Parfois, il devait se contenter de laisser libre cours à son imagination. Assis au beau milieu de la scène de crime, il se laissait absorber par certains détails jusqu'à ce qu'un élément-clé lui saute aux yeux. Malheureusement, cela n'arrivait pas toujours, et il devait bien se rendre à l'évidence : il ne trouverait plus rien ce soir. Il décida que la journée était terminée et qu'il était grand temps de se rendre à l'Amiral pour se mettre quelque chose sous la dent. Il était presque vingt-deux heures, il n'était plus bon à rien et, pour couronner le tout, il était très insatisfait.

Au volant de sa voiture, les deux fenêtres avant baissées, Dupin savourait l'air doux du soir et se réjouissait de tourner le dos à Pont-Aven. Dans quelques minutes, il serait enfin de retour dans son cher Concarneau. Si quelqu'un lui avait dit quelques années auparavant qu'il parlerait un jour de cette ville comme de la sienne, il aurait ri aux éclats. Mais les choses s'étaient développées ainsi, il aimait profondément cette petite ville. Il connaissait peu d'endroits où l'on puisse respirer aussi librement. Au risque de paraître grandiloquent, il aurait même été jusqu'à affirmer qu'il ne connaissait pas d'autre ville où l'on se sentît aussi libre. Lors de journées comme celle-ci, l'horizon était infini, aussi illimité que le ciel, et tout, autour de lui, revêtait une douce clarté. Quand, arrivant depuis les hauteurs, on descendait la longue avenue de la Gare bordée de maisons de pêcheurs, pittoresques et coquettes, le regard se posait directement sur le port et ses grands espaces ouverts qui séparaient la mer des hommes. Concarneau était magnifique, mais son aspect le plus enchanteur était l'état d'esprit dans lequel elle vous transposait. Or, celui-ci venait de la mer elle-même.

Dupin savait que les gens d'ici avaient une autre image de la mer, une image si différente qu'on peinait à se l'imaginer un soir comme celui-ci : pour eux, elle était également un monstre, qui détruisait tout sur son passage et vous enlevait ce que vous possédiez de plus précieux. L'imposant port fortifié était censé décourager un éventuel ennemi, mais c'est surtout des assauts furibonds de la mer qu'il protégeait les habitants. La ville et l'océan étaient étroitement liés : si ce dernier se mettait vraiment en colère, la ville n'en sortirait pas gagnante. « A Concarneau, avaient coutume de dire les habitants du coin comme pour résumer la dureté de leur vie en quelques mots, la mer l'emporte toujours. » Dupin avait vite compris la leçon : ce qui différenciait les gens de la mer des éternels touristes comme lui, c'était le respect, ou plutôt la peur. Oui, c'était la peur, bien plus que l'amour, qui liait ces gens à la mer. Chacun, ici, connaissait une personne ayant perdu un proche en mer, parfois c'étaient plusieurs vies qui étaient avalées d'un coup.

Ce soir, cependant, la mer était calme au-delà du port. L'eau qui ceinturait la vieille ville était parfaitement lisse.

Dupin gara sa voiture sur le quai.

Quand il aperçut Dupin installé à l'une des petites tables du bar, Philippe Basset le salua d'un geste plein d'empathie. Visiblement, il se doutait que la journée avait été dure. Il s'approcha paisiblement.

— Sale boulot, hein ?

— Oui.

— Bon. Entrecôte ?

— Oui.

Leur conversation s'arrêta là. Cet échange était suffisant et résumait bien sa relation avec Basset. De toute manière, Dupin aurait été bien en peine d'ajouter ne serait-ce qu'un mot de plus. Il était presque vingt-trois heures et la faim le faisait défaillir. S'il appréciait la cuisine bretonne que l'Amiral maîtrisait jusque dans ses moindres subtilités, rien, absolument rien ne valait pour Dupin une bonne entrecôte avec des pommes sautées. Rien ne savait mieux le remettre sur les rails après une journée harassante qu'une délicieuse entrecôte et un verre de languedoc pourpre – lourd, velouté et doux à la fois. Dupin n'attendit pas longtemps avant de pouvoir s'attaquer à son assiette en oubliant tout le reste.

LE DEUXIÈME JOUR

Il était six heures trente. Dupin avait fait des rêves confus, agités. Couché vers minuit et demi, il n'avait pas trouvé le sommeil avant trois heures du matin et il lui semblait dormir depuis quelques instants à peine quand l'épouvantable sonnerie de son téléphone l'avait réveillé. Comment pouvait-elle être réglée à un niveau aussi assourdissant ? L'appareil était neuf et Dupin avait déjà tenté à plusieurs reprises d'en changer la mélodie et le volume en se frayant un chemin à travers le labyrinthe du menu, mais c'était peine perdue. Le nom de Labat s'affichait sur l'écran. Dupin décrocha, davantage pour faire taire le vacarme infernal que pour entendre ce que son collaborateur avait à lui dire.

— Quelqu'un a fait sauter le sceau d'une des fenêtres donnant sur la ruelle. La vitre est brisée.

— Quoi ?

Dupin ne comprenait pas un traître mot de ce que disait l'inspecteur.

— Quelqu'un a forcé la fenêtre du lieu de crime, cette nuit.

— Au Central ?

— Dans le bar, oui. Là où Pierre-Louis Pennec a été assassiné.

— Pour quoi faire ?
— Je n'en sais rien.
— Vous n'en savez rien ?
— Les collègues de Pont-Aven viennent de m'appeler. C'était juste pour nous prévenir.
— Est-ce que la personne est entrée dans la pièce ?
Labat hésita un instant avant de répondre :
— En réalité, nous n'en sommes pas certains. Nous savons simplement qu'une fenêtre a été endommagée et ouverte. C'est celle qui se trouve juste à côté de la porte en fer forgé, au fond de la pièce. Non loin du bar, en somme. C'est tout au moins ce que j'ai compris.
— Est-ce que quelque chose a été déplacé dans le restaurant, ou dans le bar ?
— D'après ce qu'on m'a dit : rien. Ils n'ont constaté aucun désordre, aucun bris d'objets. Mais ça peut encore changer.
— Que voulez-vous dire ?
Dupin reprenait lentement ses esprits.
— Les collègues n'ont rien remarqué de particulier mais, évidemment, l'équipe technique n'a pas encore eu le temps de relever les empreintes. Ils viennent seulement de prévenir Salou.
— Comment s'en sont-ils aperçus ? Le restaurant est sous scellés, non ?
— C'est le cuisinier.
— Edouard Glavinec ?
— C'est ça.
— Quelqu'un serait donc entré dans l'hôtel en passant par le bar et le restaurant ?
— Impossible. La porte est intacte et verrouillée. La personne en question aurait dû avoir la clé, et nous les avons toutes réquisitionnées.

D'abord, il lui fallait un café. Il était encore trop tôt pour l'Amiral. Pendant sa dernière année à Paris, il s'était offert une petite machine à expresso dont il ne s'était servi que trois fois, préférant toujours s'asseoir dans les bistrots. Pourtant, cette machine lui avait coûté une fortune. Dupin n'y connaissait rien en machines à café, et la vendeuse aux yeux d'un vert profond lui avait assuré qu'il s'agissait là de l'unique spécimen digne de ce nom sur le marché. L'utilisation de la machine n'étant pas des plus simples, Dupin ressentit une bouffée de fierté en voyant les premières gouttes de liquide couler dans sa petite tasse.

Une fois habillé, il se rendit, café à la main, sur son étroit balcon. La quasi-totalité des pièces de l'appartement que la ville avait mis à sa disposition donnaient sur la mer. Il habitait l'une des plus belles demeures de Concarneau, un immeuble fin XIXe à la façade d'un blanc éclatant, de très bon goût sans être prétentieux, qui offrait, surtout, une vue imprenable sur ce que les Concarnois appelaient les « falaises de Flaubert ». C'était là, disait la légende, que l'écrivain avait pris l'habitude de s'asseoir quand il résidait dans la région. Seule une rue étroite séparait la maison de la mer. A droite, la côte menait aux élégants Sables Blancs, une plage d'une blancheur éblouissante bordée de villas cossues. A gauche, on apercevait l'entrée du port avec son petit phare et ses balises qui se balançaient paresseusement au gré de la houle. La plus belle vue était, cependant, celle qui donnait sur l'océan. Le jour pointait dans le ciel qui ne se distinguait pas encore de la surface de la mer, à l'horizon. Le soleil n'allait pas tarder à se lever.

Le café avait beau dater de l'époque où il avait acheté la machine, le breuvage était corsé et plutôt réussi. Dupin réfléchit : ce n'était peut-être pas une bonne idée de se rendre précipitamment à Pont-Aven. Le travail de Salou était primordial, Labat avait raison, lequel serait sur place très vite. Connaissant son zèle, il allait certainement tout mettre en œuvre pour arriver avant son patron. Dupin était surtout très intrigué : pourquoi avait-on brisé la fenêtre du restaurant ? Etait-ce le meurtrier qui revenait sur les lieux de son crime ? A priori, les empreintes laissées pendant la nuit du meurtre avaient toutes été relevées. A moins que… Se pouvait-il qu'ils aient omis un détail ? Quoi qu'il en soit, l'assassin avait pris là un risque non négligeable. S'introduire par effraction sur les lieux de son méfait le lendemain du jour où il l'avait perpétré relevait de la folie et ne se justifiait que par un motif de toute première importance. A moins qu'il ne s'agisse d'une manœuvre de diversion, mais pourquoi, et de quoi ?

Il apparaissait clairement, désormais, que le crime n'était pas l'aboutissement d'un drame qui se serait développé sur une période plus ou moins longue. L'histoire n'était pas terminée et connaîtrait d'autres rebondissements, quand bien même ils n'étaient pas déjà visibles. Peut-être le vieux Pennec avait-il lui-même provoqué sa fin en prenant certaines mesures après avoir appris que ses jours étaient comptés ? Dupin n'avait pas de temps à perdre, c'était évident. Le cours des événements se précipitait.

Dupin décida de ne pas se rendre à Pont-Aven et d'en rester à son plan initial : son rendez-vous avec André Pennec au commissariat. D'ici là, il aurait sans doute les résultats de l'équipe technique.

Quand Dupin se présenta peu après huit heures au poste de police situé près de la petite gare, André

Pennec l'y attendait déjà. Le bâtiment était plutôt discret, et carrément laid. C'était une de ces constructions fonctionnelles typiques des années quatre-vingt, sauf qu'il n'était pas spacieux et encore moins confortable. Pour couronner le tout, Dupin n'en supportait pas l'odeur, un étrange relent de plastique que personne, à part lui, ne semblait remarquer. Il avait beau ouvrir les fenêtres dès qu'il le pouvait, il ne parvenait pas à la chasser.

— Il vous attend dans votre bureau.

Nolwenn était déjà parfaitement opérationnelle.

— Bonjour, Nolwenn.

— Bonjour, commissaire.

— J'y vais tout de suite. Savons-nous déjà qui s'occupe du testament de Pennec ? C'est bien maître de Denis ?

— Elle vous attend.

Dupin ne put réprimer un sourire et Nolwenn le regarda avec étonnement.

— A dix heures trente dans son cabinet, à Pont-Aven. A moins que vous ne préfériez vous rendre d'abord au Central ?

— Non. J'aimerais juste que vous me teniez au courant dès qu'il y a du nouveau, même si ce n'est qu'un détail.

— Cette histoire prend des proportions incroyables… commença-t-elle.

Elle hésita un instant puis reprit :

— Cela partait fort depuis le début, d'ailleurs. De quoi pourrait-il s'agir, à votre avis, commissaire ?

— Je n'en ai pas la moindre idée.

— J'ai reçu toutes les autres informations que vous m'aviez demandées, je vais les transmettre à Le Ber. Vous devriez tout de même…

— Oui, oui, j'y vais.

Dupin hésita un instant puis frappa symboliquement à la porte de son propre bureau avant d'entrer.

Il manqua de s'étouffer. André Pennec ressemblait à s'y méprendre à son frère défunt. C'était fascinant, jamais on n'aurait pu croire qu'ils étaient de mères différentes. Même carrure, même physionomie. Curieusement, personne n'avait jugé utile de l'en avertir.

Installé sur une chaise, en face du bureau de Dupin, l'homme ne fit pas mine de se lever pour le saluer et se contenta de le fixer droit dans les yeux. Il portait un costume d'été de couleur claire, raide et guindé, et sa chevelure un peu plus longue que celle de son demi-frère, soigneusement peignée en arrière, était fixée avec du gel.

— Bonjour, monsieur.

— Commissaire.

— Je suis heureux de vous rencontrer.

— Je suis surpris que vous n'ayez pas pris la peine de me prévenir personnellement.

— Vous m'en voyez désolé. Je me suis concentré sur l'enquête. C'est pour cette raison que l'inspecteur Le Ber s'est chargé de vous tenir au courant.

— C'est absolument inadmissible !

— Je vous l'ai dit, j'en suis sincèrement navré. Pendant que nous y sommes, j'aimerais vous exprimer mes sincères condoléances pour la perte de votre frère.

André Pennec considérait froidement Dupin.

— Etiez-vous proche de votre demi-frère, monsieur Pennec ?

— Nous étions frères, que voulez-vous que je vous dise de plus ? Avec tout ce que des liens familiaux impliquent – sachant qu'entre demi-frères, bien sûr, c'est encore plus compliqué.

— Qu'entendez-vous par là ?

— Exactement ce que je dis.

— J'aimerais beaucoup en savoir davantage, monsieur Pennec.

— Si vous le permettez, je ne vois pas en quoi les détails privés de ma relation avec mon frère pourraient vous intéresser.

— Il semblerait que vous ayez été un défenseur radical de la cause bretonne au début des années soixante-dix, sauf erreur… Vous comptiez parmi les membres actifs d'Emgann, n'est-ce pas ?

Dupin était entré dans le vif du sujet sans crier gare – une de ses méthodes de prédilection.

— Certains vous prêtent des liens avec leur bras extrémiste militarisé, l'Armée révolutionnaire bretonne, si je ne m'abuse…

Dupin laissa s'installer un silence.

— Si mes souvenirs sont exacts, les confrontations avec votre « oppresseur » français ont fait des victimes, n'est-ce pas ?

André Pennec avait perdu contenance à peine plus d'une fraction de seconde, mais son expression de fureur mêlée de stupéfaction n'échappa pas à Dupin.

— C'est de l'histoire ancienne, commissaire.

Il avait retrouvé toute sa superbe et s'exprimait désormais avec décontraction.

— … des erreurs de jeunesse, comme nous en faisons tous. Cela fait longtemps que je n'ai plus de lien avec l'Armée révolutionnaire bretonne, croyez-moi. Ni de près ni de loin. C'était de la pure bêtise, cette armée. Heureusement qu'elle a été dissoute.

— Pourtant il y avait ce jeune socialiste, Fragan Delon, c'est bien ça ? Qui vous a reproché ces liens publiquement et de manière répétée, non ? D'après ce qu'on dit, vous auriez renoncé à le poursuivre en justice par crainte d'être l'objet d'une enquête plus approfondie.

— C'est absurde. Delon n'a pas toute sa tête, c'est bien connu. Mon frère aurait dû se méfier de lui, c'est ce que je lui ai toujours dit.

Sa voix était toujours très maîtrisée, mais elle avait pris une tonalité plus coupante.

— Vous lui avez conseillé de se méfier ?

— Je veux dire…

Il s'interrompit brusquement.

— Bref, on a les amis qu'on mérite.

— Votre frère était un adversaire farouche d'Emgann, à tout point de vue…

— Nous avions quelques différends sur le sujet.

— Vous ne vous êtes pas vus très souvent au cours des quarante dernières années, n'est-ce pas ? Vos « différends », comme vous dites, ne devaient pas être négligeables.

— Les choses se sont passées ainsi, commissaire, que voulez-vous que je vous dise ? Ce sont de vieilles histoires.

Il observa un bref silence.

— On se téléphonait de temps en temps. Assez irrégulièrement.

— On dit que vous avez quitté la Bretagne à la fin des années soixante-dix, pour recommencer à zéro en Provence. Apparemment, vous craigniez que votre passé ne porte préjudice à une potentielle carrière politique en Bretagne, est-ce bien cela ?

— Vous voulez mon avis ? Ces racontars sont parfaitement absurdes.

— Votre carrière a connu une ascension plutôt fulgurante, au cours des dernières années…

— Commissaire, où voulez-vous en venir, au juste ? Ne me dites pas que vous me soupçonnez du meurtre de mon frère, tout de même ? C'est parfaitement grotesque. J'aurais fait une chose pareille à cause d'une petite discorde idéologique datant de plus de quarante ans ? J'ai aujourd'hui soixante-quinze ans, commissaire, et je n'ai pas l'intention de me justifier une fois encore. Toute cette histoire est parfaitement hors de propos. Non mais, c'est une blague !

— Vous vous préparez à recevoir des honneurs significatifs. La Légion d'honneur, ce n'est pas rien, tout de même. Un beau couronnement pour votre vie politique.

— En effet.

— Une révélation malvenue aurait pu remettre tout cela en question…

— Une révélation malvenue ? Il n'y a pas de révélation malvenue qui tienne. Je ne vois pas de quoi vous voulez parler.

— Où étiez-vous avant-hier – jeudi, pour être plus exact ? Pendant la journée, et aussi la soirée ?

— Est-ce un interrogatoire, commissaire ?

Son ton s'était fait ouvertement agressif, mais il se ressaisit aussitôt et reprit d'une voix plus calme.

— J'étais à Toulon. J'ai passé toute la journée de jeudi à travailler chez moi.

— Et, bien sûr, quelqu'un pourra en témoigner.

— Mon épouse, évidemment. Je me suis rendu au bureau hier matin, c'est là que j'ai reçu l'appel de Loïc Pennec. Je me suis mis en route sur-le-champ. Ma femme m'a apporté une valise avec des effets personnels à l'aéroport. Vous pouvez vérifier ma carte d'embarquement, si vous le souhaitez. J'ai pris une voiture de location à Quimper. Je n'ai rien d'autre à dire.

— Figurez-vous sur le testament de votre frère ?

— Pardon ?

— Croyez-vous que votre frère aura pensé à vous en rédigeant son testament ?

— Non. Je n'y figure pas. A moins, bien sûr, qu'il ne l'ait modifié au cours des dernières années, ce qui me semble très improbable. Suite à nos divergences d'opinion, il a demandé à ce que je sois exclu de sa succession. Il a réglé cela très officiellement, avec sa notaire, et m'en a personnellement informé.

André Pennec avait retrouvé tout son aplomb.

— Voyez-vous, j'ai acquis une certaine aisance matérielle par mes propres moyens, et je n'ai besoin d'aucun soutien sur ce plan-là. Je ne doute pas, d'ailleurs, que vous connaissiez depuis longtemps le contenu du testament de mon frère. Vous savez très bien que je n'y figure pas.

— La réputation d'un homme politique est son capital le plus important. Le plus fragile, aussi.

— Commissaire (le ton de Pennec s'était fait carrément condescendant), cette conversation me semble tout à fait hors de propos. Je suis venu ici pour en apprendre davantage sur le meurtre de mon frère. J'aurais aimé savoir si vous aviez déjà quelques informations à ce sujet et, pour dire la vérité, le reste ne m'intéresse pas outre mesure. Ensuite, j'ai prévu d'aller voir si je peux être utile à Loïc et Catherine, de quelque manière que ce soit, et de vérifier si tout est en ordre à l'hôtel. C'était très important pour mon frère…

Dupin eut toutes les peines du monde à garder son calme.

— Nous n'avons pas encore de résultats concluants, monsieur Pennec. L'enquête suit son cours, nous sommes en train d'interroger les témoins.

— Vous n'avez rien du tout, si je comprends bien.

— Faites confiance à la police bretonne. Mais vous, monsieur Pennec, avez-vous des suppositions concernant ce qui a pu se passer ici ? Votre sentiment m'intéresserait beaucoup.

— Moi ? Ah non, pas la moindre idée, vous imaginez bien. Comment pourrais-je en avoir ? Un cambriolage, peut-être ? Mon frère était un homme d'affaires avisé. De nos jours, on peut se faire poignarder pour dix euros…

— C'est ce que vous pensez, vraiment ?

— Mais non, je ne pense rien du tout. C'est à vous de mener l'enquête, pas à moi.

— Avez-vous eu des contacts avec votre frère, ces derniers temps ?

André Pennec répondit sans hésiter.

— Nous nous sommes parlé au téléphone pas plus tard que mardi.

— Vous voulez dire mardi dernier ?

— Oui, deux jours avant sa mort.

— Quelle drôle de coïncidence, n'est-ce pas ? Vous ne vous parlez presque jamais, mais juste avant sa mort, vous échangez quelques mots.

— Comment pouvez-vous vous permettre une allusion aussi déplacée ? Il est hors de question que je réagisse à vos sous-entendus perfides.

Les termes très violents dont il s'était servi contrastaient avec le ton à la fois catégorique et posé qu'il avait employé. Manifestement, André Pennec n'avait plus rien à apprendre en ce qui concernait la maîtrise de soi et jonglait entre différents niveaux de langage. Un politique, jusqu'au bout des doigts.

— Pouvez-vous me dire de quoi vous avez parlé ?

— Comme vous le savez déjà, j'appelle mon frère de temps en temps pour prendre des nouvelles, savoir comment il va, comment ça se passe à l'hôtel, ou avec son fils et sa belle-fille. Des banalités de famille, rien de plus. Cela faisait sûrement une dizaine d'années que ce n'était pas arrivé. J'avais envie de reprendre contact, même si ce n'était pas évident, vu nos disputes passées.

— C'est donc de toutes ces choses que vous vous êtes entretenus pendant dix minutes ?

— Exactement, pendant dix minutes. Et pour vous ôter tout de suite un doute : non, il n'a rien raconté d'exceptionnel. Il m'a semblé tout à fait égal à lui-même.

— Pouvez-vous être plus précis ? Quels sujets avez-vous abordés, concrètement ?

André Pennec réfléchit un instant.

— Nous avons parlé de pêche. Il voulait s'acheter un nouvel équipement. C'était un de ces sujets de prédilection – la pêche, les marées…

— Bien…

Dupin changea de stratégie :

— Dans ces conditions, je pense que nous pouvons en rester là – enfin, si vous avez eu les informations que vous espériez, bien entendu.

Un éclair d'incertitude traversa de nouveau le regard d'André Pennec.

— Je compte donc sur vous pour me prévenir personnellement si vous avez du nouveau.

— Comptez sur nous, monsieur Pennec.

Pennec se leva d'un mouvement énergique, tendit la main à Dupin, à la fois professionnel et courtois, et se dirigea vers la porte.

— Au revoir, commissaire.

— Excusez-moi, monsieur Pennec, juste une dernière chose : combien de temps comptez-vous rester ici ?

Pennec était déjà dans l'embrasure de la porte et ne prit pas la peine de se retourner complètement.

— Jusqu'à ce que tout soit réglé. L'enterrement, toutes les choses dont il faut s'occuper.

— Très bien. J'ai votre numéro, de toute façon. Je sais où vous trouver.

Pennec s'éloigna sans répondre. Dupin patienta en tendant l'oreille. Une fois certain que Pennec avait quitté le hall d'entrée, il sortit à son tour.

— Je vais chez la notaire, Nolwenn.

Un café fumant reposait sur le bord du bureau de celle-ci. Dupin sourit. Elle les déposait toujours là sans rien dire. Il saisit la tasse et la vida d'un trait.

— Allez-y. D'ici là, nous aurons reçu l'autorisation officielle d'ouvrir le testament, je n'ai plus qu'un coup de fil à passer. Apparemment, maître de Denis serait rentrée de Londres avant-hier, vers midi. Quelle femme impressionnante. Elle est issue d'une très vieille famille, vous savez, et elle parle couramment le brezhoneg. Son seul talon d'Achille, ce sont les hommes.

Dupin était encore absorbé par la conversation désagréable qu'il venait d'avoir.

— Il faut que je parle à Le Ber.

— Il vient d'appeler. C'était au sujet de la vitre cassée.

— Très bien.

— Quel type odieux, cet André Pennec, reprit Nolwenn d'une voix triste, c'est incroyable tout de même. Ils se ressemblent comme deux gouttes d'eau mais ils sont aussi différents que le jour et la nuit.

Dupin ne trouva rien à redire.

— Ah, avant que j'oublie : votre sœur a rappelé, hier. Elle n'avait pas de question particulière, c'était juste pour papoter un peu. Je lui ai dit que vous étiez sur une enquête difficile. Je dois vous saluer de sa part.

Lou. Il aurait dû la rappeler depuis longtemps, elle n'essayait même plus de le joindre sur son portable.

— Merci, Nolwenn. Je vais la rappeler.

Il voulait vraiment le faire. Mais d'abord, il devait se dépêcher.

Dupin avait laissé sa voiture sur le grand parking du port, cela ne valait pas la peine de la prendre pour ce court trajet. Concarneau était un véritable labyrinthe de sens uniques.

Dupin tripota son téléphone portable.

— Le Ber ?

— Oui ?

— Vérifiez quand André Pennec est parti de Toulon, hier. Contrôlez tout son trajet. Il dit qu'il se trouvait à son bureau avant de partir. Quand a-t-il acheté son billet d'avion, dans quel avion était-il ? Où a-t-il loué son véhicule, à Quimper ? Je veux tout savoir, et le plus vite possible.

Il observa une courte pause.

— Que vous a dit Salou au sujet de l'effraction ?

— J'ai… Oui, je m'en occupe. Quant à l'effraction, voilà ce que Salou a dit : « Rien à signaler. » Jusqu'à présent, en tout cas. Il se concentre sur les indices potentiels, les empreintes de pas, tout ce qu'il pourrait trouver autour de la fenêtre. Pour l'instant, on ne peut pas affirmer que quelqu'un soit effectivement passé par là.

— Et vous, vous n'avez rien remarqué, non plus ? Est-ce que vous avez bien vérifié ?

— Bien sûr, commissaire. Je n'ai rien vu. Il n'y avait aucun changement visible par rapport à hier, ni dans le bar, ni dans le restaurant. Si jamais quelqu'un s'est introduit dans le restaurant, il n'a laissé aucune trace de son passage. Impossible de savoir ce qu'il a fait sur place.

— Très bien, Le Ber.

— Mais cela n'a aucun sens ! Pourquoi quelqu'un aurait-il pris la peine de briser les sceaux d'une scène de crime et de casser la vitre, si ce n'est pas pour y entrer ? Pensez-vous qu'il puisse s'agir d'une mauvaise plaisanterie ?

— Je n'en sais rien, Le Ber.

— Je vais avertir les Pennec. Je suppose que vous ne souhaitez pas particulièrement le faire vous-même, n'est-ce pas ?

— Très bien. On se voit après ma visite chez la notaire.

— Mon petit doigt me dit qu'on est sur une grosse affaire. Une très grosse affaire, même.

Le Ber avait prononcé ces mots sur un ton solennel, qui ne s'accordait pas du tout avec le début de leur conversation. Un silence s'installa.

— Que voulez-vous dire ?

— Je ne sais pas très bien, moi non plus.

— Eh bien, à tout à l'heure, alors.

La notaire habitait une magnifique bâtisse de pierre ancienne restaurée avec goût, un peu en amont de la rivière qui se déversait en flots désordonnés sur d'énormes blocs de granit, formant une courbe romantique. Le rez-de-chaussée et le premier étage faisaient office de bureau, elle-même résidait au second. Dans un petit jardin luxuriant se dressaient douze palmiers – une véritable attraction pour les touristes ignorant que le climat était idéal pour ces arbres.

La notaire en personne vint lui ouvrir la porte. Elle était vêtue avec recherche, une robe fourreau beige assortie à ses sandales hautes.

— Bonjour, commissaire.

Elle adressa à Dupin un sourire franc sans être exagéré.

— Bonjour, maître.

— Entrez, on va s'installer en haut, dans mon bureau.

Elle esquissa un geste en direction de l'escalier qui s'élevait juste à côté de la porte d'entrée.

— Volontiers.

Dupin la précéda.

— Je vous remercie de m'accorder un peu de votre temps de manière aussi spontanée. Je suppose que vous connaissiez bien monsieur Pennec.

Elle avait pris place derrière son élégant bureau tandis que Dupin s'installait sur l'une des deux chaises tout aussi raffinées.

— Pierre-Louis Pennec m'a appelée mardi matin, il voulait parler d'une question personnelle – quelque chose qui n'avait aucun rapport avec l'hôtel. Il était pressé et m'a demandé si je pouvais le recevoir jeudi à dix-huit heures. Je lui ai confirmé le rendez-vous mais, une heure plus tard, il m'a rappelée pour le repousser à vendredi matin. Il m'a expliqué qu'il voulait changer quelque chose dans son testament. Je pense qu'il est important que vous sachiez cela avant que nous en venions au contenu même du document.

Dupin avait sursauté à cette dernière information. Il était maintenant tout à fait éveillé.

— Une modification de son testament ?

— Il ne m'a pas dit au téléphone de quoi il retournait. Je lui ai demandé si je pouvais d'ores et déjà préparer quelque chose, mais il préférait m'en parler en personne.

— Avez-vous une idée de ce que cela pouvait être ? Que pouvait-il bien vouloir y changer ?

— Je n'en sais rien, malheureusement.

— Son testament comprend-il des éléments particuliers ? Quelque chose d'inhabituel, peut-être ? Je suppose que Loïc Pennec héritera de tout, n'est-ce pas ?

— Son fils hérite de l'hôtel – avec quelques contraintes concernant la manière dont il doit le diriger – ainsi que de la maison dans laquelle il vit avec son épouse. Pierre-Louis Pennec lègue l'un de ses quatre biens immobiliers – la demeure dans laquelle il résidait – à l'association des artistes de Pont-Aven. Fragan Delon hérite de la troisième bâtisse et Francine Lajoux de la dernière. Pierre-Louis Pennec lui a également adressé une lettre, qu'elle recevra prochainement. Monsieur Delon héritera des deux bateaux de Pennec.

Au fur et à mesure de son énumération, Dupin s'était penché en avant, incapable de cacher sa stupéfaction. L'expression et la voix de maître de Denis, en revanche, n'exprimaient rien. Elle se contentait de rendre compte de manière objective des dernières volontés de son client.

— En ce qui concerne les deux derniers biens immobiliers que je viens d'évoquer, il s'agit de maisons que madame Lajoux tout comme Fragan Delon habitent déjà depuis un certain temps. Toutes les sommes liquides reviennent à son fils, mais il s'agit de montants relativement peu élevés. D'après mes dernières estimations, ils s'élèvent à deux cent mille euros tout rond. Là aussi, Loïc Pennec devra respecter des directives précises. Au moins cent mille euros devront impérativement rester sur son compte en banque au cas où l'hôtel nécessiterait des réparations ou des rénovations. L'héritage comprend également quelques terrains qui lui reviendront. Il y en a sept, répartis dans la région de manière assez disparate. De petites parcelles, pour la plupart, et deux autres plus grandes, environ mille mètres carrés. Une sorte de hangar a été construit sur ces dernières. Il y en a une à Port Manech et l'autre au Pouldu. Ce ne sont pas des surfaces constructibles, elles n'ont aucune valeur en soi. Bien entendu, un permis de construire pourrait changer la donne, mais les lois de protection des côtes l'interdisent. Loïc Pennec hérite de la plupart de ces parcelles. Voilà, en résumé, le contenu du testament.

Dupin avait soigneusement noté toutes ces informations.

— Récapitulons : Delon, Lajoux et l'association des artistes héritent chacun d'une maison.

Ce n'était pas une question et maître de Denis ne se donna pas la peine de réagir.

— Sur quatre biens immobiliers, trois ne reviennent pas à son fils.

— Trois sur cinq.

— Cinq ?

— L'hôtel.

— Ah oui, bien sûr. C'est tout de même surprenant.

— J'attends Loïc et Catherine Pennec aujourd'hui à quinze heures, pour l'ouverture du testament. Je prendrai rendez-vous avec les autres légataires demain matin.

— Loïc Pennec est-il au courant ? Est-ce que Pierre-Louis Pennec vous a laissé entendre si son fils connaissait le contenu de son testament ?

— Je ne peux pas vous le dire. Nous n'en avons jamais parlé.

La notaire se fit songeuse et ajouta :

— Il ne m'a jamais dit si son fils était au courant de ses dernières volontés. Cela ne regarde pas le notaire, voyez-vous…

— Mais, dites-moi, quel est votre sentiment personnel ?

— Je suis bien incapable de vous répondre, commissaire. Par ailleurs, je serais bien embarrassée que vous donniez trop de poids à mon sentiment personnel.

— Je comprends très bien, maître. Quand a été établi ce testament ?

— Pierre-Louis Pennec l'a mis sur papier il y a douze ans. C'est moi qui l'ai rédigé pour lui. Il n'y a rien changé depuis.

— Il n'existe de ce document que la copie que vous possédez ?

— Oui, uniquement celle-ci. Bien entendu, il est conservé en lieu sûr, dans un coffre, comme tous les documents d'importance dont j'ai la garde.

— Et la lettre à madame Lajoux, que contient-elle ?

— Je l'ignore. C'est une lettre personnelle.

— Le couple Pennec risque d'être déçu.

— Il y a deux autres dispositions que j'aimerais évoquer. La première concerne l'un des hangars. Au fond du terrain qui entoure la maison de Fragan Delon, il y a une grange de taille conséquente, presque une petite maison. Pennec et son fils se sont disputés à son sujet, à l'époque où le testament a été établi. Le fils y avait installé ses stocks de miel. Vous êtes au courant de l'activité de Loïc Pennec ?

— Pas précisément, mais je sais qu'il a tenté sa chance en tant que petit entrepreneur. Il voulait vendre du miel breton, si j'ai bien compris, du miel de mer.

— Je n'en sais pas davantage, moi non plus.

— Est-ce que ce commerce existe encore ? Et ce hangar, est-il toujours utilisé ?

— Malheureusement, je suis bien en peine de vous répondre. Tout ce que je sais, c'est que Pennec voulait mettre cette grange à la disposition de Delon – après tout, elle se trouve dans le jardin de ce dernier. Ne me demandez pas, d'ailleurs, comment Loïc faisait pour accéder à ses stocks de miel. Toujours est-il que les deux hommes ont eu une petite altercation à ce sujet et que Pierre-Louis Pennec a fini par céder l'usage de la grange à son fils. Le testament prévoit néanmoins que la bâtisse revienne à Delon après la mort de Pennec. A l'époque, Loïc Pennec voulait carrément investir toute la maison pour la transformer en boutique. Je suis au courant de cette histoire parce que la mesure testamentaire date précisément de cette querelle.

— Est-ce que cela a été une dispute violente ?

— Tout ce que je sais, c'est que monsieur Pennec s'est montré catégorique. Il voulait absolument que cette décision figure dans son testament de manière claire et irrévocable.

— Et la deuxième mesure testamentaire ? Vous avez évoqué deux mesures.

— La seconde date de trente ans, déjà. Elle exclut son frère de son testament. Complètement.

— Oui, je suis au courant. En connaissez-vous la raison exacte ?

— Non, je n'en sais rien de plus. Cette disposition a été actée par mon prédécesseur, je me suis contentée de la reprendre à mon compte tout comme l'intégralité de son dossier. Cette disposition est très brève, d'ailleurs, elle se borne à notifier en une phrase l'exclusion totale de son frère du testament.

Le commissaire Dupin resta un instant silencieux.

— Etiez-vous au courant de l'état de santé de Pierre-Louis Pennec ?

— Que voulez-vous dire ?

— Eh bien, son espérance de vie était très limitée. Apparemment, c'était un miracle qu'il vive encore. Ses artères étaient complètement bouchées. Il s'est rendu chez son médecin, le docteur Pelliet, lundi dernier, et celui-ci lui a recommandé de se faire opérer de toute urgence, mais il n'a rien voulu entendre. Il était pleinement conscient de n'avoir plus que quelques jours à vivre.

La notaire secoua presque imperceptiblement la tête.

— D'après ce que nous en savons pour le moment, il semblerait qu'il n'en ait parlé à personne.

Fronçant les sourcils, maître de Denis reprit en articulant très lentement :

— Si je puis me permettre, commissaire, c'est tout de même un peu étrange. Pierre-Louis Pennec apprend qu'il ne lui reste que quelques jours à vivre, il décide de modifier son testament, et il se fait assassiner deux jours plus tard.

— Je sais, oui.

Présentée ainsi, en effet, la thèse de la coïncidence ne tenait pas la route. Cependant, on pouvait également voir les choses d'un autre point de vue.

— Vous venez d'évoquer quelques conditions concernant l'héritage de l'hôtel.

— Oui, il n'y en a pas beaucoup, à vrai dire. Madame Lajoux doit conserver son poste et son salaire jusqu'à la fin de ses jours. Madame Mendu prendra sa relève en tant que gouvernante – une gérante, en quelque sorte. Bien sûr, l'hôtel ne doit être ni vendu ni modifié dans sa structure. Il doit impérativement garder son apparence actuelle. Les formulations sont relativement vagues, cela dit, mais Loïc Pennec devra toutes les accepter s'il veut jouir de son héritage… A l'époque, il m'a semblé que Pierre-Louis Pennec voulait ajouter quelques points à cette liste de conditions. Il y avait fait plusieurs allusions.

— C'est peut-être la raison pour laquelle il désirait revoir son testament ?

— Je ne peux malheureusement pas vous l'affirmer.

— Est-ce que Pierre-Louis Pennec a parlé de changement ou d'ajout ?

— D'un changement.

Dupin nota le mot avant de le souligner à deux reprises.

— Voyez-vous un mobile de crime caché dans ce testament ? A première vue, il n'a rien de bien exceptionnel.

Ce n'était pas vraiment une question. En parlant, la notaire n'avait pas regardé Dupin mais ses yeux s'étaient, au contraire, perdus au-delà de la fenêtre. Le commissaire avait suivi son regard.

— Quel bleu incroyable !

Un nouveau silence s'installa, que maître de Denis rompit en esquissant un mouvement vif, comme pour se secouer.

— Je n'aime pas les spéculations. Mon métier repose sur les faits. Je suis là pour protéger des données tangibles, ratifier des actes concrets.

Dupin ne saisit pas où elle voulait en venir. Plongé dans ses propres pensées, il sentait poindre en lui une certaine nervosité. L'impatience le gagnait.

— Les renseignements que vous m'avez donnés m'ont beaucoup aidé. Ce sont des informations de toute première importance. Merci mille fois, maître. C'était très aimable à vous.

— Je vous raccompagne.

— Non, non, ne vous dérangez pas, je vous en prie. Je connais le chemin.

Dupin serra la main de maître de Denis.

— Bonne chance, commissaire.

— Merci. J'espère vous revoir bientôt, dans des conditions un peu plus agréables.

Maître de Denis lui répondit en souriant.

— Je l'espère aussi.

Le commissaire Dupin était conscient d'avoir pris congé de la notaire d'une manière pour le moins abrupte. Il avait besoin de faire quelques pas. Cette histoire lui semblait de plus en plus abracadabrante. D'expérience, il savait que ce sentiment d'urgence indiquait généralement qu'une piste se dessinait, mais cette fois il ne pouvait s'en expliquer la raison, et cela ne lui inspirait rien de bon.

Il reprit le chemin de l'hôtel, tourna à droite dans une ruelle et se perdit dans le dédale des rues, marchant sans but précis sinon vers le haut de la colline. Cette partie de la ville ne donnant pas sur la rivière, elle présentait moins d'attrait pour les touristes. Il allait pouvoir réfléchir en paix.

Si le testament n'était pas scandaleux, il présentait cependant quelques surprises de taille. Surtout, il était impossible de savoir si Pennec avait mis quelqu'un au courant de ces dispositions, tout comme pour sa maladie. Avait-il prévenu les personnes concernées ? Son fils et sa belle-fille avaient démenti en connaître le contenu et s'étaient comportés comme s'il ne s'agissait que d'une simple formalité. Manifestement, ils se voyaient déjà légataires universels. Cela ne voulait rien dire. Fragan Delon et Francine Lajoux non plus n'avaient rien laissé paraître. Le point décisif, cependant, n'était même pas le testament existant : après avoir appris l'imminence de sa mort, le vieil homme avait senti l'urgence de modifier ce document. A quoi pensait-il ? Voulait-il en changer un point précis, plusieurs peut-être ? Avait-il voulu y ajouter quelque chose ? Cette information aurait sans doute apporté la pièce manquante à toute cette affaire. Ici aussi, la question se posait : quelqu'un avait-il été informé de son intention ? Tout semblait tourner autour de cette volonté de modification – les autres éléments du testament, conditions comprises, ne semblaient pas fournir de mobile suffisant pour un meurtre. Il devait s'agir de quelque chose de plus grave. A moins que le testament ne contienne des éléments critiques dont il n'avait pas encore saisi toute la portée, ou qu'il n'avait pas vus.

Dupin était arrivé en haut du coteau. Depuis ce sommet, la vue vous coupait le souffle. C'était là le visage de Pont-Aven que l'on découvrait sur les œuvres des peintres. On y voyait à quel point le paysage était vallonné et la vallée tortueuse. Soudain, il eut une idée. Il sortit son téléphone de sa poche et composa le numéro de maître de Denis.

— C'est encore Georges Dupin. Pardonnez-moi de vous importuner une nouvelle fois, maître. J'aurai une dernière petite question. Quand Pennec vous a demandé un rendez-vous pour modifier son testament, il vous a bien dit que c'était très urgent, n'est-ce pas ? Et ensuite, il a lui-même proposé le jeudi comme date de rendez-vous ?

— Oui, c'est lui qui a proposé le jeudi.

— Il a insisté sur le fait que c'était urgent, mais il ne vous a pas demandé de le recevoir le jour même ? Ni le mercredi ?

— Eh bien, non. Comme je vous le disais, c'est lui-même qui a proposé le jeudi…

Maître de Denis se tut un instant, puis reprit :

— Je vois où vous voulez en venir. Vous avez raison. Trois jours, il attend trois jours pour un rendez-vous de toute première importance – tout en sachant qu'il risque de mourir à tout instant. Il…

La notaire hésita un instant avant de reprendre :

— Il avait d'autres choses à régler avant son rendez-vous avec moi.

Dupin n'avait jamais douté de l'intelligence de son interlocutrice.

Le commissaire emprunta un chemin étroit et raide au pied de la colline. A partir de là, un vieil escalier de pierre courait le long de villas et de terrains luxuriants avant de déboucher sur les berges de l'Aven. Au bout de celui-ci, il découvrit un sentier discret qui suivait le cours de l'eau et menait, vingt ou trente mètres plus loin, à un banc de bois rouge vif dissimulé derrière des buissons touffus et sous une voûte de platanes. Invisible depuis le chemin, il surplombait la rivière d'un mètre. Le commissaire s'assit. Les rapides et les cascades bouillonnaient comme en montagne. Le grondement de l'eau qui se déversait en torrents désordonnés était perceptible depuis chaque coin de Pont-Aven à l'exception du port. Il constituait, en quelque sorte, le bruit de fond du village, surtout la nuit. Etonnamment, on ne percevait rien de la proximité de la mer, c'était un tout autre monde.

Dupin resta un moment assis là, parfaitement immobile. Puis il saisit de nouveau son téléphone.

— Le Ber ?

— Commissaire ?

— Oui.

— Je vous entends mal.

— Où êtes-vous ?

— Au bureau, je reviens tout juste de Pont-Aven. La ligne est mauvaise, j'entends comme un grondement. Et vous, où êtes-vous ?

— Je suis assis près de la rivière.

— Vous êtes assis près de la rivière ?

— C'est ce que je viens de vous dire, oui. Y a-t-il du nouveau concernant l'effraction ? Des indices ?

— Non, rien pour le moment. Salou se serait manifesté si cela avait été le cas.

— Appelez-le.

— Mais…

Le Ber s'interrompit.

— J'aimerais m'entretenir avec le directeur de l'association des artistes. Est-ce que vous avez son adresse ?

— Il faut demander à Labat.

— Bon, je vais l'appeler.

— Autre chose, commissaire. Le docteur Lafond a appelé il y a une heure, il voulait vous parler. Comme vous étiez chez la notaire, Nolwenn me l'a passé.

Le Ber savait que Dupin préférait s'entretenir personnellement avec Lafond.

— Alors ?

— Quatre blessures, comme nous le savions déjà. Toutes sont profondes : le couteau s'est enfoncé jusqu'à ce qu'il bute contre quelque chose. Il y en a une à l'abdomen, une au poumon, deux dans la région du cœur. Selon le médecin, il serait mort très rapidement. Le couteau a pénétré dans le corps à angle droit. Une lame très aiguisée, d'environ huit centimètres de longueur.

— C'est-à-dire ?

— C'est une longueur habituelle pour un couteau. Il pourrait également s'agir d'un canif, un Opinel, un laguiole, quelque chose dans ce goût-là. Pas de rouille, pas de saleté. Un couteau propre.

— Quand est-ce que Pennec est mort ? A-t-on l'heure exacte ?

— Vers minuit. Pas plus tard, en tout cas. On ne peut pas le savoir à la minute près, vous savez bien…

— Oui, oui, bien sûr. Nous ne voudrions pas que Salou parte dans des spéculations qui pourraient mettre en cause sa crédibilité scientifique.

— C'est à peu près en ces termes qu'il s'est exprimé, en effet.

— Très bien, je vois. Appelez-moi s'il y a du nouveau.

Le ciel était aussi clair et dégagé que la veille, c'était une splendide journée d'été. Il n'y avait pas la moindre trace des nuages et de la brume annoncés pour la nuit précédente. Dupin aurait pu jurer que tous les signes d'une éclaircie durable étaient réunis. Ils allaient avoir du soleil pendant trois ou quatre jours, au moins.

Labat lui avait immédiatement communiqué l'adresse de Beauvois. Lui aussi résidait dans le centre-ville, quelques mètres plus haut en remontant l'Aven, dans la rue Job-Philippe, l'une des ruelles étroites et toujours humides du village. Comme la quasi-totalité des maisons du coin, c'était une ravissante demeure de pierre, identique à celles que l'on voyait en photo dans les guides touristiques. Des hortensias gigantesques, déclinés dans toutes les couleurs, ornaient sa cour : il y en avait des violets, des roses, des bleu ciel ou marine, mais aussi des rouges.

Dupin venait d'ouvrir le portillon du jardin et s'apprêtait à sonner quand la porte d'entrée s'ouvrit énergiquement. Un petit homme plutôt rond se tenait devant lui, clignant des yeux d'un air sceptique. Sa chevelure était coupée très court, sans doute à cause d'une calvitie naissante. Des lunettes ovales épousaient parfaitement la forme de son visage.

— Commissaire Georges Dupin, bonjour.

— Ah, commissaire. Frédéric Beauvois. Je suis ravi de faire votre connaissance.

Il marqua une pause puis précisa :

— Bien que les circonstances soient affreuses.

— Est-ce que je vous dérange ?

— Non, non, pas du tout. Je voulais justement sortir grignoter un morceau.

Il prit une expression coupable, comme s'il avait été pris en flagrant délit.

— Je vis seul, comme un vieux célibataire. Je serais bien content de pouvoir vous être utile, de quelque façon que ce soit. Il faut dire que Pierre-Louis Pennec faisait partie des notables de la ville. Sa disparition est une tragédie pour l'ensemble de Pont-Aven. Il n'y a pas d'autre mot pour le dire, croyez-moi : c'est vraiment dramatique. Notre ville doit beaucoup à son engagement et à sa générosité. Quant à moi, je crois pouvoir dire que j'ai perdu un véritable ami. Cela faisait trois décennies que nous nous connaissions et que nous travaillions ensemble. C'était un grand, un véritable mécène. Mais entrez, entrez, je vous prie !

Comme dans la plupart de ces bâtisses traditionnelles, l'intérieur était plutôt sombre. Cela leur conférait une atmosphère assez douillette – assis près d'un bon feu de cheminée quand la tempête rugissait et sifflait dehors – mais aussi un peu sinistre, trouvait Dupin. Surtout par une si belle journée.

Le commissaire hésita un instant, puis il se lança.

— Vous savez, j'ai faim moi aussi. Qu'est-ce que vous diriez d'aller manger un morceau, tous les deux ?

Cette idée lui était venue spontanément et il s'aperçut par la même occasion qu'il avait effectivement très faim. Surtout, il n'avait aucune envie de prolonger son séjour dans la pénombre alors qu'un soleil radieux brillait dehors. D'abord surpris par cette proposition, Beauvois se reprit rapidement.

— J'en serais ravi. Allons donc chez Maurice, au moulin. C'est un vieux copain et surtout, c'est le meilleur restaurant de Pont-Aven. Sans compter le Central, bien évidemment.

Beauvois souriait gentiment.

Dupin dut se retenir de quitter la maison en courant.

Ils parcoururent les ruelles d'un pas décidé et dépassèrent l'hôtel pour se rendre à l'ancien moulin de Rosmadec, un restaurant dont la réputation dépassait largement les frontières de Pont-Aven, depuis déjà une vingtaine d'années. Beauvois, le professeur retraité, ne put s'empêcher d'offrir à Dupin une petite visite guidée à travers le village et son histoire. Aucun superlatif n'était de trop pour exprimer sa fierté. Le ventre gargouillant, Dupin l'écoutait sans mot dire.

Enfin, ils prirent place sous un tilleul magnifique, à proximité de la roue du moulin. En heurtant les pierres, l'eau produisait un clapotis charmant. Dupin ne connaissait pas l'histoire des nombreux moulins de Pont-Aven. C'étaient ceux-ci, en effet, bien avant la venue des artistes, qui avaient fait la célébrité du village. Un grand nombre de meuniers s'étaient installés là au tournant du siècle, et ils n'avaient pas tardé à fournir toute la région en farine. Celle-ci était exportée jusqu'à Nantes, voire Bordeaux, à l'époque où Pont-Aven possédait encore un vrai port maritime, déclama Beauvois avec enthousiasme.

Après de longs pourparlers culinaires, Beauvois et Maurice Kerriou, le diligent propriétaire du restaurant, s'accordèrent sur un petit plateau de fruits de mer suivi de filets de rouget. Peu impliqué, Dupin s'était contenté de les écouter.

— Il faut absolument que vous goûtiez les fruits de mer. Vous me direz des nouvelles des palourdes grises ! Ce sont les meilleurs coquillages de toute la Bretagne. On n'en trouve pas de pareilles à Paris, c'est la spécialité d'ici.

Le hasard faisait bien les choses : Dupin adorait les palourdes grises. Il fut tenté de répliquer que le Lutetia, sa brasserie parisienne favorite, en servait de très fraîches qu'il préférait même aux palourdes roses, tant elles semblaient être un concentré de l'Atlantique. Depuis qu'il vivait dans la région, il en mangeait toute l'année. Il se tut néanmoins, peu désireux d'entamer une discussion sur le sujet.

— C'est très aimable à vous.

— Vous allez voir, c'est une vraie trouvaille. Tout est exquis, ici.

— Monsieur Beauvois, vous avez vu Pierre-Louis Pennec cette semaine, n'est-ce pas ? Mardi, d'après ce que j'en sais.

— Mon Dieu, oui. Je n'arrive pas à m'y faire. Mardi encore, il était tout à fait vivant. Nous avons surtout parlé de la nouvelle brochure.

— Celle qui est consacrée à la colonie d'artistes de Pont-Aven et à ses hôtels ?

— Cela fait un moment que nous voulions en faire une nouvelle version, plus complète. La première édition était très courte, et puis elle date de vingt ans. On en sait beaucoup plus aujourd'hui, en particulier sur la vie des artistes de la colonie. C'est tout de même un comble ! Hormis Gauguin et peut-être Emile Bernard, ils avaient tous sombré dans l'oubli. Cela fait tout juste deux décennies qu'on a redécouvert les autres. Il s'y cachait des talents exceptionnels, de grands artistes. Nous avons fait de nombreuses recherches nous-mêmes, ici. Nous savons désormais qui vivait où, qui peignait avec quoi et même où certains des artistes prenaient leurs repas…

Il esquissa un sourire à la fois amusé et savant.

— Nous avons également découvert leurs petites aventures, leurs rapprochements avec les âmes innocentes du pays. Ah, ils ne se sont pas ennuyés, c'est le moins qu'on puisse dire ! Il y en a, des histoires à raconter, croyez-moi.

Il s'interrompit brusquement, comme s'il craignait d'avoir trop parlé.

— Enfin, bref. J'ai apporté les textes à Pierre-Louis. Les nouveaux. Il voulait aussi voir ce qu'il en était des illustrations. Vous savez, il possède une belle collection de photos. Rien de bien novateur, mais certaines sont vraiment étonnantes. Il l'a héritée de sa grand-mère, Marie-Jeanne, et il y en a même qu'il a prises lui-même.

— Dans l'hôtel ? Des photos datant de l'époque de la colonie ?

— Oui. Il y en a environ une centaine, dont quelques-unes vraiment exceptionnelles. Ils y figurent tous – tous les grands !

Dupin avait sorti son carnet Clairefontaine.

— Où les conservait-il ?

— Chez lui, en haut. Dans la petite pièce qui jouxte sa chambre. C'est également là qu'il conservait les toiles qui n'avaient plus de place dans le restaurant, après les rénovations. Il me les a montrées, un jour.

— Me permettriez-vous de voir les textes en question ?

Beauvois sembla surpris.

— Ceux que j'ai écrits pour le dépliant ?

— Oui.

— Avec plaisir. Je vous les enverrai.

— Est-ce que Pennec était pressé ?

— Pour le dépliant ?

— Pour le dépliant.

— Il était toujours pressé quand il voulait quelque chose.

— Vous avez collaboré sur de nombreux projets, pas seulement cette plaquette, si mes informations sont exactes.

Beauvois s'installa plus confortablement, puis il prit une profonde inspiration, visiblement satisfait de la question de Dupin.

— Peut-être serait-il utile que vous en sachiez davantage sur mon métier, commissaire. Cela vous permettra d'évaluer certaines choses à leur juste mesure. Si vous le voulez bien, je vais vous en faire un petit compte rendu… rien de bien long, soyez sans crainte.

« Sans vouloir me jeter des fleurs, depuis que j'assure d'une certaine façon la direction du musée, nous avons accompli des choses extraordinaires. J'ai pris mon poste en 1985. J'ai créé une exposition permanente, en classant les œuvres de notre fonds, en organisant un accrochage digne de ce nom et en complétant notre collection d'achats significatifs, tant et si bien que nous comptons aujourd'hui mille tableaux – un millier ! Bien entendu, nous ne pouvons pas les exposer tous au même moment. En 2002, le ministère de la Culture nous a officiellement classés Musée de France, reconnaissant enfin, mieux vaut tard que jamais, la qualité de mon travail. J'ai bénéficié du soutien de Pierre-Louis depuis le début. Il était membre de toutes les associations que j'ai fondées, il a même été vice-président de la première, l'Association des Amis du musée de Pont-Aven.

Maurice Kerriou réapparut chargé d'un plateau de fruits de mer, d'une bouteille de sancerre froid et d'une autre de Badoit fraîche, qu'il arrangea savamment sur la table. Manifestement, il n'était pas pressé. Dupin trouva qu'il en faisait un peu trop.

— Vous en étiez donc aux associations.

— Ah, oui. Comme je vous le disais : en plus de son travail à l'hôtel, Pierre-Louis Pennec a toujours trouvé le temps de s'engager dans les associations de Pont-Aven et d'œuvrer pour le musée. Surtout, il faut que vous sachiez que jusqu'à l'année dernière, il était directeur du Mécénat Breton, une association regroupant tous les mécènes du musée. Nous comptons un grand nombre de donateurs importants. Sans eux, nous n'en serions jamais arrivés là. Bien entendu, la commune, le département mais aussi la collectivité territoriale nous ont également soutenus. C'est grâce aux moyens de l'association que nous avons pu aménager l'arrière de l'hôtel Julia en musée. Nous avons même pu faire appel, pour construire cette dépendance, à l'un des bureaux d'architectes les plus reconnus de Concarneau. Vous connaissez sûrement les lieux.

— En effet.

— Il en a été de même pour nos fabuleuses acquisitions : c'est grâce à l'association que nous avons pu les faire. Mais j'imagine que vous le savez déjà.

Beauvois considéra Dupin d'un air interrogateur.

— J'aimerais beaucoup que vous me disiez le montant que Pierre-Louis Pennec a investi dans l'association, tout comme les différents projets qu'il a soutenus, lui retourna Dupin en guise de réponse.

L'autopromotion de Beauvois commençait à lui taper sur les nerfs.

La déception se peignit sur le visage de son interlocuteur.

— Eh bien, c'était très variable. Parfois il s'agissait de petites sommes, par exemple pour l'affichage de panneaux publicitaires. Parfois c'étaient des montants plus importants.

— Pourriez-vous être un peu plus précis ?

— Récemment, il a participé au financement de deux de nos projets principaux. Il a donné trois mille euros pour une série de publicités radio concernant notre nouvelle exposition. Nous allons…

— Et le second ?

— Il s'agissait là d'un montant plus élevé, destiné au musée. Nous avions besoin d'une nouvelle climatisation pour les salles d'exposition. Nous ne possédons peut-être aucune des œuvres phares de l'école, mais certaines sont néanmoins très intéressantes.

— Qu'entendez-vous par « plus élevé » ?

Dupin commençait à être agacé.

— Quatre-vingt mille euros.

— Quatre-vingt mille euros ?

— Le système de climatisation est assez onéreux, sans parler de son installation. Cela requiert des aménagements conséquents. L'autre partie de la somme nous est généreusement donnée par Armor Lux – vous savez bien, la fabrique de textile spécialisée dans les pulls à rayures.

Bien évidemment, Dupin connaissait cette entreprise, célèbre dans toute la France.

— Pierre-Louis Pennec connaissait le propriétaire d'Armor Lux, il m'a donné un coup de main pour obtenir son aide. C'est également lui qui s'est proposé pour l'autre partie du montant.

— Il s'agit là de sommes importantes, en effet. Avez-vous une idée du montant total de ses dons au cours des dernières années, voire des dernières décennies ? Uniquement pour le musée.

— Oh, c'est difficile à dire. Attendez, que je réfléchisse.

Beauvois se gratta le nez, manifestement embarrassé par le sujet.

— Peut-être, oui, disons près de trois cent mille au cours des quinze dernières années, c'est-à-dire depuis la création de notre association des artistes. Il en existait déjà une auparavant, mais elle n'était absolument pas professionnelle. Monsieur Aubert avait…

— Vous parlez bien de trois cent mille euros ?

— Je ne peux pas vous le dire très précisément, mais ce doit être dans ces eaux-là, il me semble.

— On peut donc parler de dons substantiels.

— En effet, si on additionne les versements, cela fait un beau chiffre. Si je n'omets rien, cependant, ces quatre-vingt mille euros représentaient son apport le plus important.

— A quoi étaient destinés les autres montants ?

— Oh, tout cela est très précisément acté, jusque dans les moindres détails. Je peux vous montrer nos livres de comptes, si vous le souhaitez.

Beauvois semblait légèrement indigné.

— Concrètement, quels projets ont été réalisés grâce à ces dons ?

— Les travaux de rénovation de l'hôtel Julia, les réaménagements opérés dans cette partie du musée. Si vous saviez ce que coûtent les travaux d'assainissement d'anciennes bâtisses ! Il a fallu installer un tout nouveau plancher dans trois pièces, isoler l'intérieur, je pourrais…

— La mort de Pierre-Louis Pennec représente une perte énorme pour votre association. Vous ne devez pas avoir pléthore de donateurs aussi généreux.

— Pas beaucoup, non. Vous avez raison. Mais nous ne pouvons pas nous plaindre. Nous avons pu gagner toute une série d'entreprises régionales à notre cause, pas seulement des donateurs individuels. Cela dit, vous voyez juste : le décès de Pierre-Louis Pennec est une catastrophe aussi pour l'association. C'était une personnalité très généreuse !

— Je suis certain que monsieur Pennec aura veillé à assurer la pérennité de votre œuvre au-delà de son décès.

Dupin avait sciemment choisi une formulation maladroite. Ce qui l'intéressait, c'était de découvrir si Beauvois était averti des dispositions testamentaires de Pennec. Quand une question trop directe risquait de provoquer un repli, une phrase imprécise ou curieusement bâtie pouvait parfois être d'une grande aide.

— Que voulez-vous dire par là, commissaire ? Qu'il aurait pris en compte notre travail dans son testament ?

Dupin n'aurait pas cru son interlocuteur capable d'aborder le sujet de manière aussi directe.

— Oui, je crois que c'est exactement ce que je voulais dire.

— Ah, ça, commissaire, je n'en sais rien. Pennec n'a jamais évoqué ce genre de chose. Jamais, à aucun moment. Nous n'en avons jamais parlé.

Une sonnerie de téléphone grotesque se fit entendre. Beauvois plongea une main dans la poche quelque peu déformée de sa veste bleu marine.

— Allô ?

Il adressa un sourire complice à Dupin.

— Ah. Je comprends. Poursuivez.

Pendant un moment, Beauvois concentra toute son attention sur ce que son interlocuteur avait à lui dire, puis il répondit d'un ton sec :

— Non, je ne suis pas d'accord. Absolument pas. Je vous rappelle. On en reparlera. Oui, au revoir.

Il raccrocha, se retourna vers Dupin en souriant et reprit sans transition.

— Bien entendu, ce serait une chance énorme – dans notre immense malchance, bien évidemment. Ce serait formidable pour notre travail. Mais, voyez-vous, je n'en ai vraiment pas la moindre idée. Je ne connais absolument pas le contenu de son testament.

Il cligna des yeux.

— Et je préfère ne pas compter là-dessus.

Soit Beauvois était très habile, soit il ne savait vraiment rien.

— Et à part ça ?

Beauvois le considéra avec surprise.

— Est-ce que vous avez remarqué quelque chose de particulier chez monsieur Pennec lors de votre rendez-vous, mardi ? Un changement de comportement, peut-être même un changement physique ? Le moindre détail, si insignifiant soit-il, peut avoir son importance.

— Non, rien.

La réponse avait fusé sans une hésitation.

— Est-ce qu'il vous semblait fatigué, malade peut-être ?

— Malade ?

— Oui.

— Non, en tout cas je n'ai rien remarqué. Il était très vieux, vous savez. Cela faisait quelques années déjà que son âge se faisait sentir. Mais son esprit était intact, toujours très vif. Pensiez-vous à quelque chose de précis ?

Dupin s'était attendu à cette réponse.

— Connaissez-vous le demi-frère de Pierre-Louis Pennec ?

— André Pennec ? Non. Je suis au courant de son existence, mais cela s'arrête là. Il ne venait pas souvent dans la région. Vous savez, cela ne fait que trente ans que je suis à Pont-Aven, moi. Je viens de Lorient. Je ne connais pas toutes ces histoires. Quand je suis arrivé ici, André Pennec avait déjà quitté le Finistère. Tout ce que je sais, c'est qu'il y a eu une sérieuse dispute. Une querelle personnelle, je suppose.

— Et sa relation avec son fils ?

— Là aussi, il me serait difficile de me prononcer. Voyez-vous, Pierre-Louis Pennec était un homme très discret. Il avait des principes solides. Si leur relation était mauvaise, ce n'était pas son genre d'en parler. Ça jasait déjà suffisamment comme ça sur les rapports entre le père et le fils, ici, au village.

— Ah ? Que disait-on ?

— Oh, vous ne devriez pas y prêter trop d'attention.

— Ne vous inquiétez pas pour cela. Peut-être serait-il bon, cependant, que je sache de quoi il s'agit, vous ne croyez pas ?

Beauvois le regarda avec une sorte de reconnaissance amusée.

— Eh bien, on disait que le père n'était pas très satisfait du fils.

— Ah ?

— Il est tout de même probable que… Une chose était évidente, en tout cas : le caractère Pennec, cette forte personnalité si typique de la famille, n'était pas très développé chez Loïc. Ce désir de réussir, cette envie d'accomplir de grandes choses. Le caractère ne se transmet pas forcément de génération en génération, après tout.

— Et c'était évident, à votre avis ? Tout le monde le savait ?

— Oh, oui. Cela se voyait à l'œil nu. C'est bien dommage, d'ailleurs. Ici, au village, on a fini par se résigner. Moi aussi, pour dire la vérité.

— Ici, au village ?

— Précisément. Ce village est… une petite communauté. Vous ne connaissez pas cela, vous. En dehors des quelques semaines d'été pendant lesquelles des milliers d'étrangers envahissent Pont-Aven, nous sommes entre nous. Les gens n'ont pas d'autre choix que de vivre les uns avec les autres tout au long de l'année. Chacun sait pas mal de choses sur chacun, c'est inévitable.

— Est-ce qu'ils étaient brouillés ? Ont-ils eu de nombreux différends ?

— Oh non, ce n'était pas cela. D'après ce que j'en sais, ils ne se sont jamais disputés.

Beauvois fronça les sourcils.

— Parlait-on beaucoup de son fils ?

— Au début, oui, mais cela s'est calmé avec le temps. Les gens ont fini par comprendre que cela ne changerait pas.

— Qu'est-ce qui n'allait pas changer ?

— Eh bien, le fait qu'il n'était pas un vrai Pennec.

— Savait-il ce qui se disait à son sujet ?

— Indirectement, certainement. Il a bien dû le sentir. Après tout, il n'a rien réussi, dans sa vie.

— Pourquoi son père lui lègue-t-il l'hôtel et sa direction, dans ce cas ?

— Il a vraiment fait ça ?

— Vous ne pensiez pas qu'il le ferait ?

— Si, certainement. Sûrement, oui.

Beauvois semblait pris de court.

— A mon avis, il n'avait pas tellement le choix. Jamais et sous aucun prétexte Pierre-Louis Pennec n'aurait voulu provoquer un scandale. Cela aurait fait tout un foin, à tous points de vue, s'il avait confié l'hôtel à quelqu'un d'autre.

— Qui d'autre aurait pu reprendre la direction de l'hôtel ?

— Personne, justement. C'est ce que je voulais dire : le Central, c'est la famille Pennec, point. Et la famille, la tradition, tout cela était sacré pour Pierre-Louis Pennec. Mettre un étranger à la tête du Central, c'était absolument inconcevable. Et puis, vous savez, Pierre-Louis Pennec a été suffisamment malin pour embaucher madame Mendu, il y a déjà quelques années, afin qu'elle succède à madame Lajoux. Avec elle, il était sûr que l'hôtel serait mené selon sa volonté. Sous la direction de son fils, bien entendu.

Il était évident désormais que ce sujet de conversation mettait Beauvois mal à l'aise.

— Tout cela me semble assez compliqué.

— Oui, très, commissaire. Et puis, on n'est pas obligé de parler de tout dans les moindres détails. Il me semble que j'en ai déjà beaucoup trop dit.

— Aviez-vous d'autres projets communs, Pierre-Louis Pennec et vous ?

— Nous parlions toujours de tout un tas de choses quand nous nous voyions, mais il n'y avait rien de bien précis, ces derniers temps. Rien de concret, en tout cas. Peut-être notre petite exposition de photographies, oui. Ça, c'était un vrai projet. Il aurait aimé voir exposer les clichés qu'il m'avait montrés.

— En avez-vous également parlé mardi dernier ?

— Oui, brièvement. J'ai abordé le sujet mais nous ne nous sommes pas attardés dessus. Pierre-Louis voulait surtout parler de la plaquette, qui lui tenait vraiment à cœur. Et puis des travaux dans le musée, aussi.

— Est-ce Pennec qui vous a demandé de le rencontrer ?

— Oui, il m'a appelé lundi soir. Nous nous donnions toujours rendez-vous à la dernière minute.

— Et il ne vous a pas paru différent, cette semaine ?

— Il semblait chargé d'énergie, impatient.

S'il était honnête avec lui-même, Dupin devait reconnaître qu'il avait un peu perdu le fil de la conversation. Pourtant, il avait appris beaucoup de choses. Beauvois lui semblait être un type étrange, il avait presque l'impression qu'il jouait la comédie. Mais, surtout, un détail chiffonnait Dupin. Cela faisait un moment qu'il sentait que quelque chose clochait, mais ce sentiment s'était renforcé tout au long de sa discussion avec Beauvois. Il n'arrivait pas à cerner précisément de quoi il s'agissait, et cela le rendait d'autant plus nerveux.

Ils avaient terminé leurs rougets grillés, effectivement délicieux. Le goût légèrement amer de la chair blanche et ferme se révélait alors dans toute sa délicatesse. C'est ainsi que Dupin les préférait. Il s'était même laissé convaincre de commander un second verre de sancerre.

— Pour les desserts, il vaudrait mieux demander conseil à Maurice, lança Beauvois, brisant le premier silence de leur conversation.

— Oh, je crois que je vais m'abstenir, aujourd'hui. Je suis certain qu'ils sont excellents mais merci, non, j'ai vraiment trop à faire.

— Vous ne savez pas ce que vous ratez, commissaire.

— J'en suis sûr, mais il faut que j'y aille. Quant à vous, ne vous laissez pas gâcher le plaisir, je vous en prie. Restez là et savourez votre dessert.

— Très bien, si vous ne me laissez pas le choix, c'est exactement ce que je vais faire.

Beauvois laissa échapper un éclat de rire non dénué de soulagement.

— Alors je reste assis. Après tout, nous l'avons bien mérité, nous les retraités.

Dupin était trop heureux de se débarrasser du professeur.

— J'espère que votre enquête avancera vite.

— Merci. Au revoir !

Il s'éloigna aussitôt après avoir serré la main de Beauvois, quand il prit conscience qu'il n'avait pas payé et fit demi-tour. Amusé, Beauvois le regardait arriver.

— Tout le plaisir était pour moi, commissaire.

— Non, non, c'est hors de question, je ne peux…

— J'y tiens.

— Très bien, eh bien alors merci beaucoup, monsieur Beauvois.

Il était déjà quinze heures trente. Les Pennec devaient se trouver chez la notaire en ce moment même. L'entrevue n'allait sûrement pas durer longtemps. Il décida de leur rendre visite plus tard dans la journée. Cela lui laissait le temps de passer quelques coups de fil depuis son banc secret, il y serait tranquille et ce n'était pas trop loin.

Cette fois encore, il ne croisa pas âme qui vive au-delà du sentier. Il resta debout devant le banc, tout près de l'eau, et laissa son regard s'égarer dans les rapides. Deux truites ou saumons bondissaient dans les flots. S'il oubliait un instant qu'il se trouvait à quelques mètres à peine de l'Atlantique, il aurait pu se croire dans le petit village d'origine de son père, à l'autre bout de la France, dans le Jura, niché au pied des montagnes. Il s'était déjà fait cette réflexion quand il était venu là plus tôt dans la journée. C'était étonnant de retrouver ici la même atmosphère. Son père, Gaspard Dupin, avait été très attaché à ce lieu. Ce lien avait perduré quand il s'était installé à Paris et même après qu'il eut épousé Anna, une jeune femme de la haute bourgeoisie. Parisienne jusqu'au bout des ongles, cette dernière aurait préféré périr plutôt que de quitter la capitale, et c'était encore vrai aujourd'hui. Gaspard avait quitté son village d'une centaine d'âmes à l'âge de dix-sept ans pour entrer dans la police parisienne. Il avait ensuite rapidement gravi les échelons, jusqu'au poste de commissaire principal. Dupin n'avait pas beaucoup de souvenirs de son père, décédé d'un arrêt cardiaque à quarante et un ans. Dupin n'avait alors que six ans, et pourtant il se rappelait encore les après-midi de pêche à la truite en sa compagnie.

Son esprit divaguait. Il sortit son téléphone portable. Le Ber décrocha immédiatement.

— Oui, commissaire ?

— Je viens de déjeuner avec Beauvois.

— Alors ?

— Je ne sais pas trop.

— C'est un drôle de bonhomme, si vous voulez mon avis. Et pas complètement inoffensif, non plus. Ah, il faut que je vous avertisse : les Pennec aimeraient vous revoir. Ils ont appelé en fin de matinée pour demander un rendez-vous aussi rapide que possible. Le maire de Pont-Aven est passé au bureau, et puis le préfet a essayé de vous joindre. Il a dit que c'était urgent.

— Qu'entendez-vous par « pas complètement inoffensif » ?

— Je vous entends mal, il y a de nouveau de la friture sur la ligne. A moins que vous ne soyez encore près du fleuve ?

En guise de réponse, Dupin répéta sa question, nettement plus fort.

Le Ber resta un moment silencieux.

— Je ne sais pas.

Dupin se passa une main dans les cheveux. Il savait que cela ne servait à rien d'insister quand Le Ber s'exprimait ainsi. Il n'empêche que cela le rendait fou. A chaque fois qu'ils se trouvaient dans une enquête compliquée, l'inspecteur se mettait à lâcher des phrases mystérieuses, sans jamais fournir d'explications, et Dupin ne pouvait se défendre d'en être influencé.

— Comment avance l'enquête, chez Labat et vous ?

— Nous avons continué à vérifier les coups de fil passés ou reçus à l'hôtel. Nous avons classé les appels en fonction de leur longueur, de leur distance et des régions appelées. Deux tiers des appels concernaient des numéros de Pont-Aven et des environs, Brest et Quimper pour la plupart. Nous avons également trouvé un grand nombre de numéros parisiens, en général des numéros privés, sans doute des clients de l'hôtel. La plupart des résidents du Central viennent de Paris. Il y a eu quelques autres appels vers Paris, trois fois le ministère du Tourisme, et puis un installateur de cuisines, trois fois également. Et deux appels au musée d'Orsay.

— Le ministère du Tourisme et le musée d'Orsay ?
— Oui.
— Quelle était la raison de ces appels ?
— Nous ne le savons pas encore.
— Essayez d'en apprendre davantage. Je veux savoir qui a passé ces coups de fil depuis l'hôtel, et pourquoi.
Dupin connaissait bien le musée d'Orsay. Une de ses amies, qui vivait désormais à Arles, y avait travaillé et il s'y était fréquemment rendu pendant cette période. Il adorait ce musée.
— Quand ces coups de fil ont-ils été passés ?
— Mardi, tous les deux. Le premier à neuf heures trente, le second à onze heures trente.
— Très bien. Je ferai un saut à l'hôtel tout à l'heure, mais d'abord il faut que je passe chez les Pennec. Est-ce que Salou a donné des précisions concernant l'effraction ?
— Non, il s'est contenté de dire qu'il n'avait encore rien trouvé. Pas même des empreintes de pas. Il pense davantage à une mauvaise plaisanterie ou à une manœuvre de diversion qu'à une véritable effraction.
— Foutaises. Est-ce que quelqu'un est entré dans la pièce, aujourd'hui ?
— Personne. Seul Labat et moi possédons un jeu de clés. Et vous, bien sûr.
Un silence s'installa. Le Ber savait que le commissaire ne se donnait pas toujours la peine de prendre congé quand la discussion lui semblait close.
— Etes-vous encore là, commissaire ?
Dupin répondit sans hâte.
— J'aimerais retourner au restaurant.
Si Dupin avait formulé cette phrase avec détermination, il s'était davantage adressé à lui-même qu'à Le Ber.

— Est-ce que je peux faire quelque chose ? demanda l'inspecteur.

Un nouveau silence lui répondit et quand Le Ber demanda une fois encore si le commissaire était au bout du fil, ce dernier avait effectivement raccroché.

— Oui ? Qu'y a-t-il ?

Debout dans l'embrasure de la porte, madame Pennec regardait Dupin droit dans les yeux. Dans son regard, il décela quelque chose comme un reproche. Il s'aperçut au même moment qu'il n'avait pas préparé cet entretien et qu'il ne pouvait en aucun cas demander directement comment s'était passée l'ouverture du testament.

— L'inspecteur Le Ber m'a dit que vous souhaitiez me parler.

Madame Pennec sembla se ressaisir.

— Bien sûr, oui, en effet. Mon mari vient de s'allonger, il voulait se reposer un peu. Il a été très éprouvé. Emotionnellement, bien entendu. Je vais le chercher. Si vous voulez bien patienter au salon…

Cette situation n'était pas inconnue de Dupin. Quelques minutes plus tard, Loïc Pennec apparut en haut des escaliers.

— Commissaire, c'est une bonne chose que vous soyez passé.

Son épouse n'avait pas menti, Pennec avait une mine épouvantable. Ses traits étaient affaissés, ses yeux rougis.

— C'est bien normal.

Pennec jeta un coup d'œil à sa femme.

— Tout d'abord, nous aimerions savoir où en est l'enquête. Avez-vous déjà progressé un peu ? Qu'en est-il de l'incident de cette nuit ?

— Oui, je peux vous assurer que nous avançons, monsieur Pennec, quand bien même nous n'avons pas encore de piste véritablement brûlante. L'enquête semble vouloir se prolonger un peu. Plus nous en apprenons, plus l'affaire se complique.

Dupin s'interrompit un instant.

— Quant à la vitre brisée cette nuit, nous ne pouvons pas encore nous prononcer.

— Oui, j'imagine que vous avez beaucoup à faire, en ce moment.

Pennec tenta d'esquisser un sourire, mais il n'y parvint pas.

— En effet. Mais c'est notre métier.

— L'autre point que nous aurions aimé aborder, enchaîna madame Pennec d'une voix étouffée, est le suivant : combien de temps pensez-vous devoir travailler dans l'hôtel ? Je parle des pièces condamnées, de tout cela. Vous imaginez, bien sûr, que la situation n'est pas des plus simples, pour nous. La saison a commencé. Mon mari doit s'occuper de tout…

Madame Pennec fit une courte pause, puis reprit.

— Vous comprendrez sûrement que mon époux veuille être à la hauteur des nouvelles responsabilités que ce triste coup du destin lui impose.

— Bien sûr, madame Pennec, je comprends fort bien. Dites-moi ce que vous avez sur le cœur et je verrai ce que je peux faire.

— Quand l'hôtel pourra-t-il reprendre une activité normale ? Nous ne pourrons pas nous passer de restaurant pendant toute la saison. Nos clients aimeraient profiter de la cuisine du Central, ce qui est bien normal. Par ailleurs, le restaurant sert aussi de salle de petit déjeuner. Le bien-être de nos invités nous importe plus que tout, voyez-vous.

— Vous me demandez quand nous n'aurons plus besoin de la scène de crime pour l'enquête ?

Dupin avait l'habitude, c'était toujours la même chose.

— C'est difficile à dire. L'élucidation d'un meurtre a un rythme bien à elle.

Catherine Pennec sembla vouloir insister, mais elle se résigna.

— Est-ce que le testament de votre père ou de votre beau-père correspond à vos attentes ? Etiez-vous au courant des conditions qu'il implique ?

La question de Dupin prit monsieur et madame Pennec de court et ils le regardèrent un moment avec stupéfaction avant de répondre. Enfin, madame Pennec prit la parole.

— Vous connaissez déjà le contenu du testament ?

— Quand il y a meurtre, la lecture de l'éventuel testament fait évidemment partie des premières démarches entreprises par la police.

— Bien sûr.

Au contraire de son épouse, visiblement embarrassée, Loïc resta très calme.

— Vous imaginez, bien entendu, que nous nous attendions à des dispositions un peu… un peu différentes, on ne peut le nier. Pour l'essentiel, cependant, nous ne sommes pas surpris. Je reprends la direction de l'hôtel.

— C'est là l'élément principal du testament, après tout.

La voix de madame Pennec s'était quelque peu altérée, mais elle restait maîtresse d'elle-même.

— Vous vous demandez sûrement si nous espérions hériter de l'ensemble des biens immobiliers de mon père. Eh bien, oui, et je crois que c'était tout à fait légitime de notre part.

— Bien entendu. Qu'est-ce qui a motivé ces legs à madame Lajoux, monsieur Delon et l'association des artistes, à votre avis ? Ce sont des biens immobiliers d'une certaine valeur, tout de même.

— Mon beau-père était un homme très généreux, un homme pour lequel la famille mais aussi les amis représentaient énormément.

Loïc Pennec vint à la rescousse de sa femme :

— Vous comprenez certainement ce que mon épouse entend par là. Mon père accordait une grande importance à ses amitiés, tout comme à son travail – l'hôtel, la tradition, les artistes, tout cela… Son testament est le reflet exact de ce qui lui importait. Nous respectons pleinement ses choix, d'autant plus que ses dernières volontés s'accordent parfaitement avec sa vie.

La surprise que leur avait procurée le testament de Pierre-Louis Pennec était tout aussi visible que les efforts qu'ils fournissaient pour la cacher. Cependant, ni l'un ni l'autre ne semblait véritablement choqué. On décelait plutôt chez eux une certaine nervosité.

— Bien sûr, bien sûr. Je vois très bien ce que vous voulez dire. Est-ce que vous vendez encore du miel ?

Une fois de plus, la question était tombée sans préambule.

— Nous n'en avons jamais vraiment vendu.

Madame Pennec s'était hâtée de répondre avant son mari.

— Nous avons longtemps songé à le faire. Cela aurait certainement pu être un commerce très lucratif, mais nous avons fini par y renoncer. Pour développer la chose de façon sérieuse, il aurait fallu y consacrer tout notre temps. Or, nous avons toujours su que mon mari reprendrait un jour la direction de l'hôtel.

— Pourtant, vous possédiez déjà un hangar pour stocker vos pots.

Les Pennec regardèrent Dupin avec stupéfaction.

— Vous voulez parler de la grange de mon père ?

— Oui, celle qui se trouve sur le terrain de monsieur Delon.

La phrase était sortie un peu brutalement de la bouche de Dupin.

— Vous avez raison. Ce hangar aurait été idéal pour y installer notre entrepôt. Nous avons effectivement envisagé cette solution.

— Est-ce que votre père avait des problèmes ?

La question était aussi abstraite que générale et les regards de Loïc et Catherine Pennec trahissaient à présent un réel étonnement.

— Que voulez-vous dire ? demanda Loïc Pennec.

— Est-ce que votre père avait un sujet d'inquiétude particulier, quelque chose qui le préoccupait ?

— Je ne vois pas de quoi vous voulez parler, commissaire. L'hôtel était la raison de vivre de mon père. Il y pensait sans arrêt.

— Je parle d'autres choses.

— Quel type de choses ?

— C'est justement ce que j'aimerais savoir.

Un silence s'installa.

— Etiez-vous au courant des problèmes cardiaques de votre père ?

— Des problèmes cardiaques ?

— Ses jours étaient comptés.

— Les jours de mon père ? Comment savez-vous cela ?

Pennec était livide, manifestement la nouvelle le touchait de plein fouet.

— Mon chéri, calme-toi. Il est mort, cela n'a plus d'importance.

Madame Pennec remarqua soudain l'ironie involontaire de ce qu'elle venait de dire.

— Enfin, en tout cas, reprit-elle en bredouillant, c'est épouvantable.

Elle se tut et posa une main sur la joue de son mari.

— C'est le docteur Pelliet qui m'a dit cela hier. Vous savez ce que c'est, le secret professionnel… Il l'a ausculté en début de semaine et lui a recommandé de se faire opérer dans les plus brefs délais. J'ai bien l'impression que votre père n'en a parlé à personne.

— Commissaire, intervint aussitôt madame Pennec, Pierre-Louis était un homme extraordinaire, mais il était également très têtu. Il ne voulait embêter personne. Peut-être s'est-il dit que cela nous inquiéterait inutilement. Les personnes âgées ont souvent le cœur fragile, après tout. Vous ne devriez pas retourner le couteau dans la plaie de cette manière.

— Je comprends, madame Pennec. Je pensais seulement que cela pourrait vous intéresser de le savoir. Après tout, c'est une nouvelle importante.

Pendant un instant, Catherine Pennec sembla un peu gênée.

— Bien sûr…

— Je vous remercie pour votre franchise, commissaire. Est-ce que mon père a souffert ? Je veux dire : est-ce que cette déficience cardiaque était douloureuse ?

— Qu'est-ce que vous en dites, vous semblait-il souffrant, de temps à autre ? N'avez-vous rien remarqué de tel ?

Pennec semblait toujours aussi bouleversé.

— Non. Enfin, je ne sais pas. Rien de particulier. Mais oui, il semblait parfois très fatigué.

— Mais il avait quatre-vingt-onze ans. Ce genre de fatigue n'est pas inhabituel à cet âge-là. Il faiblissait, c'était évident depuis quelques années, déjà.

Pennec considéra sa femme d'un œil désapprobateur.

— Ce que je veux dire, c'est qu'il est normal qu'une personne de quatre-vingt-onze ans se fatigue plus vite qu'une personne de soixante-dix ans, c'est tout. Cela dit, il était encore en pleine forme pour son âge. On n'aurait jamais pu deviner qu'il avait une faiblesse physique quelconque. Pas même au cours des derniers mois.

Pennec approuva les propos de sa femme d'un hochement de tête, manifestement soulagé.

— Je vais m'entretenir avec le docteur Pelliet. J'aimerais savoir précisément de quoi souffrait mon père.

— Je comprends très bien, monsieur Pennec.

Un silence s'installa, dont chacun sembla profiter pour remettre ses idées au clair. Dupin sortit son carnet et le feuilleta comme s'il y cherchait quelque chose.

— Pardonnez-moi d'insister, mais n'avez-vous vraiment rien remarqué de particulier dans le comportement de votre père au cours des derniers jours ? Vous l'avez rencontré, cette semaine. De quoi avez-vous parlé ?

— De choses et d'autres, comme d'habitude. Les poissons, les bancs de maquereaux, son bateau, l'hôtel. Le début de la saison. C'était sa grande préoccupation du moment, de voir comment s'annonçait la saison.

— Est-ce qu'elle s'annonce bien ?

— Merci, oui. Très bien. Mon père était certain que la saison serait très bonne. Vous savez, même au plus fort de la crise, nous n'avons pas enregistré de pertes importantes.

— Seuls les hôtels bas de gamme en ont souffert, voyez-vous. Pas les bons hôtels, ajouta Catherine Pennec.

— Etiez-vous impliqué dans les activités de mécénat de votre père ?

— Il me semble qu'il n'a jamais tenu personne au courant de ces choses-là. Il considérait la gestion de l'hôtel comme son devoir, et le mécénat comme un plaisir.

— Saviez-vous qu'il s'apprêtait à faire don d'une somme très importante à l'association des artistes ainsi qu'au musée, pour des travaux de rénovation ?

— Pierre-Louis Pennec était un grand mécène.

Madame Pennec avait prononcé ces mots avec empressement, d'un ton quelque peu grandiloquent.

— De quelle somme s'agissait-il ? demanda Loïc Pennec d'une voix un peu craintive.

— Oh, je n'en connais pas le montant exact, mais d'après ce que j'ai compris, il s'agissait d'une somme substantielle.

— Vous ne savez pas dans quelle fourchette cela se situait ?

Catherine Pennec s'était légèrement penchée en avant pour poser cette question. Manifestement, elle se demandait si cette somme serait également déduite de leur héritage.

— Je ne suis pas en mesure de vous le dire, non. Avez-vous abordé d'autres sujets au cours de ces derniers jours, monsieur Pennec ?

— Des détails concernant l'hôtel, surtout.

— Pouvez-vous être plus précis, s'il vous plaît ?

— Mon père me tenait régulièrement au courant de ce qui se passait à l'hôtel, de ce qu'il prévoyait de faire. Cette fois, il s'agissait d'installer de nouveaux téléviseurs dans les chambres. Les appareils que nous avons en ce moment sont vraiment vieux, il en voulait de nouveaux, avec de beaux écrans plats. Il détestait la télévision mais estimait que, quitte à équiper les chambres de téléviseurs, il valait mieux qu'ils ne prennent pas trop de place. Appliquer ce principe à l'ensemble des chambres représente un investissement non négligeable.

— C'est donc de cela que vous vous êtes entretenus ?

— Oui, entre autres.

— Et qu'entendez-vous par « tenir au courant » ?

— Je ne comprends pas votre question.

— Eh bien, est-ce que votre père vous informait de ses décisions, ou est-ce qu'il vous consultait avant de les prendre ?

— Il m'en informait, et nous en discutions par la suite, oui.

Il lança un regard interrogateur à Dupin, comme pour s'assurer qu'il avait donné la bonne réponse.

— Y avait-il quoi que ce soit qui ait préoccupé votre père dernièrement ? Un projet d'envergure, peut-être ?

Madame Pennec intervint de nouveau, cette fois d'un ton quelque peu brusque.

— Vous nous avez déjà posé la question. Nous n'avons rien remarqué de particulier.

— Commissaire, je comprends bien votre insistance. Sous le coup de l'émotion, nous aurions tout à fait pu oublier un détail essentiel.

Dupin était impressionné par le sang-froid dont Loïc Pennec faisait preuve.

— Malheureusement, poursuivit celui-ci, si mon père avait un sujet d'inquiétude particulier, il ne m'en a pas parlé. La nouvelle de sa maladie a dû le bouleverser.

Dupin avait senti une certaine nervosité le gagner pendant que Pennec s'exprimait. Il venait de comprendre ce qui le turlupinait secrètement depuis son entretien avec Beauvois.

— Eh bien, vous m'avez beaucoup aidé, monsieur Pennec, ce sont là des informations essentielles. Merci beaucoup.

Dupin brûlait désormais de s'en aller et de suivre la piste qu'il avait trouvée. Quant aux Pennec, le départ précipité de leur visiteur ne semblait nullement les attrister.

— Cela va de soi, commissaire. Nous sommes heureux de pouvoir vous aider. N'hésitez pas à venir nous consulter à chaque fois que cela vous semblera utile.

Madame Pennec manifesta son approbation par un hochement de tête. Les traits de son visage s'étaient radoucis. Ils se levèrent tous les trois au même moment, comme pour répondre à un appel inaudible.

Loïc Pennec reprit une nouvelle fois :

— Nous tenons vraiment à vous remercier pour votre travail et votre engagement. Veuillez nous excuser si nous réagissons parfois de manière un peu… émotive. Nous…

— Monsieur Pennec, c'est bien normal. Je suis confus de troubler votre deuil par des questions aussi importunes. Ce n'est pas facile, j'en suis conscient.

— Non, non, commissaire, c'est nécessaire.

Catherine Pennec avait devancé les deux hommes pour ouvrir la porte d'entrée.

Dupin s'arrêta sur le pas de la porte.

— Ah, monsieur Pennec ?

Tous deux levèrent vers Dupin un regard interrogateur.

— Juste une dernière petite chose. Est-ce que cela vous ennuierait de me retrouver à l'hôtel, demain matin ? Ce serait formidable. J'aimerais que vous me montriez quelque chose.

— A l'hôtel ? Avec plaisir. Mais pourquoi… Enfin, de quoi s'agit-il ?

— Oh, rien de particulier. J'aimerais juste refaire tranquillement le tour de l'hôtel en votre compagnie.

Loïc Pennec sembla un peu inquiet, mais il répondit néanmoins :

— Bien sûr, commissaire. Nous avons rendez-vous avec les pompes funèbres à onze heures, je me tiendrai à votre entière disposition ensuite. J'ai beaucoup de choses à régler à l'hôtel, de toute façon.

— Parfait. Merci beaucoup. A demain.

Les deux inspecteurs l'attendaient quand Dupin arriva à l'hôtel. Le Ber se tenait devant la porte, une cigarette à la main. Dupin ne l'avait vu fumer que quatre ou cinq fois au cours des dernières années. Labat, qui s'appuyait de manière presque nonchalante au cadre de la porte d'entrée, afficha une mine ouvertement exaspérée en apercevant le commissaire et vint à sa rencontre d'un pas vif.

— Commissaire, je dois…

— Il faut que j'aille dans le restaurant. Seul.

— Je dois vous parler de quelques urgences. Je vous ferai remarquer que…

— On en parlera tout à l'heure.

— Nous n'avons…

— Pas maintenant.

— Mais, commissaire…

Dupin avait dépassé Labat sans s'arrêter. Le Ber regarda son supérieur s'éloigner, puis il prit une longue bouffée de cigarette en économisant au maximum ses mouvements. Arrivé dans l'entrée de l'hôtel, Dupin tira une clé de sa poche et ouvrit la porte du restaurant. Labat, qui n'avait pas encore déclaré forfait, était sur ses talons.

— Nous avons aussi…

— Plus tard, Labat.

La voix de Dupin s'était faite catégorique. Il entra, ferma la porte derrière lui, verrouilla à double tour et oublia instantanément son collaborateur.

Le silence se fit aussitôt. Décidément, cette isolation était excellente. De l'air conditionné, on ne percevait qu'un bourdonnement régulier, si léger qu'il fallait tendre l'oreille pour l'entendre. Dupin regarda autour de lui, avança de quelques mètres et s'immobilisa, puis il laissa son regard parcourir les murs et le plafond. La climatisation elle-même n'était pas visible. Elle se trouvait sans doute dans la pièce adjacente, probablement la cuisine. Tout autour de la pièce, d'étroites ouvertures longues d'une trentaine de centimètres habillées d'aluminium mat, très discrètes, avaient été percées dans le plafond à environ deux mètres d'intervalle les unes des autres. C'était donc de là que s'échappait l'air. L'installation devait être puissante et avait sûrement nécessité des travaux d'envergure.

Dupin avança jusqu'au milieu de la pièce en gardant le regard rivé sur les murs, et plus précisément sur les tableaux qui y étaient exposés. Il y en avait vingt-cinq ou trente, des reproductions de peintures des membres de la colonie, Paul Sérusier, Charles Laval, Emile Bernard, Armand Seguin, Jacob Meyer de Haan et bien sûr Gauguin, mais également d'artistes totalement inconnus de Dupin.

Il se rappela une histoire extraordinaire qu'on lui avait racontée il y avait quelques années de cela. C'est Juliette qui la lui avait relatée alors qu'elle était encore étudiante aux Beaux-Arts de Paris, et qu'ils s'étaient échappés pour passer quelques jours à Collioure et Cadaqués. Une histoire véritablement incroyable, et pourtant vraie. Très concentré, Dupin s'arrêta devant chaque tableau.

Il resta enfermé dans le restaurant pendant trois quarts d'heure. De temps à autre, des coups furent frappés à la porte, mais il les remarqua à peine. A dix-huit heures trente, enfin, il l'ouvrit lui-même. Les deux inspecteurs se tenaient en face de lui, dans la petite réception de l'hôtel. Cette fois, ce fut Le Ber qui le rejoignit à grandes enjambées.

— Commissaire, est-ce qu'il est arrivé quelque chose ?

La voix de Le Ber trahissait son agitation. Quant à Labat, il n'avait pas bougé et considérait la scène d'un air tout aussi renfrogné qu'auparavant.

— Qui s'y connaît en peinture, ici ? Ou plutôt, qui connaît bien les peintures des artistes ayant travaillé ici ?

Le Ber le regarda avec stupéfaction.

— En peinture ? Je n'en sais rien, sans doute monsieur Beauvois, ou alors l'un des galeristes. Ou bien, encore, le nouveau professeur de dessin de l'école.

Dupin réfléchit.

— Non, je voudrais un expert qui ne soit pas de Pont-Aven. Une personne qui vienne d'ailleurs.

— Un expert qui vienne d'ailleurs ? De quoi s'agit-il, exactement ?

Labat avait fini par s'approcher et se tenait désormais devant Dupin.

— Oui, commissaire, ce serait peut-être utile que vous nous teniez au courant.

Dupin quitta l'hôtel sans répondre. Il tourna deux fois à gauche et se retrouva bientôt dans la ruelle calme qui longeait le Central. Il sortit son téléphone.

— Nolwenn, vous êtes là ?

— Oui, commissaire.

— J'ai besoin de votre aide. Il me faut un expert en peinture, spécialisé dans l'école de Pont-Aven. Quelqu'un qui connaisse très bien les œuvres, les tableaux. Mais je ne veux pas que ce soit quelqu'un d'ici.

— Personne de Pont-Aven ?

— Non.

— Un expert qui viendrait de n'importe où, sauf de Pont-Aven, alors ?

— Oui.

— Très bien, je m'en occupe.

— Il me le faut très vite.

— Vous voulez dire tout de suite ? Ce soir ?

— Exactement, oui.

— Il est déjà dix-huit heures trente.

— Faites au plus vite.

— Il est censé vous rejoindre au Central ?

— Oui.

Dupin resta un moment debout là, perdu dans ses réflexions, puis il parcourut la ruelle jusqu'à ce qu'elle se divise en deux. Cette fois, il poursuivit droit vers le fleuve et traversa le pont aux ornements ridicules pour rejoindre le port, sur l'autre rive. Il s'arrêta là. La mer était revenue. La marée était quasiment à son point le plus haut, et les bateaux avaient fière allure avec leurs mâts qui dansaient au gré du vent dans un joyeux désordre. Les vaguelettes ne les atteignaient jamais au même moment ni de la même manière, si bien que chaque bateau tanguait à une cadence différente. Chacun dansait seul, mais au milieu des autres, dans une sorte de chaos harmonieux. Dupin aimait le tintement des petites cloches fixées à leur faîte.

Il longea le port pendant un moment, les mains croisées derrière le dos. Si ses soupçons se vérifiaient, il s'agissait là d'une affaire pour le moins étonnante. Un gros coup, tellement énorme, d'ailleurs, qu'il était difficile d'y croire.

Il s'arrêta après avoir atteint la dernière maison du port, tourna les talons puis reprit lentement la direction de l'hôtel en empruntant des chemins détournés. Il ne cessait de retourner la situation dans sa tête.

Nolwenn le rappela exactement trente-deux minutes plus tard. Elle avait déniché une experte en histoire de l'art du nom de Marie Morgane Cassel à Brest, où elle enseignait à l'université de Bretagne occidentale. Nolwenn lui cita des articles et des recommandations de spécialistes parisiens : apparemment, elle était la meilleure. Par d'habiles détours, et non sans faire jouer la carte de la plus haute autorité policière – la brigade criminelle –, elle avait pu se procurer son numéro de téléphone portable et l'avait jointe immédiatement. Marie Morgane Cassel s'était montrée étonnamment réceptive, bien que Nolwenn n'ait pu lui fournir aucun détail concernant l'urgence en question. L'affaire aurait pu lui paraître suspecte, pourtant. Nolwenn s'était contentée de lui dire que la police avait besoin de ses conseils pour une enquête, et que, si elle était d'accord, deux collègues de Brest allaient la conduire à Pont-Aven le soir même. Un samedi soir ! Contre toute attente, Marie Morgane Cassel avait simplement demandé s'il fallait qu'elle emporte de quoi passer la nuit sur place.

Le Ber et Labat étaient attablés devant un copieux casse-croûte quand Dupin les rejoignit dans la salle de petit déjeuner du Central. Madame Mendu, qui avait eu pitié d'eux, leur avait composé un assortiment de spécialités régionales : rillettes (Dupin affectionnait tout particulièrement les rillettes de saint-jacques), pâté, fromage de chèvre breton, diverses sortes de moutarde, une baguette et une bouteille de faugères rouge. Dupin se joignit à eux et partagea leur repas.

Nolwenn avait averti Le Ber et Labat, qui étaient au courant de l'arrivée imminente d'une historienne réputée. A la grande surprise de Dupin, aucun ne posa de question, pas même indirectement. Labat semblait curieusement joyeux. Nolwenn avait dû leur toucher deux mots, c'était la seule explication valable, et Dupin se garda bien de s'en assurer. Personne mieux que Nolwenn ne savait qu'il était préférable de le laisser tranquille quand les choses devenaient sérieuses. Il était ainsi fait. Peut-être, aussi, était-ce l'effet rassérénant de la bonne chère et du bon vin qui les rendait si détendus.

Le Ber raconta sa visite chez le coiffeur du port, qui avait coupé les cheveux de Pennec le lundi après-midi. L'homme avait éclaté de rire en entendant la question de Le Ber : oh non, ils n'avaient pas beaucoup parlé.

Ils n'avaient jamais beaucoup échangé au cours des dernières années, et ce lundi n'avait pas échappé à la règle. Pennec avait évoqué des paperasses à régler, mais il n'avait pas précisé de quel genre de papiers il s'agissait. Labat resta silencieux pendant le compte rendu de son confrère, puis il enchaîna sans grand enthousiasme avec ses propres résultats. Son équipe avait presque terminé de vérifier les appels téléphoniques, ce dont Dupin se montra très satisfait. C'était important, même s'il n'aurait le temps de regarder leur compte rendu que le lendemain, car il avait d'autres chats à fouetter pour le moment. Et puis, il avait trop mangé.

La voiture de police arriva peu avant vingt-deux heures. Après avoir dîné, Dupin s'était de nouveau enfermé dans le bar, toujours aussi paisible et silencieux malgré l'agitation qui régnait dans les rues. Il sursauta quand Le Ber frappa à la porte avant de l'ouvrir.

— L'experte de Brest est arrivée, patron. Marie Morgane Cassel. Nous l'avons installée dans la salle d'interrogatoire.

— Non, non, qu'elle vienne ici.

— Ici ? Sur la scène du crime ?

— Précisément.

— Comme vous voulez. Nolwenn a tout organisé, en tout cas. On lui a réservé une chambre ici, dans l'hôtel.

— Tant mieux.

— Par ailleurs, les collègues viennent enfin de joindre le commissaire Dercap. Ce n'était pas une mince affaire, il est paumé quelque part dans la montagne, il n'a que très peu de réseau. Nous n'avons pas compris tout ce qu'il nous a dit, la ligne n'arrêtait pas d'être coupée.

— Dans la montagne ? Je croyais qu'il était à La Réunion.

— Ils ont organisé une virée en montagne après le mariage, jusqu'au piton des Neiges, un volcan qui est aussi la plus haute montagne de l'océan Indien. Ils seront de retour à Saint-Denis demain.

— Mais quelle idée d'aller se promener sur un volcan juste après son mariage !

Dupin soupira.

— Enfin, on se débrouillera sans lui.

De toute façon, ils n'avaient pas le choix. Il hésita un instant à demander à Labat pourquoi il connaissait si bien le relief volcanique des îles, mais il laissa tomber.

— J'en suis sûr, commissaire. Je vais chercher notre experte.

Quelques instants plus tard, Marie Morgane Cassel apparut sur le seuil de la porte. Elle semblait vraiment jeune pour une responsabilité si importante, Dupin lui donnait à peine une trentaine d'années. Le corps mince, elle avait une chevelure sombre, manifestement difficile à dompter, des yeux d'un bleu étincelant et une bouche étonnante. Elle portait une robe bleu marine qui mettait sa silhouette en valeur.

— Bonsoir, mademoiselle. Je suis le commissaire Georges Dupin. Je suis chargé d'élucider le meurtre de Pierre-Louis Pennec. Peut-être en avez-vous déjà entendu parler. Mes collègues vous ont expliqué de quoi il retournait ?

Dupin s'en voulut d'avoir posé cette question. Il disait vraiment n'importe quoi. La jeune femme était restée debout sur le pas de la porte.

— En fait, je ne sais rien du tout. Les deux policiers qui m'ont amenée ici étaient très sympathiques, mais ils m'ont avoué ne pas en savoir beaucoup plus que moi. Quant à vos collaborateurs, la seule chose qu'ils m'aient expliquée, c'est qu'il s'agit du meurtre de l'hôtelier dont parlent tous les journaux. Ils m'ont dit que je pourrais sans doute vous aider concernant un problème précis, mais que vous me donneriez davantage de détails sur place.

Dupin se réjouit de n'avoir pas lu la presse du jour.

— Je suis confus, c'est ma faute. C'est vraiment cavalier de vous faire monter dans une voiture de police sans vous expliquer de quoi il s'agit, tout au moins dans les grandes lignes. C'est d'autant plus aimable à vous de vous être laissé faire.

Un léger sourire éclaira le visage de Marie Morgane Cassel.

— De quoi s'agit-il, en fin de compte, commissaire ? Qu'est-ce que je peux faire pour vous ?

— J'ai une théorie. Il est possible qu'elle soit fumeuse.

Le sourire de son interlocutrice s'élargit.

— Et vous pensez que je peux vous aider ?

Dupin sourit à son tour.

— Je le crois, oui.

— Très bien, commençons.

La jeune femme n'avait pas bougé de l'encadrement de la porte.

— Entrez, entrez. J'aimerais que cette porte soit fermée.

Il ferma à clé derrière eux et se dirigea sans un mot vers le bar, la jeune femme à sa suite.

— A quel prix estimeriez-vous un Gauguin de ce format ? s'enquit-il en désignant l'un des tableaux suspendus au mur, qui représentait trois chiens sur une table, en train de boire dans une casserole.

— Il s'agit là d'une œuvre très célèbre de Gauguin, la *Nature morte aux trois chiots* – les fruits, les verres, la casserole, c'est fascinant à quel point ces objets nous sont familiers, vous ne trouvez pas ? Regardez de plus près : n'est-ce pas surprenant, comme toute la structure spatiale de l'œuvre semble basculer ? On voit bien, sur ce tableau, la méthode de travail typique de Gauguin… Oh, pardon, j'imagine que ce n'est pas de cela qu'il s'agit.

— Je ne parlais pas de ce tableau en particulier, c'était juste un exemple. J'aimerais connaître la valeur approximative d'un Gauguin de ce format.

— Quatre-vingt-dix fois soixante-dix, c'était un format assez courant pour ce peintre. Cependant, la valeur ne dépend pas seulement de la taille, mais aussi de la période et surtout de la place du tableau dans le processus créatif de l'artiste en particulier, tout comme dans l'histoire de l'art en général. Et puis, bien sûr, des aléas du marché de l'art, qui n'est jamais à une saute d'humeur près.

— Je pense plus précisément à un tableau qui aurait vu le jour ici, à Pont-Aven. Peut-être pas dès l'arrivée de l'artiste dans le coin, mais un peu plus tard.

— Gauguin a séjourné quatre fois à Pont-Aven entre 1886 et 1894, et à chaque fois pour une durée différente. Savez-vous qu'il a logé ici même, dans cet hôtel ?

— Oui, je suis au courant.

— Pour être plus exact, il n'a pas séjourné à Pont-Aven lors de son dernier passage dans la région. Il y avait déjà trop de monde à son goût, alors il a choisi d'aller se réfugier au Pouldu, où il était plus tranquille pour travailler. Les années décisives ont certainement été 1888, 89 et jusqu'à 91 – ses deuxième et troisième séjours. C'est à ce moment-là qu'il a peint ses œuvres les plus importantes, il…

La jeune professeure était comme un poisson dans l'eau. C'était de toute évidence une spécialiste passionnée, qui débordait de connaissances.

— Eh bien, admettons qu'il s'agisse d'un tableau datant de cette deuxième ou troisième période. C'est juste une supposition, bien sûr.

— Il existe quelques tableaux de ce format, ou presque, qui datent de cette période. Vous en connaissez sûrement certains – *Le Christ jaune* ou le *Portrait de Madeleine Bernard*, par exemple, la fiancée de Laval et la muse de Gauguin, avec laquelle il a échangé une longue correspondance. Songiez-vous à un tableau en particulier ?

— Non, pas une œuvre connue, justement…

Le commissaire hésita un instant puis il précisa :

— Je parle d'une œuvre totalement inconnue à ce jour.

— Un Gauguin inconnu datant des années 1888, 89 ou 90 ?

Visiblement stimulée par cette idée, la jeune experte s'exprima plus vite.

— Ce sont précisément les années pendant lesquelles il a développé son style propre, celui auquel il a tout subordonné par la suite, la technique, les couleurs – tout. C'est à ce moment-là qu'il s'est vraiment émancipé des impressionnistes. Il venait de rentrer de son premier séjour à Panamá et en Martinique, et il était déjà le chef de son groupe d'artistes. En octobre, il est parti rejoindre Van Gogh à Arles. Il voulait vivre et travailler avec lui, mais cela n'a pas duré plus de deux mois. Les deux hommes ont eu une dispute mémorable pendant laquelle ce dernier s'est coupé ce fameux bout d'oreille, vous connaissez la suite… Excusez-moi, je digresse de nouveau. Une déformation professionnelle, je suppose.

— Oui, voilà. Un tableau qui daterait précisément de ces années-là.

— C'est très invraisemblable, monsieur Dupin. Je ne crois pas qu'il existe des œuvres de ce format et de cette époque dont on ne connaisse pas déjà l'existence.

Dupin baissa la voix.

— J'en suis bien conscient.

Dans un murmure presque inaudible, il ajouta :

— Je crois qu'il y en a un dans cette pièce. Une peinture originale de Gauguin, datant de cette période, mais que personne ne connaîtrait.

Un long silence s'installa, pendant lequel Marie Morgane Cassel jaugea le commissaire d'un air incrédule.

— Un véritable Gauguin inconnu ? Datant de la phase la plus importante de sa carrière ? Vous êtes fou, commissaire. Comment un vrai Gauguin aurait-il pu arriver jusqu'ici ? Qui accrocherait un Gauguin dans un restaurant ?

Dupin hocha aimablement la tête et fit quelques pas en avant.

— Il semblerait qu'un soir, commença-t-il, relatant l'histoire que lui avait racontée Juliette, Picasso ait retrouvé une bande d'amis pour dîner dans un restaurant, et que la soirée se soit prolongée en une nuit merveilleuse, au cours de laquelle tout ce petit monde avait beaucoup mangé et beaucoup bu. D'humeur excellente, Picasso aurait passé sa soirée à dessiner sur la nappe en papier dudit restaurant. Au moment de l'addition, le serveur lui avait alors proposé de signer simplement la nappe et de la lui offrir, plutôt que de payer le copieux banquet de la joyeuse troupe. Le lendemain, un Picasso, un vrai Picasso, de grand format, orna ainsi les murs de l'auberge... Pourquoi une histoire semblable ne se serait-elle pas déroulée ici, à Pont-Aven, entre Marie-Jeanne Pennec et Gauguin ?

Marie Morgane Cassel ne répondit pas.

— Cela peut sembler incroyable, je sais bien, mais peut-être, au contraire, qu'il n'existait pas de lieu plus sûr pour ce tableau que ce restaurant. Un endroit où personne ne soupçonnerait une chose pareille. Un endroit où il aurait toujours été exposé, où tout le monde le connaissait et où, pour couronner le tout, son propriétaire Pierre-Louis Pennec pouvait l'admirer quand bon lui semblait.

L'historienne restait muette.

— Regardez, cette pièce est dotée d'un système de climatisation ultraprofessionnel. Qui se donne la peine de faire construire une telle installation dans un simple restaurant – en Bretagne, par-dessus le marché ? Cette climatisation est totalement disproportionnée par rapport à la pièce. Pour une petite salle de restaurant comme celle-ci, une climatisation plus discrète et plus simple aurait largement fait l'affaire. Pennec a investi une somme astronomique dans ce système de ventilation. Ce matériel de haute performance sert généralement pour les hôpitaux, les grands bureaux – ou les musées.

Voilà ce qui l'avait turlupiné après son entretien avec Beauvois. C'était cette histoire de climatisation. Quelque chose l'avait interpellé dans cette conversation, mais il n'était pas arrivé à mettre le doigt dessus. Le mot n'était pas tombé qu'une fois, pourtant : il apparaissait une demi-douzaine de fois sur les pages de son calepin. Qui avait besoin de climatisation en Bretagne, et surtout d'un système de cette taille ? Et pourquoi précisément dans cette pièce ? Tout cela s'expliquait si sa théorie, si fantaisiste puisse-t-elle paraître, se vérifiait.

— Selon vous, cette installation leur permettait donc de garder une température constante pour…

Marie Morgane Cassel se tut et sembla réfléchir intensément. Dupin la considérait, surpris de s'être confié de la sorte. Il n'avait pas prévu de lui révéler les secrets de l'enquête, ce n'était pas du tout dans ses habitudes.

— Trente millions. Peut-être plus. Quarante millions. C'est difficile à dire.

Ce fut au tour de Dupin de rester sans voix. Il lui fallut un moment pour reprendre ses esprits.

— Vous parlez bien de trente millions d'euros ?

— Peut-être quarante, voire plus encore.

Elle ajouta avec légèreté :

— Vous savez, je connais cette histoire de Picasso. Elle est absolument véridique.

La jeune historienne avait commencé à faire lentement le tour de la pièce, étudiant chacun des tableaux avec une concentration extrême.

Trente millions d'euros, peut-être quarante. Dupin en avait la chair de poule. Ça, c'était un mobile. Un mobile de taille. Quand de telles sommes étaient en jeu, tout était envisageable. Beaucoup de gens étaient prêts à tout pour obtenir autant d'argent.

— Un Sérusier, un Gauguin, un Bernard, un Anquetin, un Seguin, un Gauguin et encore un autre Gauguin. Tous des copies. De très bonne facture, certes, mais des copies. Certaines ont dû être commandées à l'époque par Marie-Jeanne Pennec, car elles sont presque aussi vieilles que les originaux. A moins qu'on les leur ait offertes, c'était pratique courante.

Elle s'arrêta consciencieusement devant chaque tableau à partir du bar, où avait eu lieu leur échange, et jusqu'à la porte. Dupin l'observait avec intérêt. Elle s'immobilisa soudain devant le dernier tableau, celui devant lequel aucune table n'était installée.

— C'est grotesque !

Sa voix exprimait une sincère indignation.

— Sur ce tableau, le peintre – ou plutôt le copiste – a fait des erreurs absurdes. C'est censé être l'une des œuvres les plus importantes de Gauguin, *La Vision après le sermon* ou *La Lutte de Jacob avec l'ange*, également un tableau datant de 1888.

— Quelles erreurs ?

Intrigué, Dupin s'était posté à côté d'elle et regardait le tableau d'un air fasciné.

— Il a commis des erreurs grossières. La couleur de fond, habituellement rouge, est ici d'un orange criard. Dans l'ensemble, d'ailleurs, le tableau est plus grand que l'original, et pas qu'un peu ! Il y a davantage de paysannes bretonnes sur celui-ci que sur l'autre, et elles sont placées plus près du bord du tableau. Mais surtout : le prêtre se tient au milieu, derrière le tronc d'arbre, vous voyez ? Ça aussi, c'est faux.

Tout en parlant, Marie Morgane Cassel pointait un doigt agité sur les parties correspondantes du tableau.

— Sur l'original, il se trouve complètement dans le coin, en bas, à droite. D'ailleurs, toute la perspective est modifiée sur cette copie, comme pour une prise de vue grand angle. Là, en haut, on aperçoit un bout de paysage, un peu d'horizon, mais dans l'autre, le vrai, on ne voit que la surface rouge et quelques branches d'arbre dans le haut de la composition. Celui-ci a presque davantage de pouvoir d'attraction. Gauguin adorait cela. Mais…

Elle s'arrêta soudain, comme pétrifiée, se pencha vivement pour étudier le tableau d'aussi près que possible, jusqu'à ce que ses yeux ne soient plus qu'à quelques centimètres de sa surface. Puis elle le balaya attentivement du regard, en commençant par sa partie inférieure. Quelques minutes s'écoulèrent avant qu'elle ne reprenne la parole.

— C'est étonnant. Vraiment étrange. Ce serait un incroyable Gauguin, s'il l'avait peint. Mais ce n'est pas le cas, bien qu'il porte sa signature. C'est une imitation.

— Que voulez-vous dire ?

— Eh bien, Gauguin n'est pas l'auteur de ce tableau. Il semblerait plutôt que le peintre de cette toile ait voulu faire une improvisation sur le thème de l'original, une sorte de variation, si vous voulez.

— Mais qui l'a peint ? Qui a pu imaginer cette œuvre ?

— Je n'en ai pas la moindre idée, sans doute l'un des milliers d'artistes qui ont copié les œuvres du maître ou s'en sont inspirés pour des versions un peu différentes. Il y en a encore beaucoup, de nos jours, dont c'est la spécialité. C'est peut-être un des copistes des autres tableaux, qui sait. En tout cas, ce sont toutes de belles exécutions, faites de main d'expert. Ils connaissent bien le style de Gauguin, son coup de pinceau, sa manière de travailler.

— Vous me dites donc que vous n'avez jamais vu aucun tableau de Gauguin qui ressemblerait à celui-ci ?

Cette précision était importante pour Dupin.

Marie Morgane Cassel mit un moment à lui répondre.

— C'est la seule chose que je peux vous affirmer avec certitude.

Elle considéra une fois de plus le tableau avec une extrême attention.

— C'est un travail exceptionnel. Un tableau admirable. Ce copiste est vraiment talentueux.

Elle secoua la tête, et Dupin se demanda ce que cela pouvait vouloir dire.

— Vous pouvez néanmoins exclure, sans la moindre hésitation, qu'il s'agit d'un Gauguin ? Je veux dire : d'un tableau peint par l'artiste lui-même ?

— Oui, je peux. La peinture blanche qui a été utilisée pour cette œuvre est du blanc de titane, cela se voit à l'œil nu, pas besoin d'analyse spectroscopique. Dans la peinture moderne, on n'en trouve qu'à partir de 1920. Gauguin peignait avec un mélange de blanc de plomb, de sulfate de baryum et de blanc de zinc. Par ailleurs, la craquelure n'est pas profonde et elle ne s'ouvre pas assez pour un tableau vieux de cent trente ans.

Dupin se passa une main dans les cheveux. Il existait une dernière possibilité avant qu'il ne s'avoue vaincu.

— Admettons, alors, que ce tableau soit une copie, tout comme les autres reproductions accrochées à ce mur. Sauf que l'original de celui-ci serait enfermé quelque part.

— Monsieur Pennec aurait installé cette climatisation hors de prix pour une copie sans valeur ?

A son tour, Dupin se tut pendant un moment.

— Au cours des derniers jours précédant son décès, Pierre-Louis Pennec a essayé d'entrer en contact avec le musée d'Orsay…

Dupin avait prononcé cette phrase sans grande conviction, comme un dernier sursaut d'espoir avant la résignation totale.

— Avec le musée d'Orsay ? Vous en êtes sûr ?

— Certain.

— En admettant qu'il s'agisse d'un véritable Gauguin, vous pensez donc qu'il aurait décidé d'en parler à quelqu'un, à un expert, sans doute ? Mais pourquoi maintenant, et… ?

L'historienne semblait tout aussi perplexe que le commissaire.

— Pennec a appris en début de semaine qu'il était très malade. Ses jours étaient comptés.

Dupin s'était de nouveau surpris à en révéler davantage qu'il n'aurait voulu. Il n'en avait pas même parlé à ses inspecteurs.

— Il était gravement malade, et on l'a quand même assassiné ?

— Oui. Je vous serais reconnaissant de garder ces informations pour vous.

Marie Morgane Cassel fronça les sourcils.

— Donnez-moi un ordinateur avec un accès Internet, j'aimerais faire une petite recherche sur ces années dans l'œuvre de Gauguin. Je voudrais en savoir davantage sur *La Vision*, sur les travaux préparatoires et les études préalables au tableau final.

— Bien sûr.

Dupin consulta sa montre. Il était maintenant vingt-trois heures trente et toute la fatigue accumulée pendant la journée venait de s'abattre sur lui. Il était tellement épuisé qu'il ne savait plus où donner de la tête. Sans ajouter un mot, il se dirigea vers la porte et l'ouvrit.

— Prenez votre temps. Nous avons réservé une chambre pour vous. Je vais demander à l'un de mes inspecteurs de vous apporter un ordinateur portable. Il est presque minuit. On se voit demain matin. Voulez-vous que nous nous retrouvions pour le petit déjeuner ?

— Très bien ! A huit heures. Cela me laisse un peu de temps.

— Parfait.

Dupin regagna la réception où se trouvait Labat.

— Mademoiselle Cassel a besoin d'un ordinateur portable. Est-ce que sa chambre est équipée d'un accès Internet ? Il lui en faut un immédiatement.

— Maintenant ?

— Oui, maintenant. Elle doit faire des recherches de toute première importance.

D'un ton encore plus décidé, il ajouta :

— Et je veux voir Salou dès demain matin.

— Il a appelé il y a une heure, il voulait vous parler de l'effraction, je crois.

— Je veux le voir. A sept heures. Ou plutôt sept heures trente, ici, dans le restaurant. Et qu'il apporte son matériel.

Le Ber, qui n'avait pas pipé mot pendant cet échange, sembla vouloir poser une question mais se ravisa.

— Je ne suis pas certain que ce soit…

Dupin interrompit Labat d'un ton calme.

— Sept heures et demie.

Marie Morgane Cassel se tenait sur le pas de la porte, un peu perdue. Dupin se tourna vers elle.

— Merci beaucoup pour votre aide, mademoiselle.

— Je vous en prie, répondit-elle en souriant.

Son sourire réchauffa le cœur de Dupin. La journée avait été longue et éprouvante, il était à bout de forces.

— Alors on se voit demain matin, dormez bien !

Labat ramassa le sac de voyage de la jeune femme et invita celle-ci à le suivre.

Au cours de la dernière heure, Dupin avait senti revenir ses vertiges. Il allait enfin rentrer à Concarneau ! Il se réjouissait d'être bientôt chez lui.

Le Ber se tenait devant l'hôtel, une cigarette à la main, quand Dupin sortit dans la nuit. Il leva rapidement les yeux vers lui et vit à quel point son patron était fatigué.

— Bonne nuit, Le Ber. On se voit demain matin.

— Bonne nuit, commissaire.

Dupin avait garé sa voiture sur la place Gauguin, à droite de l'hôtel.

Il ne mit guère plus d'un quart d'heure pour rentrer chez lui, en évitant soigneusement de regarder son compteur de vitesse. Il avait ouvert le toit de sa XM. Il voulait profiter autant que possible de la merveilleuse et douce brise estivale, admirer le magnifique ciel étoilé. La Voie lactée scintillait, claire et lumineuse. Sentir toutes ces merveilles si près de lui avait le don de le réconforter.

LE TROISIÈME JOUR

Salou était déjà là quand Dupin arriva au Central. Venu sans son équipe, il avait pris place au bar et affichait une mine morose. Dupin le rejoignit.

— Alors, de quoi s'agit-il ? demanda Salou.

Dupin s'était attendu à un accueil plus agressif. Se voir convoqué à une heure pareille sans autre forme d'explication avait de quoi énerver Salou, Dupin le savait, et d'ailleurs il ne pouvait s'empêcher de s'en réjouir secrètement. Mais Salou semblait plus nerveux qu'agacé. Dupin essaya de rassembler ses esprits. Ce rendez-vous était important.

— J'aimerais que vous me disiez depuis combien de temps ce tableau est accroché là. Comparez-le avec les autres : ont-ils été accrochés au même moment ? Est-ce que vous trouvez des empreintes sur son cadre, ou peut-être sur le tableau lui-même ?

— Vous voulez savoir depuis quand ce tableau est suspendu là ? Depuis quand cette mauvaise copie est accrochée là, c'est bien ça qui vous intéresse ? C'est donc pour ça que je suis venu ?

Dupin s'approcha tranquillement du mur et se posta sous le tableau.

— Il s'agit de comparer ce tableau et ce cadre avec

les autres. Oui, j'aimerais savoir s'ils ont été suspendus là au même moment.

— Vous l'avez déjà dit. Je ne vois pas où vous voulez en venir. Qu'est-ce que vous soupçonnez ?

La question de Salou était légitime, mais Dupin n'avait aucune envie de révéler l'idée qui lui trottait dans la tête.

— J'aimerais juste savoir si ce tableau a été accroché ici au cours des derniers jours. Ce ne doit pas être bien difficile, tout de même. Je suis certain que quelqu'un essuie régulièrement la poussière. Depuis le dernier ménage, une certaine quantité de…

— Je connais mon boulot, merci. Rien n'a été modifié ici entre hier et aujourd'hui, rien du tout. Depuis un moment, d'ailleurs. Nous avons comparé l'état de cette pièce avec des photographies plus anciennes de celle-ci, sans oublier les tableaux. C'est exactement le même accrochage depuis plusieurs années.

— Je sais. Non, je parle plus précisément de ce tableau-là.

— Et pourquoi voulez-vous que je le compare aux autres ? C'est un travail de titan !

— Il se pourrait que l'un ou l'autre tableau ait été échangé au cours des dernières années.

— Je ne comprends toujours pas à quoi cela rime. Et puis, ce tableau est une véritable plaisanterie. Gauguin n'a jamais peint un truc pareil, c'est encore un de ces gribouilleurs qui s'est imaginé ça. Je n'ai jamais vu une imitation aussi déplorable de *La Vision après le sermon*.

Dupin ne cacha pas sa surprise : Salou semblait en connaître un rayon, sur Gauguin.

— Vous vous intéressez à l'art ?

— J'ai une passion pour Gauguin, et pour les artistes de la colonie en général. Je…

Salou s'interrompit, comme surpris de raconter ainsi sa vie à Dupin.

— Bref, cela ne change rien à notre affaire. Permettez-moi plutôt de vous poser une question : est-ce que c'est vraiment pour votre enquête sur l'assassinat de Pennec que vous voulez savoir si ce tableau n'est suspendu là que depuis quelques jours ?

Salou avait retrouvé toute son agressivité.

— Absolument. La réponse à cette question sera décisive.

Dupin était certain que Salou n'en croyait pas un mot, et qu'il prenait cela comme une provocation supplémentaire. Pourtant, c'était la vérité.

— Eh bien, dans ce cas, nous allons nous y mettre tout de suite. Je vais appeler mon équipe.

Salou se maîtrisait bien, il fallait le reconnaître.

— Vous non plus, vous n'avez jamais vu un tableau de Gauguin qui ressemble à celui-ci ?

— Non. Comme je vous le disais, je trouve que le copiste a fait de grossières erreurs. Il a carrément déformé l'œuvre.

— Et d'un point de vue général, purement théorique, pensez-vous que cela aurait pu être un tableau de Gauguin ?

— Cette question n'a pas de sens.

— Je sais bien, oui.

Salou regarda le commissaire droit dans les yeux, réfléchit un instant puis répondit :

— Eh bien, oui, d'une certaine manière, il me semble qu'il aurait pu peindre ce tableau. Cela ressemble vraiment à un Gauguin.

Sa réponse prit Dupin de court. Il s'était tellement attendu à une autre repartie cinglante que cette réflexion sincère le mit presque mal à l'aise.

— Merci. Enfin, merci pour votre avis, en tout cas.

Salou toussota.

— Bon. Je vais appeler mes collaborateurs.

Salou enfouit une main dans une poche de sa veste puis il quitta la pièce sans rien ajouter, son téléphone à la main. Dupin restait silencieux.

Peu avant huit heures, Dupin se rendit dans la salle du petit déjeuner. Il avait fait en sorte que la pièce soit fermée au public jusqu'à huit heures et demie. Marie Morgane Cassel avait déjà pris place dans l'un des petits fauteuils blanc cassé du coin de la salle, près de la fenêtre, un grand crème fumant devant elle, ainsi qu'un panier débordant de croissants, pains au chocolat, brioches et baguettes. Un assortiment de pots de confiture et de beurre complétait le menu, ainsi qu'un de ces gâteaux bretons dont le goût si particulier est obtenu grâce à un savant mélange de beurre salé et de sucre – tous deux, bien sûr, en quantité non négligeable. Mais ce n'était pas tout. Il y avait aussi une grande corbeille de fruits frais et des yaourts. Madame Mendu ne s'était pas moquée d'eux. Au milieu de toutes ces victuailles, plus appétissantes les unes que les autres, trônait un ordinateur portable.

— Bonjour, mademoiselle. Avez-vous bien dormi ?

La jeune femme sourit aimablement à Dupin, la tête légèrement penchée sur le côté. Ses cheveux étaient encore humides, elle sortait visiblement de la douche.

— Bonjour ! Ah, vous savez, je ne suis pas une grosse dormeuse. Je ne l'ai jamais été, d'ailleurs. En tout cas c'est très calme, ici, si c'est cela que vous voulez savoir. J'ai pu faire mes recherches sans être dérangée.

Marie Morgane Cassel ne semblait pas fatiguée du tout, bien au contraire.

— Vos recherches ont-elles été fructueuses ?

Dupin s'installa en face d'elle.

— Je n'ai rien trouvé qui laisse supposer l'existence d'une seconde *Vision après le sermon,* ni même d'un autre tableau sur le même thème. Je n'ai pas vu, non plus, d'indications laissant croire que Gauguin ait travaillé à une autre version du même tableau.

Visiblement, elle s'était laissé gagner par l'enquête.

— Mais cela ne veut pas dire que c'est exclu, au moins théoriquement.

— Que voulez-vous dire ?

— Premièrement, ce ne serait pas la première fois que Gauguin aurait réalisé plusieurs œuvres sur le même thème, lorsque celui-ci l'intéressait tout particulièrement. Parfois, il peignait toute une série de variations d'un même sujet en changeant un motif, un aspect à chaque fois. Ainsi trouve-t-on un grand nombre d'esquisses et d'études pour *La Vision*, et même de travaux préparatoires pour la plupart des parties et des motifs du tableau. On y voit beaucoup d'éléments différents. Je les ai étudiés avec attention et j'ai découvert une chose étonnante.

Elle rayonnait, à présent.

— Regardez, j'ai déniché ceci dans les archives particulières du musée d'Orsay. C'est une banque de données scientifiques comprenant toutes les œuvres de Gauguin qui ont pu être scannées au cours des dernières années. Certaines proviennent de collections privées, elles sont inconnues, ou presque.

Elle tourna l'ordinateur portable vers lui. Il n'y avait pas grand-chose à voir sur l'image en question.

— C'est une esquisse de quinze centimètres sur douze. La qualité de cette photo n'est pas très bonne, mais on y voit tous les éléments essentiels.

Dans le coin inférieur gauche du tableau, on apercevait des silhouettes d'apparence humaine, mais qui n'étaient, à y regarder de plus près, que des surfaces blanches aux contours noirs, très contrastés. Le centre de la composition était traversé d'un tronc d'arbre qui s'élevait tout droit et partait vers la droite dans le haut du tableau, suggérant un début de branchage. L'élément le plus marquant de l'œuvre était sa couleur : un orange vif, qui recouvrait l'intégralité du fond, comme pour laisser croire que c'était la couleur originelle du papier.

— Il a effectivement utilisé cet orange. Gauguin s'est servi de cette même couleur. C'est incroyable.

Dupin ne comprenait pas où mademoiselle Cassel voulait en venir.

— Cela rend beaucoup plus crédible l'hypothèse selon laquelle un tableau tel que celui que vous avez ici, au restaurant, ait réellement existé. Qu'il y en ait eu une version originale, en somme.

— Beaucoup plus crédible ?

Ils furent interrompus par une série de coups énergiques sur la porte. Dupin fut tenté de répondre d'un ton tout aussi énergique qu'il ne voulait pas être dérangé, mais Labat était déjà dans la pièce. Pâle comme un linge, l'inspecteur semblait à bout de souffle.

— Il y a, dit-il d'une voix curieusement tremblante, cherchant visiblement à reprendre sa respiration, il y a une seconde victime.

Pendant une fraction de seconde, Dupin et Marie Morgane Cassel furent tentés d'éclater de rire. L'intervention de Labat semblait tout droit tirée d'une mauvaise pièce de théâtre.

— Il faut que vous veniez immédiatement, commissaire.

Dupin se leva aussitôt, soudain aussi théâtral et grotesque que Labat, et bredouilla un :

— Oui, oui, j'arrive.

Le cadavre était dans un piteux état. Ses bras et ses jambes se détachaient du tronc dans un angle qui n'avait rien de naturel ; ses os avaient dû subir de multiples fractures. Son pantalon et son pull étaient déchirés à plusieurs endroits, et carrément arrachés aux épaules et à la poitrine. La peau et la chair des genoux étaient déchiquetées, la partie gauche du crâne enfoncée.

Les falaises sur lesquelles venaient s'abattre les vagues étaient particulièrement traîtresses à cet endroit. Surplombant la mer de trente ou quarante mètres de hauteur, elles tombaient à pic et leur relief était si sauvagement escarpé, si brut et inégal, à la fois coupant et poreux, qu'une chute de quelques mètres seulement pouvait avoir des conséquences catastrophiques. Le corps de Loïc Pennec avait dû percuter à plusieurs reprises les étroites avancées rocheuses avant d'atterrir ici, sur les imposants rochers, à deux pas des flots déchaînés. Personne ne saurait jamais s'il avait survécu à sa chute, s'il avait attendu du secours pendant de longues heures avant de succomber à ses blessures. La pluie torrentielle et la tempête avaient lavé le sang, mais le sable niché au creux des rochers était encore teinté de rouge.

Le vent soufflait par courtes rafales qui se succédaient sans relâche, rapides et brutales, fouettant la pluie battante. Il était déjà huit heures trente mais le jour ne semblait pas encore levé. Le ciel était d'un noir d'encre, de monstrueux nuages anthracite filaient au ras de la mer. Loïc Pennec gisait à quelque deux cents mètres de Tahiti, la plage préférée de Dupin. Deux petites îles se dressaient à quelques mètres du littoral, formant un paysage des plus pittoresques. Il fallait compter environ dix minutes pour s'y rendre en voiture depuis Pont-Aven. La veille encore, des vacanciers avaient profité ici d'une parfaite journée d'été. Des enfants avaient barboté dans l'eau bleu turquoise, parfaitement lisse, et joué dans le sable d'un blanc éclatant et d'une finesse remarquable. Par temps radieux, ces lieux se différenciaient à peine d'une baie du Pacifique. Aujourd'hui cependant, on se serait cru en pleine apocalypse.

Depuis le côté est de la plage, un étroit chemin menait au sommet des falaises avant de longer la côte, dessinant un parcours sinueux qui s'étendait jusqu'à Port Manech en passant par Rospico. Les habitants du coin aimaient claironner qu'il s'agissait là d'une vieille route empruntée par des contrebandiers. Ce petit bout de terre était peu peuplé, car classé réserve naturelle. Le sentier quant à lui était d'une beauté à couper le souffle. Dupin le parcourait de temps en temps.

Salou avait fait le trajet avec Dupin qu'il était passé chercher en route. Le Ber et Labat, qui suivaient dans un second véhicule, étaient arrivés presque en même temps.

C'était une joggeuse qui avait prévenu la police après avoir découvert le corps de Pennec. Les deux confrères de Pont-Aven s'étaient aussitôt mis en route et étaient arrivés les premiers. Ils sécurisaient en ce moment même le haut du chemin que l'on distinguait à peine depuis la plage, tant les nuages étaient bas. Bonnec avait attendu Dupin sur le parking et l'avait accompagné jusqu'au cadavre. Il avait suffi à Le Ber, Labat, Salou et Dupin de parcourir quelques mètres pour être trempés jusqu'aux os. Ils se tenaient maintenant tous les quatre autour du corps. Le spectacle était effrayant. Salou fut le premier à rompre le silence.

— On ferait mieux de relever tout de suite les empreintes sur le sentier. On va essayer de voir au plus vite si on trouve des traces d'une autre personne.

— Oui, il faudrait qu'on sache cela aussi vite que possible.

Dupin ne pouvait que donner raison à Salou : tout tenait à ce constat.

— Il faut qu'on se dépêche. A moins d'être suffisamment profondes, la plupart des traces ont déjà dû être nettoyées par la pluie. Je vais faire venir mon équipe.

Salou se retourna et commença à escalader les rochers avec agilité, inconscient du danger alors que la pluie, ajoutée à l'écume, rendait tout glissant. Le Ber, Labat et Dupin restèrent sans mot dire à regarder le cadavre. Ils se tenaient légèrement penchés au-dessus du corps, comme pour un étrange hommage.

Labat fut le premier à se détacher du groupe. Il fournit un effort manifeste pour prendre un ton purement professionnel.

— Il faudrait que vous préveniez madame Pennec du décès de son mari, commissaire. C'est la priorité.

Son regard se perdait vers un point imprécis, en haut de la falaise, non loin de l'endroit où Salou avait disparu.

— Il faut sécuriser toute la zone, sur un large périmètre.

— Et merde.

Dupin s'était adressé à lui-même, mais il avait parlé fort. Très agité, il ne cessait de passer une main dans sa chevelure qui collait désagréablement à son crâne. Il avait besoin d'être seul pour réfléchir tranquillement. Les choses prenaient une tournure extrême. Non que l'affaire jusque-là fût innocente, mais d'une intrigue provinciale tournant principalement autour d'un héritage et, peut-être, d'un orgueil blessé, on passait à une tragédie extrêmement violente. L'affaire prenait une autre dimension avec la somme extraordinaire de quarante millions d'euros qui était en jeu. Et voilà qu'un second cadavre venait s'ajouter à celui du vieux Pennec. Au cours des deux derniers jours, Dupin avait parfois eu l'impression que les événements se teintaient d'une nuance irréelle, étrange – un meurtre mystérieux venant troubler le parfait bonheur estival. Cette deuxième victime ramenait tout à une réalité impitoyable, sans échappatoire possible.

— Il faut que je passe quelques coups de fil. Restez ici, tous les deux, et tenez-moi au courant dès qu'il y a du nouveau.

Labat lui-même ne trouva pas la force de protester. Dupin ne savait pas où aller, surtout par cette pluie. Il escalada maladroitement quelques rochers dispersés le long de la mer, un peu pataud. Ce n'était pas facile de rester en équilibre sur les roches et les cailloux glissants. Il préférait cela, pourtant, plutôt que prendre le chemin direct menant en haut de la falaise, car cela l'aurait obligé à repasser devant ses collaborateurs. Il profita de l'avancée de rochers suivante pour remonter cahin-caha jusqu'au chemin côtier qu'il suivit sur quelques mètres. A la première intersection, il bifurqua vers la droite, en direction du parking, puis tourna à gauche aussitôt après pour se diriger vers la plage désertée.

Il ne distinguait plus les îlots pittoresques qui émergeaient à quelques mètres de la côte à l'autre bout de la crique. Sa veste, son polo, son jean, tout était trempé. L'eau s'infiltrait jusque dans ses chaussures. La pluie le fouettait, poussée depuis la mer par la tempête mugissante, et les embruns furieux se mêlaient au déluge. Des vagues impressionnantes, hautes de trois ou quatre mètres, roulaient sans relâche vers la plage et se brisaient sur le sable dans un vacarme tonitruant. Dupin s'était avancé si loin vers la mer que celle-ci vint lécher ses chaussures. Il prit une profonde inspiration et commença lentement à longer la plage.

Meurtre ou suicide ? Loïc Pennec était mort. Deux jours plus tôt, quelqu'un avait tué son père. Et maintenant, c'était le tour du fils ? Dupin avait besoin de mettre de l'ordre dans ses pensées. Il fallait qu'il se concentre pleinement, qu'il procède pas à pas, sans se laisser distraire. Il devait faire abstraction de cette seconde victime et de l'agitation qui ne manquerait pas de se déchaîner. Qu'il s'agisse d'un accident, d'un meurtre ou d'un suicide, l'émotion promettait d'être énorme. Il n'osait imaginer le vent de panique qui allait souffler dès que la nouvelle se serait répandue. Il devait en comprendre le mobile. Qu'est-ce qui avait tout déclenché ? Le temps pressait. Est-ce qu'un véritable Gauguin était effectivement resté accroché au mur du Central pendant toutes ces années ? C'était la question primordiale. Il lui *fallait* cette réponse. Il lui fallait une certitude. Mais comment s'en assurer ? Et si l'on admettait l'existence d'un Gauguin inconnu, la question qui en découlait était : qui le savait ? Qui était au courant pour les quarante millions d'euros ? Cette question primait sur toutes les autres. A qui Pennec aurait-il bien pu confier son secret, et quand ? Au cours des derniers jours, dès lors qu'il avait appris que ses jours étaient comptés ? Ou alors des années plus tôt, déjà ? Des décennies ? Peut-être n'en avait-il jamais parlé à qui que ce soit ? Son fils aurait dû le savoir, tout de même… Et Catherine Pennec par la même occasion. A moins que le fils n'en ait rien su ? Quand bien même Loïc s'était efforcé de faire paraître le contraire, il était évident que le vieux Pennec n'avait guère de liens très étroits avec lui. Et qu'en était-il de madame Lajoux, sa maîtresse, Dupin en était désormais convaincu ? Et Fragan Delon ? Et Beauvois, qui avait été son conseiller pour toutes les questions relatives à l'art et auquel il semblait faire confiance ? Qu'en était-il d'André Pennec, également ? A moins qu'un visiteur de l'hôtel ne se soit aperçu que cette peinture était un original ? Qu'est-ce qui avait mis le feu aux poudres, et pourquoi maintenant ? Le seul événement extraordinaire notable qui se soit produit au cours des dernières semaines était l'annonce de la mort imminente de Pennec.

Dupin était presque arrivé au bout de la plage, où une chaussée plongeait dans la mer. C'est par là que les bateaux rejoignaient les flots. Un peu plus haut, sur la droite, niché dans les dunes, se trouvait l'Ar Men Du, le meilleur restaurant de la côte selon Dupin et aussi un charmant hôtel. Ce petit coin de terre n'était pas comme les autres. Dans le Finistère, il n'existait que de rares endroits où l'on sentait la proximité immédiate du bout du monde. Oui, c'était ici même que finissait la terre, sur cette falaise brute et sauvage. Quand on se tenait sur ces rochers, on n'apercevait que la mer, à perte de vue, et si l'œil ne pouvait percevoir toute l'étendue de son immensité, elle se ressentait très distinctement. Des milliers et des milliers de kilomètres carrés d'eau, d'océan sauvage, sans la moindre parcelle de terre, rien.

Dupin avait besoin de calme pour passer les coups de fil les plus urgents. Dehors, c'était impossible. Par ce temps, il y avait de fortes chances que l'Ar Men Du soit vide, et il s'installerait au bar pour être tranquille. Les clients de l'hôtel seraient encore dans la salle du petit déjeuner. Il en profiterait pour savourer un café tout en téléphonant.

L'Ar Men Du appartenait depuis quelques années, déjà, à Alain Trifin. Cela avait été une taverne autrefois, mais son nouveau propriétaire en avait senti le potentiel et avait vu les choses en grand. Dupin l'appréciait beaucoup, il aimait sa finesse, ses manières intelligentes, sa conversation discrète, peu encline aux bavardages mais toujours sincère. Dupin venait rarement à l'Ar Men Du mais, à chaque fois qu'il y était, il se promettait d'y revenir beaucoup plus souvent.

Trifin sourit en reconnaissant le commissaire dans cette silhouette trempée jusqu'aux os. Dégoulinant littéralement, Dupin s'immobilisa sur le pas de la porte tandis que Trifin disparaissait dans la cuisine avant de réapparaître aussitôt, chargé d'une serviette de bain qu'il tendit sans mot dire au nouvel arrivant. Il était grand, sa chevelure abondante était coupée court et les traits de son visage étaient très clairs, frappants. Assurément un bel homme.

— Commencez donc par vous sécher, commissaire. Je vous sers un café ?

— Merci, oui.

— J'imagine que vous voulez être tranquille.

Trifin lui désigna une table dans le coin de la pièce, juste devant la grande baie vitrée.

— Je dois passer quelques coups de fil. Je…

— Eh bien, vous ne serez pas dérangé, ici.

Il accompagna sa phrase d'un regard accusateur vers la pluie battante.

Dupin se frotta la tête et le visage avant d'ôter sa veste, puis essuya rapidement ses vêtements et s'assit. Une petite flaque s'était formée à l'endroit où il se tenait quelques instants plus tôt. Trifin adressa un bref signe à l'un des deux serveurs. Un instant plus tard, le propriétaire de l'Ar Men Du disparaissait derrière une impressionnante machine à expresso et un tout jeune serveur apportait son café à Dupin, en s'efforçant de faire le moins de bruit possible. Il avait sans doute la volonté de passer inaperçu.

Dupin composa le numéro de Le Ber et attendit un bon moment avant que son collaborateur décroche. Tout d'abord, Dupin n'entendit qu'un affreux grondement, puis la voix déformée de Le Ber, parfaitement incompréhensible bien qu'il criât.

— Attendez un instant, patron.

Quelques secondes s'écoulèrent avant que Le Ber se manifeste à nouveau.

— Bon, je me suis rapproché des rochers mais cela ne change pas grand-chose. Le vent vient de la mer. Je vais aller dans la voiture.

Le Ber avait raccroché sans laisser à Dupin le temps de répondre.

Dupin scruta la fenêtre en direction de l'endroit où il aurait pu apercevoir son collaborateur si le temps avait été plus clément. Le ciel s'était encore assombri et l'eau laissait de longues traînées sur la vitre.

Le café était délectable. S'il n'y avait eu ce drame, cette brutale tragédie qui venait encore de frapper et cette enquête qui le tourmentait, le commissaire aurait savouré ce moment de détente au sec et au chaud, tandis que la tempête rugissait dehors. Il n'était pas d'humeur, cependant, à ce genre de béatitude. Une éternité lui sembla s'écouler avant que Le Ber rappelle mais, cette fois, son inspecteur était parfaitement compréhensible.

— Je suis assis dans la voiture. J'ai parlé avec Salou. Il a pu déterminer l'endroit d'où Loïc Pennec a dû tomber. D'après lui, il n'était peut-être pas seul.

— Il n'était pas seul ?

— Il semblerait qu'il y ait les empreintes d'une seconde personne. Salou dit qu'elles sont très difficiles à détecter parce que la pluie a tout lavé.

— Est-ce que cette information est fiable ?

— Non.

— Dites à Salou de m'avertir dès qu'il en est certain.

— Il va le faire, ne vous inquiétez pas.

— Le Ber, j'aimerais savoir qui a peint les reproductions qui sont accrochées dans le restaurant du Central. Concentrez-vous surtout sur celle qui se trouve le plus près de la porte. Il nous faut ce nom le plus vite possible, cela passe avant tout le reste.

— Que voulez-vous dire ?

— Précisément ce que je viens de dire.

— Vous voulez savoir qui a peint les copies qui sont accrochées dans le restaurant ?

— Exactement. Surtout celle-là.

— Maintenant ? Vous voulez qu'on fasse ça maintenant ?

— Tout de suite.

— Et la nouvelle victime ? En l'espace de trois jours, quelqu'un tue d'abord Pierre-Louis Pennec, puis, sans doute, son fils. La famille est presque décimée. Les empreintes…

— Il me faut le nom de ce peintre.

— Vous ne voulez pas que je reste ici, sur les lieux du crime ?

— Ah, et puis il faudrait également joindre de toute urgence la personne qui travaille au musée d'Orsay, celle avec laquelle Pennec s'est entretenu mardi.

— Il est en vacances jusqu'à la fin de la semaine prochaine. Labat a parlé avec sa secrétaire, hier, mais celle-ci n'a pas pu le joindre non plus. Apparemment, Pennec est tombé sur cette même secrétaire quand il a appelé le musée mais malheureusement, elle ne sait pas non plus de quoi il s'agissait. Elle s'est contentée de transmettre son appel.

— Il faut le trouver. Comment s'appelle-t-il ?

— Il faut demander ça à Labat.

— Peu importe, du moment qu'on le retrouve le plus vite possible. J'aimerais aussi revoir mademoiselle Cassel.

Le Ber sembla désorienté.

— Mademoiselle Cassel ? Maintenant ?

— Son numéro, oui. Donnez-moi son numéro de téléphone, cela suffira pour le moment. J'ai oublié de le noter.

— Qui se charge d'annoncer la mauvaise nouvelle à madame Pennec ? A mon avis, c'est votre rôle, commissaire.

— Dites à Labat de s'en charger. Qu'il parte tout de suite, je passerai un peu plus tard. Dites-lui d'annoncer ma venue.

— Cela va vous attirer des ennuis, patron, vous le savez bien.

— Il faut qu'il y aille tout de suite. Il ne faut pas qu'elle l'apprenne par quelqu'un d'autre. Bien entendu, nous devons également en savoir le plus possible sur la promenade de Pennec. Quand il est parti. Où il se rendait. S'il est parti seul, tout ça.

— Je vais lui passer le message. Mais après cette nouvelle, ce sera sûrement difficile de…

— Appelez-moi dès que vous avez du nouveau. La priorité est de trouver le type du musée. Et puis le copiste, aussi.

Dupin raccrocha. La pluie avait cessé d'un coup. A l'ouest, loin au-dessus la mer, tout près du fameux rocher noir, le Men Du, qui avait donné son nom au lieu-dit tout comme à l'hôtel, une percée s'était ouverte au milieu des nuages. Un rayon de soleil s'en échappait, dramatique, projetant un cercle de lumière crue aux contours précis sur la mer noire comme de l'encre.

Une seconde personne s'était donc vraisemblablement trouvée sur les lieux. Dupin ne croyait pas un instant à un accident. Il était évident qu'une mystérieuse dynamique s'était mise en branle et suivait sa propre logique. Il chercha son calepin resté relativement protégé dans sa poche intérieure, et le sécha tant bien que mal à l'aide de la serviette. Heureusement, il n'avait pas trop souffert de la pluie. Dupin commença à prendre des notes.

Son téléphone portable sonna, annonçant de nouveau Le Ber.

— Oui ?

— Il s'appelle Charles Sauré. Le type du musée d'Orsay. C'est un conservateur. Je viens d'échanger quelques mots avec sa secrétaire et nous avons pu obtenir son numéro de téléphone privé. Figurez-vous qu'il possède une maison dans le Finistère, à Carantec.

— C'est un peu étrange, comme coïncidence, vous ne trouvez pas ?

— Je ne sais pas, commissaire. Beaucoup de Parisiens ont une maison en Bretagne, tout de même. Surtout les intellectuels, d'ailleurs.

— Vous avez raison. Et c'est donc là qu'il se trouve en ce moment ?

— Sa secrétaire pense qu'il y est, oui.

Dupin connaissait bien Carantec. Un très joli village de la côte nord, un peu mondain, mais pas désagréable, ni trop chic. Il s'y était rendu à deux reprises, la dernière fois avec Adèle, pour les fêtes de Pâques. La grand-mère de cette dernière y résidait.

— Est-ce que nous avons son numéro de téléphone ?

— Uniquement un numéro de fixe, celui de sa maison.

— Avez-vous déjà essayé de l'appeler ?

— Non.

— Passez-moi le numéro.

Il le nota dans son calepin.

— Quel est exactement le rôle d'un conservateur ?

— Je n'en sais rien.

— Il faut que je parle à mademoiselle Cassel. Et faites-la conduire à l'Ar Men Du.

— Vous êtes à l'Ar Men Du ? Au restaurant d'en haut ?

— Oui.

— Et vous voulez que mademoiselle Cassel vous rejoigne à l'Ar Men Du ?

— C'est exactement ça.

— Très bien. Je m'en occupe.

— Je l'attends ici. Ah, autre chose. Cet après-midi, je veux voir madame Lajoux, le vieux Delon et André Pennec. A l'hôtel. Il faudra sans doute prévoir quelques policiers, aussi, pour des perquisitions. Essayez de voir qui pourrait s'en charger.

— Des perquisitions ?

— On verra bien.

— Patron ?

— Oui ?

— Vous devriez nous en dire un peu plus.

Dupin hésita un instant.

— Vous avez raison. Je vais le faire dès que possible. Est-ce que Labat est chez madame Pennec ?

— Je suppose qu'il a dû arriver chez elle, maintenant, oui. Il a… Il n'était pas très content.

— Je sais, oui. Enfin, je l'imagine très bien.

Pensif, Dupin ajouta :

— Je passerai moi-même chez madame Pennec dans la journée.

Il raccrocha et fit signe au serveur de lui apporter un deuxième café. Le jeune homme comprit avant même qu'il ait terminé son geste.

Il fallait absolument qu'il parle à Charles Sauré, cela pouvait être très important. Quelques grosses gouttes d'eau avaient coulé de ses cheveux sur son calepin, brouillant son écriture, et il n'avait pas arrangé les choses en tentant de l'essuyer du revers de la main. Il eut toutes les peines du monde à déchiffrer le numéro. Il ne savait pas comment il se débrouillait pour que ses calepins ressemblent à des torchons dès les premiers jours d'une enquête, qu'il pleuve ou pas.

Dupin composa le numéro de Sauré. Une voix de femme décrocha.

— Bonjour, madame. Je suis le commissaire Dupin, de la police judiciaire.

Un bref silence lui répondit puis la voix de femme se fit entendre, faible, chargée d'inquiétude :

— Seigneur, il s'est passé quelque chose ?

Dupin ne savait que trop bien la frayeur que cela pouvait inspirer quand la police appelait sans spécifier d'emblée le motif de son appel.

— Excusez-moi de vous importuner ainsi, madame. Non, il ne s'est rien passé. Absolument rien. Ne vous inquiétez pas. J'aurais juste quelques questions à poser à monsieur Sauré. Il ne s'agit pas de lui, mais je crois qu'il pourrait me fournir quelques renseignements utiles pour mon enquête.

— Ah, tant mieux.

Sa voix trahissait un soulagement intense.

— Je suis Anne Sauré. Mon mari n'est pas à la maison pour le moment, mais il va rentrer d'un moment à l'autre. Il sera sûrement là à midi.

— Savez-vous où il se trouve en ce moment ?

— A Morlaix. Il avait quelques courses à faire.

— Est-ce que votre mari possède un téléphone portable ?

— Pourriez-vous tout d'abord me dire de quoi il s'agit ?

— Eh bien, il y a eu… Non, c'est trop compliqué. Disons qu'il s'agit de son musée, d'une affaire qui concerne le musée. Il me faut juste un renseignement.

— Il ne possède pas de téléphone portable. Il les a en horreur.

— Hum, je vois.

— Essayez donc de rappeler à midi. Ou plutôt à midi et demi. Il sera certainement de retour.

La percée lumineuse dans le ciel nuageux s'était refermée depuis longtemps, la tempête et la pluie avaient repris de plus belle.

Dupin adressa un nouveau signe au serveur.

— Encore un, s'il vous plaît.

C'était déjà le sixième café de la journée, Dupin en était conscient. Une enquête n'était vraiment pas le bon moment pour réduire sa consommation, les sérieuses remontrances du docteur Pelliet ne pourraient rien y changer. Et peu importait, en cet instant, si Dupin avait déjà pris cette résolution des années auparavant.

— Ah, et puis un croissant, aussi.

Son estomac se rappelait à son souvenir. Après tout, ils avaient quitté le Central précipitamment, en plein milieu du petit déjeuner.

Ses vêtements mouillés lui collaient à la peau. Il faudrait des heures avant qu'ils soient secs. Voilà ce qu'on gagnait à refuser de s'acheter l'un de ces abominables cirés que tout le monde portait ici, ou presque. Nolwenn le lui reprochait régulièrement. Pensif, Dupin laissa son regard se perdre dans le rideau de pluie. Une voiture sombre s'approchait sur le chemin sablonneux qui menait au parking de l'hôtel, et s'immobilisa juste devant la porte d'entrée. Dupin reconnut l'un des policiers et en déduisit que mademoiselle Cassel venait d'arriver. Ils n'avaient pas traîné.

Marie Morgane Cassel sortit du véhicule, scruta les environs et se dirigea vers le café dès qu'elle eut aperçu Dupin derrière la vitre. Une fois arrivée auprès de lui, dans le bar, elle secoua son imperméable couvert de pluie.

— Que s'est-il passé ?

— Le fils de Pierre-Louis Pennec est tombé de la falaise – à moins qu'il n'y ait été aidé, nous n'en savons rien. On l'a retrouvé juste là, ajouta-t-il en tendant le doigt vers la plage Tahiti.

La jeune historienne porta une main à sa tempe, soudain pâle comme un linge.

— Sale affaire, n'est-ce pas ? Je ne vous envie pas.

— Merci. Enfin, vous avez raison : c'est une sale affaire. Et ça va faire un scandale, je crains le pire.

— Je vous crois sur parole. Est-ce que vous voulez qu'on reparle du tableau ? C'est pour cela que vous m'avez fait venir ?

— J'aimerais savoir si vous auriez le temps de m'accompagner à un entretien. Je dois aller à Carantec pour rencontrer un conservateur du musée d'Orsay.

— Vous voulez dire Charles Sauré ?

— C'est avec lui que Pennec a parlé, mardi. Nous n'avons pas encore pu l'interroger, nous ne savons pas de quoi ils se sont entretenus. C'est justement ce que je voudrais demander à monsieur Sauré.

— En quoi puis-je vous être utile ?

— Quel est le rôle d'un conservateur dans un musée ?

— Il est responsable de la direction artistique, c'est lui qui s'occupe des œuvres de la collection, des achats et des ventes, ce genre de choses. Toujours en accord avec le conservateur en chef, bien sûr.

— Est-ce que Pennec se serait adressé à lui pour une question relative à la peinture qu'il possédait ? En admettant toujours, bien sûr, qu'il s'agit d'un véritable Gauguin ?

— Pourquoi se serait-il adressé à lui s'il était sûr que c'en était un ? Il n'avait pas besoin de se le faire confirmer.

— Justement, oui.

— C'est cela que vous voulez savoir ?

— Et pour cela, je pourrais éventuellement avoir besoin de votre aide. Toutes ces questions relatives à l'art…

Marie Morgane Cassel sembla réfléchir.

— Je ne vois pas en quoi je peux vous aider, et je dois être de retour à Brest à dix-sept heures. Il y a un important congrès d'histoire de l'art, ce week-end. Ce n'est pas vraiment ma tasse de thé, mais c'est mon tour de faire une conférence, aujourd'hui.

— Je vous en serais très reconnaissant. Charles Sauré va sûrement me parler de choses dont je ne comprendrai pas un traître mot. Il faut absolument que je sache s'il s'agit d'un véritable Gauguin. C'est ce qu'il y a de plus important, pour le moment. Nous ne pouvons pas continuer avec de simples suppositions. Vous serez à l'université à dix-sept heures, ne vous inquiétez pas.

Marie Morgane Cassel se tourna vers la porte.

— Est-ce que nous prenons votre voiture ?

Tout comme la veille au soir, Dupin ne put retenir un sourire.

— Oui, prenons ma voiture.

La route avait été fatigante, nerveusement éreintante. Un de ces trajets que Dupin détestait. Par un temps pareil, les vacanciers n'étaient évidemment pas à la plage et avaient opté pour une « excursion » – une balade en ville consacrée aux visites, aux emplettes et aux achats de souvenirs. La N165 à quatre voies, qui fait le tour complet de la Bretagne, était donc complètement saturée. La circulation y était « ralentie, voire en accordéon », pour reprendre les termes techniques employés par « 107,7 ». On pouvait toujours se fier aveuglément aux prévisions de cette radio dévolue au trafic automobile, qu'on se trouve dans la Manche, en Champagne, sur la Côte d'Azur ou en Bretagne. Ils roulèrent pare-chocs contre pare-chocs jusqu'à Quimper, puis de nouveau jusqu'à Brest. Le dernier tronçon de route pour arriver à Morlaix fut à peine meilleur. Le trajet entier fut une véritable catastrophe.

Dans des conditions normales, c'est-à-dire pendant dix mois et vingt jours par an, ils auraient compté une bonne heure jusqu'à leur destination. Cette fois, ils mirent deux heures et demie et arrivèrent peu avant treize heures. Marie Morgane Cassel et Dupin avaient à peine échangé quelques mots. Il avait dû passer toute une série de coups de fil, deux à Le Ber, un à Nolwenn, un à Labat et un autre à Guenneugues. Ce dernier l'avait tellement agacé, cette fois encore, qu'il n'avait pas tardé à prétendre que la ligne était mauvaise, répétant à plusieurs reprises « Vous m'entendez ? Vous m'entendez ? » avant de raccrocher. Quant à Nolwenn, au grand émerveillement de son supérieur, elle était déjà au courant de tout. Le Ber lui avait raconté que Labat s'était rendu chez madame Pennec, avec laquelle il avait eu un entretien pour le moins déprimant. Pas encore avertie de la disparition de son mari, elle s'était effondrée, et l'inspecteur avait prudemment fait appel à des secours. Son médecin traitant lui avait administré une piqûre de calmant. Dans cette situation, il avait été impossible d'interroger la pauvre Catherine Pennec : à quelle heure son époux était-il parti ? était-il accompagné ? avait-il rendez-vous avec quelqu'un ? Ces questions restaient pour l'instant sans réponse. Le seul coup de fil réjouissant de la série fut celui de Nolwenn, qui avait réussi à dénicher l'adresse de Charles Sauré. Dupin ne souhaitait pas annoncer son arrivée.

Le commissaire n'aimait pas beaucoup la partie nord de la côte. Il y pleuvait tout le temps, la météo était nettement moins clémente que dans le « Sud », généralement sous l'influence de l'anticyclone des Açores. Comme tout habitant du Sud, Nolwenn ne se lassait pas d'invoquer les chiffres : deux mille deux cents heures d'ensoleillement annuelles dans le Finistère sud, pour mille cinq cents dans le Finistère nord. Par ailleurs, la côte nord se caractérisait surtout par ses rochers et ses galets. Les rares plages de sable étaient étroites et tellement envahies par les algues, à marée basse, qu'elles se réduisaient à de ridicules bandes claires au milieu d'une immensité rocheuse brune et grise, couverte de lichen. Il était impossible d'atteindre la mer pour se baigner. Avec ses sublimes et interminables étendues sablonneuses, même quand la mer se retirait, Carantec comptait parmi les rares exceptions de la région. Des douzaines d'îlots éparpillés au large de la plage créaient un paysage idyllique. Il émanait de ce coin de côte une atmosphère agréable et authentique. Quant à la vieille ville nichée sur sa langue de terre, avec ses ruelles sinueuses qui semblaient toutes déboucher sur la mer, elle était absolument charmante. La maison des Sauré se trouvait près du joli port et des quelques restaurants d'une merveilleuse simplicité. Dupin se rappelait toujours avec plaisir, d'ailleurs, l'entrecôte qu'il avait savourée ici quelque temps auparavant. Ils se garèrent sur la place principale, d'où ils n'avaient que quelques pas à faire jusqu'à la demeure du conservateur. La tempête grondait encore et il pleuvait des cordes, ils n'avaient constaté aucune amélioration tout au long du trajet. Les vêtements de Dupin étaient encore humides. S'il ressemblait rarement à un commissaire tel qu'on se les imaginait, c'était encore plus vrai aujourd'hui.

Il appuya avec détermination sur la sonnette et deux coups brefs retentirent. Peu après, un petit homme maigrelet, au regard intelligent et malicieux, à la chevelure abondante et ébouriffée, leur ouvrit la porte. Il portait une chemise trop grande d'un bleu pâli par le temps ainsi qu'un jean.

— Monsieur Sauré ?

Le visage de son interlocuteur se ferma aussitôt, l'homme était manifestement agacé d'être dérangé.

— A qui ai-je l'honneur ?

— Commissaire Georges Dupin, police de Concarneau. Et voici le professeur Cassel, de Brest.

Les traits de Sauré s'adoucirent presque imperceptiblement.

— Ah, oui. Vous êtes le fameux commissaire qui a parlé à ma femme au téléphone, n'est-ce pas ? Est-ce que vous ne deviez pas rappeler ? C'est ce que mon épouse m'a dit, que vous vouliez rappeler il y a une demi-heure.

Dupin n'avait pas réfléchi une seconde à la meilleure manière d'expliquer pourquoi il avait préféré se présenter directement à la porte du conservateur plutôt que de l'appeler, comme prévu. Il choisit de ne pas répondre.

— J'ai quelques questions importantes à vous poser. Votre avis me serait d'un grand secours. Vous avez parlé avec Pierre-Louis Pennec, mardi dernier, au téléphone. Vous avez sûrement appris qu'il avait été assassiné depuis.

— Oui, c'est terrible. J'ai lu la nouvelle dans les journaux. Entrez, je vous en prie, nous serons plus à l'aise pour en parler à l'intérieur.

Charles Sauré fit un pas de côté pour laisser passer l'historienne et le commissaire, et referma sans bruit la porte derrière eux.

La maison était beaucoup plus spacieuse qu'elle n'en avait l'air. Elle était aménagée avec goût, voire un certain luxe – un intérieur moderne, sans être froid pour autant. L'ancien et le nouveau étaient savamment combinés dans un camaïeu de couleurs typiques de la Bretagne, un bleu profond, un vert clair, un blanc éclatant – les nuances de l'Atlantique. Un intérieur douillet.

— Pardonnez-moi de vous avoir réservé cet accueil un peu rustre. Je ne m'attendais pas à recevoir de la visite et, comme je vous le disais, ma femme m'avait dit que vous appelleriez. Elle est partie faire des courses au grand Leclerc, nous attendons des invités pour ce soir. Elle ne va pas tarder à rentrer. Mais je peux vous proposer quelque chose. Un café peut-être, ou un verre d'eau ?

— Un café, volontiers, merci.

Marie Morgane Cassel avait répondu sans attendre la réaction de Dupin, qui aurait préféré passer tout de suite à l'essentiel.

— Et vous, commissaire ?

— Pareil pour moi. Merci, très volontiers, oui.

Pendant qu'ils y étaient, autant en profiter. Cela faisait des heures, déjà, qu'il n'avait pas bu de café.

— Asseyez-vous, je vous en prie. Je suis à vous dans un instant.

Sauré leur indiqua le profond canapé et les deux fauteuils assortis, placés de manière que chacun puisse jouir d'une vue imprenable sur les immenses baies vitrées. Même par ce temps, le spectacle était époustouflant.

Marie Morgane Cassel ayant opté pour un fauteuil et lui pour l'autre, ils se retrouvèrent chacun à un bout de la pièce.

— C'est fabuleux. Je n'aurais jamais cru que la mer était si proche.

Le regard de Dupin se perdit au loin, dans l'horizon noir, presque invisible. Assis là en silence, ils se laissèrent aller à la beauté du spectacle.

Sauré revint bientôt chargé d'un plateau de bois.

— Mademoiselle Cassel enseigne l'histoire de l'art à la faculté de Brest. Spécialiste de Gauguin, elle…

— Oh, je sais bien qui est mademoiselle Cassel, tout de même, commissaire !

Il semblait presque vexé. Il se tourna aussitôt vers l'intéressée.

— Je connais, bien sûr, certaines de vos publications, mademoiselle. Du très bon travail. Vous bénéficiez d'une certaine reconnaissance, à Paris. Je suis très heureux de vous rencontrer.

— Tout le plaisir est pour moi, monsieur.

Leur hôte avait pris place dans le canapé, presque exactement en son milieu, de manière à se trouver à équidistance de Dupin et de l'historienne.

Dupin opta pour l'attaque directe.

— Qu'avez-vous pensé quand vous avez appris l'existence d'une autre version de *La Vision* ?

Il avait prononcé ces mots comme si de rien n'était. Comme piquée par une mouche, Marie Morgane Cassel se tourna vivement vers lui et le considéra avec stupeur. Charles Sauré planta son regard dans celui de Dupin, l'air impassible, et lui répondit d'une voix claire, parfaitement détendue.

— Vous êtes donc au courant. Bien évidemment, oui. Eh bien, c'est extraordinaire. Stupéfiant. Quelle histoire ! C'est véritablement sensationnel. Une deuxième *Vision*, vous vous rendez compte…

Le regard de Marie Morgane Cassel passa de Dupin à Sauré et de la stupéfaction à l'ahurissement.

— Il existe donc vraiment une seconde version de *La Vision après le sermon* ?

— Oui.

— Un second tableau ? Un vrai, grand Gauguin dont on ne savait rien jusqu'à ce jour ?

On voyait littéralement la chair de poule sur ses bras.

— Je l'ai vu. Je vous le dis tout de suite : à mes yeux, il est encore meilleur que celui qu'on connaît. Plus audacieux, plus osé, plus radical. L'aplat orange au milieu de la composition est vraiment prodigieux. C'est stupéfiant. On y retrouve toutes les aspirations et tout le talent de Gauguin, comme une quintessence de son œuvre. La scène de la lutte y est à la fois vision et action réelle, à la fois rêve et réalité – tout comme les religieuses qui se tiennent en spectatrices dans le coin du tableau.

Dupin mit un moment à comprendre ce que Sauré venait de dire.

— Que dites-vous ? Vous avez vu le tableau ?

— J'ai passé une demi-heure planté devant cette peinture, oui. Il est accroché dans le restaurant, juste derrière la porte. C'est tout de même incroyable, vous ne trouvez pas, de se dire qu'un vrai Gauguin, une peinture inconnue jusqu'à ce jour…

— Vous êtes donc sûr que c'est un vrai ? Qu'il a été peint par Gauguin lui-même ?

— Absolument certain. Bien entendu, il va falloir le soumettre à toute une batterie de vérifications scientifiques mais, à mon avis, c'est une pure formalité. Je n'ai aucun doute sur son authenticité.

— Ce ne peut pas être l'œuvre d'un peintre maîtrisant parfaitement le style de Gauguin, par exemple ? Tout comme les autres reproductions qui sont accrochées dans la pièce ?

— Certainement pas, non.

— Comment pouvez-vous en être aussi sûr ?

— Monsieur Sauré est un expert. Vous ne trouverez pas de jugement plus sûr que le sien dans le monde entier, commissaire.

Sauré ne put réprimer un sourire flatté.

— Je vous remercie, mademoiselle.

Dupin estima qu'il valait mieux ne pas mentionner le fait que c'était une copie qui se trouvait désormais dans le restaurant, et Marie Morgane Cassel sembla partager son avis.

— Pourquoi Pierre-Louis Pennec vous a-t-il appelé ? Que voulait-il ? Pourriez-vous nous raconter depuis le début comment il est entré en relation avec vous ?

Sauré s'enfonça dans le canapé.

— Très volontiers. Monsieur Pennec m'a appelé une première fois mardi matin, vers huit heures et demie. Il m'a demandé un entretien privé, il voulait me parler de quelque chose d'important. C'est ainsi qu'il l'a formulé. Il tenait à ce que ce soit absolument confidentiel. J'étais sur le point de me rendre à une conférence et je lui ai demandé de me rappeler en fin de matinée. Ce qu'il a fait.

— C'est donc lui qui vous a rappelé ?

— Oui, il a rappelé le matin même. Il est allé droit au but : son père lui avait légué un Gauguin dont personne ne connaissait l'existence, il l'avait gardé pendant plusieurs décennies et il souhaitait désormais le confier au musée d'Orsay. En tant que donation.

Dupin sursauta.

— Il voulait offrir son tableau au musée ? Une donation ?

— Oui. C'était son souhait.

— Mais ce tableau a une valeur colossale, non ? Nous parlons bien de trente à quarante millions d'euros ?

— En effet.

Sauré était parfaitement calme.

— Comment avez-vous réagi ?

— Dans un premier temps, je ne savais pas trop quoi penser de cette histoire. Bien entendu, elle me semblait extraordinaire – trop extraordinaire, d'ailleurs, pour être inventée. Dans quel but quelqu'un imaginerait-il une pareille fable ? Je me suis dit : dans le pire des cas, c'est quelqu'un qui veut se rendre intéressant. Monsieur Pennec voulait me rencontrer dans les plus brefs délais.

— Vous a-t-il expliqué pourquoi il était si pressé ?

— Non. Dans l'ensemble, il est resté très concis, ce que j'ai trouvé plutôt agréable. Il m'a semblé déplacé de poser davantage de questions. Dans le monde de l'art, nous côtoyons beaucoup de personnalités assez particulières. Et puis, les donations ne sont pas si rares.

— Le prix de ce tableau, en revanche, est plus inhabituel, non ? Un don de cette valeur ne doit pas être si courant, même au musée d'Orsay.

— Cela a dû mettre monsieur Honoré dans tous ses états, intervint Marie Morgane Cassel.

Charles Sauré lui jeta un coup d'œil légèrement désapprobateur avant d'expliquer à Dupin :

— Il s'agit du conservateur en chef du musée, qui est aussi l'un des cerveaux les plus renommés et les plus influents du monde de l'art… Je n'en ai pas encore parlé à monsieur Honoré. Ce n'était pas le bon moment. Je ne voulais pas créer l'émeute, et cela n'aurait pas été très prudent. Je voulais d'abord voir le tableau et m'assurer qu'il s'agissait vraiment d'un Gauguin. Par ailleurs, il fallait encore que nous établissions les conditions de la donation, les modalités, la date, tout cela.

— Vous lui avez donc donné rendez-vous pour le lendemain ?

— Mon épouse et moi-même avions prévu de venir ici pour le week-end et de rester quelques jours. Pont-Aven n'est pas complètement sur le chemin, mais ce n'est pas un gros détour. Cela se goupillait parfaitement, pour nous.

— Vous vous êtes donné rendez-vous directement à l'hôtel ?

— Oui. Ma femme est partie se promener dans le village pendant que je suis allé au Central. Monsieur Pennec m'attendait à la réception. Il m'avait prié de passer entre quinze et dix-sept heures, pour que le restaurant soit vide. Là encore, il est allé droit au but. Il avait déjà pris rendez-vous chez sa notaire afin d'acter la donation dans son testament. Il souhaitait que la remise du tableau ait lieu la semaine suivante, à Pont-Aven même. Il ne voulait pas venir à Paris. Il avait même concocté un petit texte destiné au cartel explicatif à afficher à côté du tableau, résumant l'histoire de l'œuvre mais aussi celle de l'hôtel, de son père et de la grande Marie-Jeanne Pennec, bien sûr.

— Il voulait rendre publique l'histoire du tableau ?

— Absolument. En toute modestie, bien sûr. Il ne voulait pas faire tout un tapage autour de la donation, ni publier de communiqué de presse, et encore moins organiser une cérémonie officielle autour de l'accrochage. Non, rien de tel. Il voulait seulement cette petite pancarte. Je lui ai expliqué qu'on ne pouvait pas accrocher du jour au lendemain un tableau de cette importance dans notre musée sans autre forme de procès, que cela requérait des explications officielles. L'existence même de ce tableau est un véritable événement, dont tout le monde allait demander l'origine – les acteurs du monde des arts, la presse, le public. Tout ce petit monde-là. Il m'a demandé que nous y réfléchissions ensemble.

Dupin avait pris quelques notes dans son calepin sale et abîmé sous le regard un rien dégoûté de Sauré. Sans se laisser troubler, le commissaire poursuivit aussitôt.

— Vous a-t-il raconté l'histoire du tableau ?

— Par bribes, oui. Sa grand-mère, Marie-Jeanne Pennec, l'avait reçu directement de Gauguin en 1894, lors de son dernier séjour dans la région, pour la remercier de tout ce qu'elle avait fait pour lui. Gauguin avait toujours résidé chez elle, jamais chez mademoiselle Julia. Et puis surtout, m'a dit Pennec, elle avait pris soin de lui pendant près de quatre mois, après la bagarre qui avait eu lieu à Concarneau, quand quelqu'un avait insulté sa jeune compagne javanaise. Il avait été assez sérieusement blessé, et Marie-Jeanne l'avait soigné avec amour et dévotion, jour après jour, jusqu'à ce qu'il soit complètement rétabli. Et dire que ce tableau est resté accroché au même endroit, dans le restaurant, depuis ce jour ! C'est tout simplement incroyable. Fabuleux.

— Vous étiez vraiment à deux doigts de la vérité, commissaire.

Marie Morgane Cassel avait prononcé ces mots d'un ton pensif, ses grands yeux plongés dans ceux de Dupin, si bien que celui-ci ne put réprimer un sourire.

— Et pas une seconde vous ne vous êtes dit que toutes ces informations pouvaient avoir une importance cruciale pour l'enquête policière, quand vous avez appris le meurtre de Pierre-Louis Pennec, monsieur Sauré ?

L'interpellé considéra Dupin avec un étonnement non feint.

— Je suis habitué à œuvrer en toute discrétion, commissaire. Monsieur Pennec m'avait prié de n'en parler à personne, et sous aucun prétexte. Ce genre d'exigence n'est pas rare dans le monde de l'art. La plupart des choses qui se passent dans notre monde sont, comment dire, très privées. Bien sûr que j'ai été choqué par cette nouvelle, mais, là aussi, l'attitude qui m'a semblé la plus juste était de respecter cette confidentialité. C'est notre plus gros atout. Sans doute les héritiers du tableau apprécient-ils cette discrétion. C'est une affaire confidentielle – posséder un tel tableau, de cette valeur-là, et en faire une donation… Les codes qui régissent notre monde sont assez stricts, vous savez.

— Mais…

Dupin s'interrompit. C'était inutile. Il apparaissait clairement que Charles Sauré ne trouvait rien de tout cela étrange, qu'il ne s'était même pas posé la question. Il ne s'étonnait pas d'avoir vu Pierre-Louis

Pennec à peine deux jours plus tôt, ni d'avoir appris à cette occasion l'existence d'une peinture valant quarante millions d'euros, et se doutait encore moins, semblait-il, que cela puisse être un mobile pour le meurtre dont il avait pris connaissance en lisant les journaux. Cela n'exigeait pourtant pas un effort d'imagination hors du commun !

— Quand aviez-vous prévu de récupérer l'œuvre ?

— Nous étions convenus de nous rappeler pour fixer un rendez-vous mais, en me raccompagnant, il a tout de même évoqué le début de semaine prochaine. Il voulait régler cette question dans les plus brefs délais, m'a-t-il semblé.

— J'imagine que monsieur Pennec ne vous a pas informé des raisons de cette donation ?

— Non.

— Et qu'il ne vous a pas révélé, non plus, de détails intéressants pour notre enquête – ou qui puissent vous paraître dignes d'intérêt, sachant qu'il a été assassiné ?

— Nous n'avons parlé que du tableau et des modalités de la donation. De la meilleure manière de s'y prendre. Je ne lui ai demandé aucune explication, aucun détail. Je ne lui ai posé aucune question. Je connais les limites de mon rôle.

— Je comprends. Vous n'avez rien remarqué de particulier concernant Pierre-Louis Pennec, non plus ? Une nervosité inhabituelle, quoi que ce soit qui puisse vous avoir frappé après cette rencontre ?

— Non. La seule chose qui m'a paru évidente, c'est qu'il ne voulait pas perdre de temps. Mais il ne m'a semblé ni stressé, ni particulièrement tendu. Il semblait décidé, c'est tout.

Dupin commençait à se lasser de cette conversation. Cela lui arrivait régulièrement, peu importait qu'il se trouve au beau milieu d'un entretien ou d'un interrogatoire de la plus haute importance. Une fois qu'il avait l'information qu'il recherchait, toute sa tension retombait d'un coup.

— Je vous remercie beaucoup, monsieur Sauré. Vous m'avez été d'un grand secours. Nous devons rentrer à Pont-Aven, j'ai beaucoup à faire.

Charles Sauré sembla surpris qu'il mette fin à leur entretien de manière aussi abrupte.

— Je… eh bien oui, en effet, je ne peux pas vous dire grand-chose de plus que ce que je viens de vous raconter. Nos conversations téléphoniques ont été plutôt brèves, tout comme notre rencontre.

— Merci, merci beaucoup, vraiment.

Dupin se leva. A l'instar du conservateur, Marie Morgane Cassel semblait prise de court par le départ précipité de Dupin. Déconcertée, elle imita néanmoins le commissaire et se leva d'un bond.

— De mon côté, il y a quelque chose que j'aimerais savoir, commissaire, demanda Sauré.

— Bien sûr, quoi donc ?

— Qui héritera du tableau ? Enfin, à qui appartient-il depuis le décès de monsieur Pennec ? Les journaux mentionnent l'existence d'un fils…

Dupin ne jugea pas nécessaire d'informer Sauré des derniers événements.

— Nous verrons cela plus tard, monsieur Sauré. Pour l'instant, je ne peux rien vous dire à ce sujet.

— Je suppose quand même que les héritiers vont poursuivre les démarches de donation, non ? Après tout, c'était le souhait de son propriétaire – ce ne serait que justice, d'ailleurs, car une telle œuvre appartient au monde entier.

— Je ne peux pas me prononcer, malheureusement.

— L'intention de donation a tout de même été prise en compte dans son testament ? Il m'a semblé très pressé de s'en occuper.

Ce n'était pas une question. Dupin comprenait bien où il voulait en venir.

— Je me permettrai de vous rappeler si nous avons besoin d'autres informations.

Sauré mit un moment à répondre.

— Oui, bien sûr, n'hésitez pas. Avec plaisir. Je serai joignable ici jusqu'à la fin de la semaine. Sauf changement de programme, nous n'avons pas prévu de rentrer avant samedi prochain.

Il avait cessé de pleuvoir, mais le ciel d'un gris sombre était encore très bas. Même s'il était impatient de rentrer à Pont-Aven, Dupin avait besoin de faire quelques pas à l'air frais.

— Est-ce que cela vous dérange si nous faisons le tour de la maison, enfin si nous prenons l'autre chemin pour rejoindre la voiture ?

— Pas du tout.

L'historienne ne s'était manifestement pas encore remise de sa surprise.

Ils tournèrent à droite et s'engagèrent sur un petit chemin qui longeait la maison des Sauré, visible à travers une épaisse et haute haie de rhododendrons, et s'avancèrent vers la mer. Plongés dans leurs réflexions, ils ne retrouvèrent la parole qu'une fois les falaises atteintes.

— C'est incroyable. Vous vous rendez compte de ce que cela signifie ? Cette histoire va faire le tour de la planète. Un Gauguin inconnu, découvert dans la salle de restaurant d'un petit village de province, où il est resté accroché plus de cent ans sans que personne s'en aperçoive. Une des peintures les plus importantes de toute son œuvre, par-dessus le marché ! C'est incroyable. Valeur estimée : quarante millions d'euros. Au bas mot, dirais-je même, maintenant.

— Oui. Et deux cadavres. Jusqu'à présent, en tout cas.

Marie Morgane Cassel sembla embarrassée.

— C'est… oui, vous avez raison. Deux morts. Pardonnez-moi…

— Je comprends votre enthousiasme. Ce sont deux choses bien différentes. Vous savez, mon métier ne m'empêche pas de voir les deux côtés des événements, des gens et des choses. Je suis là pour ça, après tout.

Ils restèrent un moment debout l'un à côté de l'autre sans rien dire. Dupin était un peu gêné de s'être laissé aller à cette dernière déclaration.

— Quelle est votre impression ? Est-ce que le récit de monsieur Sauré vous semble plausible ?

— Absolument, oui. Cela reflète bien les… Comment dire, les us et coutumes du monde des arts, sa manière de procéder, de se comporter. De penser, aussi. Le raisonnement de Sauré, ses sentiments, toute sa personne correspond tout à fait à ce monde particulier.

— Vous ne pensez pas que Charles Sauré puisse avoir assassiné Pierre-Louis Pennec ?

Pendant un moment, Marie Morgane Cassel se contenta de regarder Dupin d'un air atterré.

— Vous pensez qu'il aurait pu faire une chose pareille, commissaire ?

— Je n'en sais rien.

Elle garda le silence.

— Vous êtes sûre qu'on peut partir du principe qu'il s'agit d'un vrai Gauguin, n'est-ce pas ? Charles Sauré n'est pas du genre à se tromper ?

— Non. Enfin théoriquement si, bien entendu. Mais personnellement, je me fierais à son jugement – ou à son impression. Comme je vous le disais, on ne trouve pas de plus grand expert que lui, dans le monde entier.

— Très bien. C'est à vous que je fais confiance, moi.

Dupin sourit et Marie Morgane Cassel sembla heureuse de le voir se détendre.

— Nous en sommes donc à deux morts et un vol de tableau, d'une valeur de quarante millions d'euros. Une œuvre d'art qui n'a aucune existence officielle, pour couronner le tout. La seule chose que nous possédions, c'est, disons, l'estimation de Sauré selon laquelle il existe effectivement un original de l'œuvre exposée dans le restaurant, et qu'elle n'est pas seulement le fruit de l'imagination d'un obscur copiste.

Dupin fit une brève pause. Son sourire s'était effacé.

— Quelle preuve avons-nous du fait qu'il existe une autre œuvre que celle qui se trouve dans la salle de restaurant ? La brève expertise de Sauré, son sentiment, si sûr soit-il, qu'il s'agissait là d'un véritable Gauguin ? Cela ne pèse pas lourd, sûrement pas, en tout cas, devant un tribunal. Peu importe l'endroit où se trouve l'œuvre en ce moment, la personne qui la possède peut être assez fière de son coup. Elle a subtilisé un tableau qui n'existera pas tant qu'on n'aura pas mis la main dessus et qu'on n'aura pas fait confirmer le sentiment de Sauré par une expertise scientifique concrète.

— A qui revient désormais le Gauguin, d'ailleurs ?

— A madame Pennec. Elle en est l'unique propriétaire depuis ce matin, selon la procédure d'héritage classique. Elle est la nouvelle propriétaire de l'hôtel, et comme il n'y a pas d'autres spécifications à ce sujet, tout ce qui se trouve à l'intérieur de celui-ci lui revient également. Pierre-Louis Pennec n'a pas eu le temps de modifier son testament.

— La donation est donc caduque ?

— C'est madame Pennec qui devra en décider.

Le téléphone de Dupin se mit à sonner. C'était Labat.

— Je dois prendre cet appel. Retournons à la voiture, si vous le voulez bien.

— Très bien. Est-ce qu'il ne serait pas judicieux que je me rende directement à Brest ?

— Je vais vous avancer. Labat ?

— Oui, commissaire. Nous avons quelques urgences. Où êtes-vous ?

— Je suis debout face à la mer. A Carantec.

— Mais qu'est-ce que vous faites à Carantec ?

— De quoi vouliez-vous me parler, Labat ?

— Il faut que vous rappeliez Salou. Il veut vous parler personnellement, tout comme le docteur Lafond. Ils attendent tous les deux que vous les rappeliez aussi vite que possible.

Labat attendit vainement la réaction de Dupin.

— Quand est-ce que vous serez rentré à l'hôtel ? Nous avons prié madame Lajoux et monsieur Delon de se tenir prêts. Nous n'avons pas encore pu joindre André Pennec et Beauvois. Qui voulez-vous rencontrer en premier, après votre visite à Catherine Pennec ?

— Il me faut un véhicule, dit Dupin qui réfléchissait à voix haute. Qu'il se gare à l'un des grands carrefours des environs de Brest. Le premier, quand on arrive de Morlaix. Non, attendez, le mieux serait qu'il m'attende à l'Océanopolis. Ce sera plus simple. Ensuite, il faudrait que cette voiture dépose mademoiselle Cassel à l'université.

Dupin avait déjà visité l'Océanopolis à plusieurs reprises et le connaissait bien. Il avait toujours aimé les grands aquariums, surtout pour les manchots – et l'Océanopolis de Brest était vraiment extraordinaire.

— Mademoiselle Cassel est avec vous ?

— Elle doit être à l'université à dix-sept heures.

— Il faut à tout prix que vous nous mettiez au courant de l'avancée de l'enquête, Le Ber et moi.

— Vous avez raison, Labat, vous avez raison. A tout de suite.

Cette fois, ils avaient circulé sans peine, les vacanciers étant encore attablés dans les crêperies. Il leur fallut à peine trente minutes pour rejoindre l'Océanopolis. Le même policier brestois que celui qui avait déposé Marie Morgane Cassel la veille les attendait sur place, au volant du même véhicule. Tout comme à l'aller, l'historienne et le commissaire avaient peu échangé pendant le trajet car Dupin avait passé la plus grande partie de son temps au téléphone. Fidèle à lui-même, le docteur Lafond, également chargé de l'autopsie de Loïc Pennec, ne s'était pas beaucoup prononcé. Il avait néanmoins établi que la victime était décédée pendant la nuit et non le matin même. Conformément à ce qu'on pouvait supposer, la cause du décès était la chute, et rien n'indiquait la moindre blessure antérieure à celle-ci.

Salou confirmait avoir « selon toute probabilité » détecté l'existence d'empreintes de pas dans les environs directs de ceux de la victime, tout particulièrement, justement, près du précipice qui s'était révélé fatal. Il ne pouvait l'affirmer de manière certaine, cependant, car la tempête et la pluie avaient largement brouillé le sol pendant la nuit. On pouvait craindre que le résultat des prélèvements ne soit tout aussi équivoque. Dupin eut l'impression que le scientifique était moins catégorique que lors de son premier compte rendu à Labat, à moins qu'il ne veuille à nouveau se donner de l'importance.

Jusqu'à présent, personne ne s'était manifesté pour signaler un mouvement suspect aux alentours du lieu de chute, ni hier soir, ni ce matin. Les confrères de Pont-Aven avaient commencé à interroger de manière systématique les habitants du coin, mais cela n'avait encore rien donné. A vrai dire, Dupin ne s'était pas fait de faux espoirs : cette enquête n'était pas de celles où on s'appuyait sur des indices aussi banals que des empreintes digitales, des traces de pas, des fibres textiles ou des témoins oculaires aléatoires.

Peu avant seize heures, Dupin gara sa voiture sur le port, à quelques pas de la maison des Pennec. Ce ne serait pas un entretien facile.

Il patienta un bon moment avant que la porte ne s'ouvre. Catherine Pennec était visiblement bouleversée, les yeux vitreux, les traits figés et même sa coiffure, si bien arrangée la veille encore, était à présent complètement défaite.

— Pardonnez-moi de vous déranger, madame. J'aurais aimé échanger quelques mots avec vous, si cela ne vous est pas trop pénible. Je sais que tout ceci est très difficile et que mes questions n'arrangent rien.

Catherine Pennec regarda Dupin d'un air absent.

— Entrez.

Dupin emboîta le pas à Catherine Pennec, toujours aussi silencieuse. Il prit place dans le fauteuil où il avait déjà pris place la veille et l'avant-veille.

— On m'a donné des médicaments. Je ne suis pas certaine d'être en mesure de mener une conversation très suivie.

— D'abord, j'aimerais vous exprimer mes sincères condoléances, madame.

C'était la seconde fois en l'espace de vingt-quatre heures qu'il exprimait ses condoléances à la même personne, c'était effrayant.

— Je vous remercie.

— Peu importent les conditions, ce que vous vivez est une tragédie.

Madame Pennec leva les sourcils, l'air interrogateur.

— Nous ne savons pas encore s'il s'agit d'un accident ou si quelqu'un a poussé votre époux. A moins qu'il… à moins que votre mari…

— A moins qu'il n'ait sauté volontairement ?

— Nous ne pourrons peut-être jamais définir avec certitude ce qui s'est passé. Pour l'instant, nous n'avons trouvé aucun témoin oculaire et il n'y a pas d'empreintes explicites, non plus. Vous avez vu les trombes de pluie qui sont tombées cette nuit. Nous allons devoir nous contenter de suppositions, pour le moment.

— Je veux juste savoir s'il s'agit d'un assassinat et, dans ce cas, vous devez me promettre de trouver l'assassin. C'est sûrement la même personne qui a tué mon beau-père, vous ne croyez pas ?

— Je ne sais pas, madame. Nous ne pouvons rien avancer pour le moment. Je vous recommanderais de vous tenir à l'écart de tout cela, dans un premier temps.

— J'espère que votre enquête progressera rapidement.

— Je ne vais pas vous déranger longtemps, mais il faut tout de même que je voie quelques petites choses avec vous. Racontez-moi la soirée d'hier, s'il vous plaît. Quand est-ce que…

— Mon mari a quitté la maison peu avant vingt et une heures trente. Il avait besoin de faire quelques pas. Ce n'est pas rare qu'il se rende au bord de la mer dans la soirée, parfois il va voir son bateau qui est amarré près de la plage Tahiti, parfois il se contente de faire un tour dans le village. Il aime beaucoup se promener. Depuis des dizaines d'années, déjà. Il…

Sa voix se fêla.

— Il aimait tout particulièrement le sentier qui relie Rospico et la plage Tahiti. En été, pendant la haute saison, il sortait souvent tard. Comme vous l'imaginez bien, il était très abattu depuis avant-hier, et il espérait que cela le calmerait. Il n'a pas dormi de la nuit, après avoir reçu cette épouvantable nouvelle. Moi non plus, d'ailleurs.

— Est-ce qu'il était seul ?

— Il se promenait toujours seul. Je ne l'accompagnais jamais. Il a pris sa voiture.

Sa voix se fit encore plus lente.

— Il a mis un moment à trouver la clé, et une fois arrivé à la porte, il m'a dit : « A tout à l'heure ! »

— D'ordinaire, il s'absentait pendant combien de temps ?

— Deux heures, plus ou moins. Nous sommes partis presque au même moment, c'est pour cela que je me souviens aussi bien de l'heure de son départ. J'allais à la pharmacie de nuit de Trévignon, mon médecin nous avait prescrit des somnifères à tous les deux. Nous avions besoin de sommeil. D'habitude, nous n'en prenons jamais.

— Vous avez bien raison. Ne vous tourmentez pas inutilement.

— Je suis allée me coucher dès mon retour, après avoir déposé les comprimés sur sa table de nuit, dans sa chambre. Ils y sont toujours, d'ailleurs.

— Vous dormez dans des chambres séparées ?

Catherine Pennec regarda Dupin d'un air indigné.

— Bien entendu, oui. Sinon j'aurais remarqué dès ce matin que mon mari n'était pas rentré, enfin !

— Je comprends.

— La situation n'avait absolument rien d'inhabituel, hier soir. La promenade, l'heure avancée, son parcours… Croyez-moi, commissaire, il n'y avait rien d'anormal à tout cela – hormis les circonstances générales, bien entendu.

Catherine Pennec avait prononcé ces mots d'un ton suppliant, presque implorant.

— Je comprends bien, oui. Tout cela est abominable. Je ne vais pas vous ennuyer plus longuement avec tous ces détails. Il faudrait juste que nous parlions d'une chose importante. Un élément dont tout le reste découle, et que nous n'avons pas encore évoqué.

Son interlocutrice le regarda droit dans les yeux, et Dupin crut percevoir dans son regard un soupçon d'incertitude. Mais peut-être se trompait-il.

— Ah, vous voulez parler du tableau. Vous êtes donc au courant. Bien sûr, ce fichu tableau. Tout tourne autour de lui, n'est-ce pas ?

Sa voix avait retrouvé toute sa fermeté.

— Oui. Je pense que oui.

— Il est resté accroché là pendant cent vingt années sans que personne s'en soucie, et voilà le résultat.

Elle se perdit un instant dans ses réflexions.

— Personne n'a jamais parlé de ce tableau, c'était interdit. C'était un véritable tabou chez les Pennec. Tout s'est construit sur ce secret, vous savez. Toute la famille. Pour rien au monde il ne fallait que cela s'ébruite, et ce jusqu'après la mort de monsieur Pennec, vous vous rendez compte ? Ce tableau est une malédiction. Une somme pareille, c'est une véritable malédiction. C'était sans doute une bonne chose qu'ils en aient fait un tel mystère. D'ailleurs, c'est précisément quand mon beau-père a décidé de l'offrir au musée d'Orsay que le malheur s'est abattu sur nous. Vous êtes certainement au courant de cela, aussi ?

On y était. Dupin connaissait ce point précis où tout basculait dans une enquête, peu importait laquelle. Ce fameux moment où la vraie version des faits apparaissait au grand jour. Jusque-là, tout le monde s'était efforcé de ne montrer de soi-même qu'une surface lisse et opaque, de ne surtout rien révéler des véritables dessous de l'histoire. Et chacun, pas seulement les coupables, avait toujours de bonnes raisons de le faire.

— Oui. Nous sommes au courant de cette volonté de Pierre-Louis Pennec.

— Mon mari et lui en ont parlé pas plus tard que cette semaine.

— Monsieur Pennec en a informé votre mari ?

— Bien entendu. C'est une affaire de famille, tout de même.

— Comment a-t-il réagi ? Et vous-même ?

Catherine Pennec lui répondit très clairement.
— C'était son affaire, pas la nôtre.
— Le tableau vous appartient désormais, madame. Il fait partie de l'héritage de l'hôtel qui vous revenait, à vous et à votre mari. Vous êtes la seule héritière.
Catherine Pennec ne dit rien.
— Allez-vous procéder à votre tour à cette donation au musée d'Orsay ? Après tout, c'était la dernière volonté de Pierre-Louis Pennec, même s'il n'a pas eu le temps de faire officialiser son intention par un notaire.
— Je pense, oui. Je ne suis pas encore en mesure de me projeter plus loin que jusqu'à la fin de la journée. Je m'en occuperai au cours des semaines à venir.
L'épuisement de madame Pennec était visible.
— Bien entendu. Je vous ai déjà importunée plus que de raison. Vous m'avez beaucoup aidé. Juste une dernière question : qui était au courant, pour le tableau ?
Catherine Pennec regarda Dupin, perplexe.
— Je ne peux pas vous le dire précisément. Pendant longtemps, j'ai cru que mon mari et moi étions les seuls dans le secret. Mais Loïc était persuadé que Beauvois le savait également, et moi je me suis parfois demandé si madame Lajoux n'était pas, aussi, dans la confidence. Peut-être qu'il a fini par le lui raconter.
Elle fit une courte pause, puis ajouta :
— De toute façon, je ne lui ai jamais fait confiance.
— Vous ne lui avez jamais fait confiance ?
— C'est une hypocrite. Mais je ne devrais pas dire des choses pareilles.
— Qu'est-ce qui vous fait croire que madame Lajoux n'est pas sincère ?

— Tout le monde savait qu'ils étaient amants depuis des décennies, et qu'elle en a profité pour jouer les directrices de l'hôtel. Il lui donnait de l'argent, et elle en reçoit encore aujourd'hui, d'ailleurs. Elle en envoie une partie à son fils, au Canada, un bon à rien qu'elle a couvé jusqu'à l'étouffer.

Sa voix avait pris une intonation très dure. Dupin sortit son calepin.

— Pouvez-vous avancer avec certitude qu'elle connaissait l'existence du tableau ?

— Non. Non, je n'en sais rien… Vous savez, je ne devrais pas vous parler de cela.

— Et le demi-frère de Pierre-Louis, André, était-il au courant ?

— Mon mari pensait que leur père le lui avait raconté. Ce tableau était le grand secret de la famille Pennec, comment pouvait-il en être autrement ?

Dupin fut tenté de répliquer que c'était précisément la raison pour laquelle cela aurait considérablement facilité l'enquête si les policiers avaient été mis au courant de l'existence du tableau juste après la mort du vieux Pennec – cela leur aurait permis de connaître le mobile du crime. Quel temps précieux perdu à cause de ce secret ! Sans parler d'un aspect beaucoup plus tragique : son époux serait peut-être encore en vie si quelqu'un avait parlé du tableau à Dupin.

— Et monsieur Beauvois ?

— C'est le pire de tous. C'est une aberration que mon beau-père n'ait pas vu dans son jeu. Ce type est…

Elle s'arrêta soudain.

— Oui ?

— C'est un fanfaron. Son musée est grotesque. Il raconte n'importe quoi. Quand on pense aux sommes d'argent qu'il a soutirées à Pierre-Louis ! Tous ces travaux dans son musée, et pour quoi ? Pour un musée de troisième catégorie, condamné à le rester. Un petit musée de province. C'est ridicule.

Cette explosion soudaine sembla avoir épuisé ses dernières forces, elle paraissait exsangue.

— Il est temps que je vous laisse tranquille.

Catherine Pennec laissa échapper un profond soupir.

— J'espère que vous découvrirez rapidement ce qui est arrivé à mon mari. Cela ne changera rien, mais je me sentirai tout de même mieux.

— Je l'espère aussi, madame, soyez-en certaine.

Elle fit mine de se lever.

— Ne vous dérangez pas. Je trouverai la sortie.

Madame Pennec rechignait visiblement à accepter sa proposition, mais elle le fit tout de même.

— Merci.

— Si vous avez besoin d'aide ou si quelque chose de nouveau vous revient à l'esprit, n'hésitez pas. Vous avez mon numéro.

Dupin s'était levé.

Dehors, un rayon de soleil chaud caressa le visage du commissaire. Le ciel était d'un bleu limpide, sans le moindre nuage. Bien qu'il ait déjà observé ce phénomène à de nombreuses reprises depuis trois ans qu'il résidait en Bretagne, il était toujours fasciné par la rapidité avec laquelle le temps pouvait changer ici. C'était un vrai spectacle. Une innocente matinée, radieuse et chaude, laissant croire que l'été s'était solidement installé, pouvait se transformer en l'espace d'une heure en une tempête automnale offrant toutes les apparences d'une perturbation de longue durée – et vice versa. A chaque fois, c'était comme s'il n'y avait jamais eu d'autre météo que celle qu'ils subissaient à ce moment-là. Parfois, Dupin se disait qu'il n'avait jamais su, avant de vivre dans la région, ce que ce mot signifiait : la météo. Il lui semblait n'en avoir pris conscience qu'en venant vivre ici. Il n'était pas étonné que ce temps capricieux soit un sujet de conversation récurrent chez les Bretons. Dupin était toujours impressionné par la précision avec laquelle certains Bretons pouvaient prédire le temps. Les Celtes en avaient manifestement fait un véritable art, au fil des siècles. Lui s'y était à son tour essayé et s'en était même fait une petite marotte, mais il était le seul à s'émerveiller de ses modestes succès.

Le commissaire était resté quelques instants debout devant la porte, avait sorti son carnet Clairefontaine et noté une série d'informations. Il y avait des urgences. Il sortit son téléphone de sa poche.

— Le Ber ?

— Oui.

— Je serai à l'hôtel dans un instant. J'aimerais parler à madame Lajoux, et ensuite je voudrais vous voir, Labat et vous. Non, commençons plutôt par vous. Je verrai les autres après. Est-ce que vous avez pu trouver Beauvois et le frère Pennec ?

— Aucun des deux pour le moment. Beauvois ne possède pas de téléphone portable et André Pennec est parti en voiture, sans doute à Rennes, pour affaires. Nous sommes tombés sur sa messagerie vocale, nous lui avons laissé plusieurs messages pour le prier de rappeler dans les plus brefs délais.

— Très bien, il faut que je le voie aujourd'hui, coûte que coûte. Beauvois aussi.

— On fait notre possible.

— Encore une chose. Vérifiez si et quand madame Pennec s'est rendue à la pharmacie de Trévignon, hier soir. Il me faut l'heure exacte. J'aimerais savoir ce qu'elle a acheté, quelle impression elle a faite au pharmacien, tout. Interrogez la personne qui s'est occupée d'elle.

— Vous la soupçonnez ?

— J'ai surtout l'impression que personne ne nous dit la vérité.

— Il faut absolument que nous nous parlions, commissaire.

— J'arrive.

Dans la salle du petit déjeuner, le commissaire avait mis Le Ber et Labat au courant de tout ce qu'il savait. Il leur avait parlé du tableau qui était resté plus de cent ans accroché au même endroit, et qui venait d'être subtilisé. Quarante millions d'euros. Après cette révélation, les deux inspecteurs étaient restés silencieux pendant un long moment, et Dupin avait pu observer sur leur visage une lente prise de conscience : la dimension réelle de leur enquête leur apparaissait petit à petit. Tous deux comprirent aussitôt quelle était la priorité du moment : trouver le tableau volé – ne serait-ce que pour prouver son existence – et par la même occasion, s'ils avaient de la chance, le coupable. Labat lui-même s'était abstenu de protester quand Dupin s'était levé au bout de trente minutes pour aller s'entretenir avec madame Lajoux.

Celle-ci se tenait à la réception quand Le Ber, Labat et Dupin descendirent les escaliers. Elle leva les yeux d'un air légèrement intimidé en les voyant apparaître tous les trois.

— Bonjour, madame. C'est très gentil de bien vouloir nous consacrer un peu de temps.

— C'est tellement affreux, commissaire. C'est le tour de Loïc, maintenant, cette tragédie n'en finit pas, décidément. Quelle semaine épouvantable.

Elle s'exprimait d'une voix traînante, souffreteuse.

— Oui, épouvantable. Nous ne pouvons rien dire, encore, sur le décès de Loïc Pennec. Je sais que ce n'est pas facile, mais j'aimerais néanmoins échanger quelques mots avec vous. Si vous êtes d'accord, je voudrais que vous me suiviez dans le restaurant.

Le regard de madame Lajoux se fit incertain.

— Dans le restaurant ? Vous voulez retourner dans le restaurant ?

— J'aimerais que vous me montriez quelque chose.

Dupin vit l'incompréhension croître dans le regard de son interlocutrice.

— Vous voulez que je vous montre quelque chose ?

Dupin sortit la clé et déverrouilla la porte de la pièce.

— Suivez-moi.

Madame Lajoux lui emboîta le pas, manifestement réticente. Dupin referma la porte derrière eux et ils avancèrent jusqu'au bar. Au moment d'atteindre l'endroit où la pièce faisait un angle, Dupin s'immobilisa.

— Madame Lajoux, je voudrais…

Quelqu'un frappa violemment à la porte à cet instant, et la gouvernante sursauta.

— Qu'est-ce qui se passe ?

Agacé, Dupin retourna à la porte pour l'ouvrir. Labat se tenait sur le seuil.

— Commissaire, c'est mademoiselle Cassel au téléphone. Votre portable est éteint. Elle a essayé de vous joindre.

— Je suis occupé, vous le savez bien. Dites-lui que je la rappellerai dès que possible.

Sur le visage rond de Labat s'afficha une étrange satisfaction. Sans ajouter un mot, il fit volte-face et retourna à la réception. Dupin hésita.

— Labat, attendez, j'arrive. Si vous voulez bien m'excuser un instant, madame. Je reviens tout de suite, j'en ai pour une minute.

— Bien sûr, commissaire.

Dupin quitta le restaurant. Debout dans la réception, Labat lui tendait l'écouteur.

— Mademoiselle Cassel ?

— J'ai pensé à quelque chose, j'aurais dû vous le dire tout de suite. Au sujet du tableau, de la copie. Vous vouliez savoir qui l'avait réalisée, n'est-ce pas ? Je veux dire, qui a peint la copie de la seconde *Vision* – c'est encore d'actualité ?

— Bien sûr.

— C'est juste une possibilité, mais on ne sait jamais. Parfois, les copistes s'immortalisent quelque part sur le tableau, dans un endroit bien caché. Ils dissimulent leur signature dans l'image, c'est presque un jeu. Peut-être que vous aurez de la chance.

— C'est très intéressant, oui.

— Voilà, c'est tout.

— Merci. Je vous rappellerai sûrement. Dans le cadre de l'enquête, je veux dire.

— Je me tiens à votre disposition.

Dupin raccrocha. Labat était resté debout à côté de lui pendant toute la durée de leur échange, ce que le commissaire détestait.

— Labat ?

— Oui, commissaire ?

Dupin s'approcha tout près de lui.

— Il faut que nous étudiions ce tableau de près. Prévenez Le Ber.

— Vous voulez que nous l'étudiions de près ?

Dupin n'avait pas envie de réexpliquer tout ce qu'il venait d'apprendre à son collaborateur. Pour être honnête – il s'en rendait compte maintenant, il n'avait pas la moindre idée de la manière de procéder. Où et comment trouver ce nom ? Il aurait dû demander davantage de détails à Marie Morgane Cassel.

— On en reparle tout à l'heure. Je retourne auprès de madame Lajoux. Je ne veux plus qu'on me dérange, Labat, veillez-y personnellement.

Madame Lajoux était restée pétrifiée à l'endroit exact où il l'avait vue avant de quitter la pièce.

— Je suis vraiment désolé, madame.

— Oh non, c'est bien normal. L'enquête passe avant tout.

— J'aimerais vous demander de me... Je vous prierais de bien...

Il s'était mis à bégayer.

— Je dois vous demander de m'excuser encore une fois, madame, c'est très cavalier de ma part, je le sais, mais je dois absolument passer un autre coup de fil urgent. Après cela, nous serons vraiment tranquilles.

Visiblement mal à l'aise, madame Lajoux ne savait que répondre.

— Je reviens tout de suite.

Dupin marcha jusqu'au bout du bar et sortit son téléphone portable de sa poche.

— Mademoiselle Cassel ?

Il parlait très bas.

— Oui. Commissaire, c'est vous ?

— Oui. J'ai besoin de vous. Il faut que vous nous aidiez à trouver cette signature cachée. Je ne sais pas où ni comment la trouver. Nous ne disposons d'aucun instrument pour cela.

Dupin distingua un rire discret à l'autre bout de la ligne.

— Je m'attendais un peu à ce que vous me rappeliez. J'aurais dû vous le proposer tout de suite, à vrai dire.

— Je suis vraiment désolé, mademoiselle. Dans cette affaire, il y a des éléments que nous ne pouvons comprendre sans votre expertise d'historienne de l'art. Je sais bien que vous êtes en plein congrès et, croyez-moi, je préférerais…

— Accordez-moi cinq minutes pour me préparer. Je peux partir tout de suite. Je vais prendre ma propre voiture, si cela ne vous dérange pas.

— Nous vous attendons.

Dupin rejoignit madame Lajoux.

— Voilà, je suis tout à vous, madame. Je vous prie de m'excuser.

— Comme je vous le disais, commissaire : votre métier passe avant tout. Nous voulons tous que vous coinciez le meurtrier le plus vite possible. Cela fait trois jours maintenant qu'il se promène en liberté, cela ne devrait pas être ainsi.

Sa voix avait repris cette intonation plaintive que Dupin avait observée lors de leurs précédents entretiens. Il patienta quelques secondes avant de reprendre d'un ton très énergique.

— Vous pouvez me le dire, maintenant, madame Lajoux.

Son interlocutrice tressaillit imperceptiblement et évita soigneusement son regard.

— Je… je ne vois pas de quoi vous parlez. Qu'est-ce que je pourrais bien…

Elle s'arrêta, et son visage comme son corps exprimèrent soudain une sorte de résignation lasse. Lentement, elle releva les yeux jusqu'à croiser le regard de Dupin.

— Vous êtes au courant, n'est-ce pas ? Vous savez tout.

Elle manqua de fondre en larmes et pendant un instant, le commissaire craignit qu'elle ne perde toute contenance.

— Oui.

— Pierre-Louis aurait désapprouvé tout cela. Il aurait été extrêmement malheureux. Il tenait tellement à garder le secret, au sujet de ce tableau.

— Madame, nous parlons de plus de quarante millions d'euros. C'est un mobile suffisant pour assassiner quelqu'un.

— Vous vous trompez, dit-elle d'une voix soudain chargée de colère, nous ne parlons pas de quarante millions d'euros. Nous parlons de la dernière volonté d'un défunt, commissaire. Celle que le tableau reste accroché ici en toute sécurité, sans que personne le sache – il appartient à l'hôtel, à son histoire…

— Il voulait faire don du tableau au musée d'Orsay. La semaine prochaine. Accompagné d'un texte explicatif relatant l'histoire de cette peinture.

Madame Lajoux regarda Dupin d'un air atterré. Soit elle était une actrice hors pair, soit elle était vraiment profondément affectée par cette révélation.

— Pardon ? Qu'est-ce qu'il voulait faire ?

— Il avait prévu de faire don du tableau au musée d'Orsay. Il a contacté le musée, la semaine dernière.

— Mais c'est… c'est… C'est seulement que… Eh bien, je n'en sais rien. C'était en quelque sorte le dénominateur commun secret de tout. Tout cela est étrange. Cela sonne complètement faux, je ne sais pas.

— Depuis quand êtes-vous au courant de l'existence de ce tableau ?

— Depuis trente-cinq ans. Pierre-Louis Pennec m'a mise dans la confidence très tôt, pendant ma troisième année à l'hôtel.

— Qui d'autre est au courant ?

— Personne. Sauf Beauvois. Et puis son fils, bien sûr. Vous savez, monsieur Beauvois était l'expert de monsieur Pennec, Pierre-Louis lui demandait conseil pour tout ce qui avait trait à l'art. Je vous l'ai déjà dit. Monsieur Beauvois l'a également aidé pour les travaux, ici, pour toutes les questions relatives à la climatisation. Pour qu'il bénéficie des meilleures conditions de conservation possibles. Un honnête homme, avec de grands idéaux. Tout cela lui tient vraiment à cœur, pour l'amour de la tradition. Pas pour l'argent. Pierre-Louis le savait, lui aussi.

— Pourquoi monsieur Pennec a-t-il laissé le Gauguin accroché ici pendant toutes ces années ?

— Pourquoi ?

Madame Lajoux semblait horrifiée, comme s'il avait posé une question parfaitement indécente.

— Marie-Jeanne Pennec l'avait accroché là. Ah ça, oui. Le Gauguin a toujours été accroché là, c'est sa place. Et puis comme ça, Pierre-Louis pouvait le regarder tous les soirs, quand il était au bar. Cette œuvre est le symbole même de l'héritage culturel des Pennec. Pierre-Louis n'a jamais songé à le mettre ailleurs ! Il n'a jamais pensé à le faire sortir de l'hôtel. Jamais de la vie. D'ailleurs, c'est ici qu'il était en sécurité.

Dupin n'était pas surpris par sa réaction. D'une certaine manière, et si étrange que cela puisse paraître, madame Lajoux n'avait pas tort. Au-delà des raisons sentimentales qui justifiaient cet emplacement, c'était sans doute l'un des endroits les plus discrets possibles pour conserver une peinture de cette valeur.

— Qui d'autre, encore, était au courant de l'existence du tableau ?

— Son demi-frère. Je ne sais pas s'il en a parlé à Delon, je ne crois pas. C'était un véritable secret.

Dupin réprima un éclat de rire. C'était plutôt comique : le fils de Pierre-Louis, sa belle-sœur, André Pennec, Beauvois, madame Lajoux – sans oublier celui qui avait réalisé la copie qu'ils avaient sous les yeux, et peut-être Delon. En gros, la totalité des proches de Pierre-Louis Pennec étaient dans la confidence. Auxquels s'était ajouté, récemment, Charles Sauré.

— En résumé, sept personnes au moins, voire huit, connaissaient l'existence de ce tableau. Des quarante millions d'euros. La plupart d'entre eux ont vu ces quarante millions d'euros accrochés, ici, chaque jour au cours des décennies passées.

Madame Lajoux considéra le commissaire d'un air triste, mais avec aussi un peu de suspicion.

— Vous devriez avoir un peu plus de respect, vous savez. Pierre-Louis Pennec a fait honneur à l'héritage de son père, qu'il s'agisse de l'hôtel ou du tableau. Il s'est acquitté de sa tâche de la manière la plus digne, la plus exemplaire qui soit, à tous points de vue. Une somme pareille, cela peut tout, absolument tout détruire. Il peut arriver les pires choses.

Dupin fut tenté de lui demander ce qu'il pouvait bien advenir de pire que deux meurtres.

— Selon vous, madame Lajoux, qu'est-ce qui a bien pu se passer ? Qui a bien pu vouloir se débarrasser de Pierre-Louis Pennec ? Et qui a tué Loïc ?

Pendant un moment, madame Lajoux eut un regard ouvertement hostile, le corps entier en tension, menaçant, comme si elle s'apprêtait à frapper. Puis elle détourna les yeux, et ses épaules s'affaissèrent dans une attitude de résignation. Elle se dirigea vers le tableau d'un pas très lent et s'arrêta juste devant celui-ci.

— Le Gauguin. J'ai eu très peur qu'on l'ait volé, au moment de l'effraction. Tout aurait été perdu.

Si Dupin ne voyait pas précisément à quoi rimait cette dernière allusion, il en avait une vague intuition. Il avait décidé de ne pas en parler, dans un premier temps. C'était un peu absurde, comme Labat le lui avait fait remarquer avec véhémence. Après tout, ses interrogatoires tournaient tous autour de cette question. Son intuition lui dictait néanmoins d'agir ainsi.

Madame Lajoux était toujours immobile devant la peinture.

— Savez-vous de qui je me méfierais, commissaire ? D'André Pennec. Cet homme n'a aucun scrupule. Je crois que Pierre-Louis le détestait. Il ne l'aurait jamais dit, bien sûr, mais je l'ai bien senti.

— Cela n'a pas dû être facile pour ce dernier de se voir exclu de l'héritage de leurs parents, de savoir que Pierre-Louis possédait tout – et en particulier le Gauguin, bien sûr. D'autant plus qu'il a également été rayé de son testament par son frère.

— En réalité, nous ne le voyions jamais. Il se contentait de passer un coup de fil de temps en temps. Mais oui, je suppose que vous avez raison. Son ami, cet avocat crapuleux, n'a pas réussi à l'aider, d'ailleurs.

— Que voulez-vous dire ?

— Vous n'êtes pas au courant ? André Pennec avait engagé un avocat pour réfuter les clauses du testament de son père. Pierre-Louis était furieux. Après ça, ils ne se sont pas parlé pendant dix ans.

— Cela s'est passé en quelle année ?

— Oh, ça remonte loin, maintenant. Je ne peux pas vous le dire précisément. C'était à peu près au même moment que leur dispute politique, un peu après, peut-être.

— Cette discorde ne reposait donc pas tant sur des raisons idéologiques que sur des questions de jalousie, à votre avis ?

— Ah, si. Pierre-Louis haïssait Emgann. C'était sûrement un mélange des deux.

— Pensez-vous qu'André Pennec serait capable de tuer ?

Madame Lajoux hésita, l'expression de son visage se fit indéchiffrable.

— Je ne sais pas. Je crois… Je ferais mieux de ne pas me prononcer sur cette question, commissaire. Après tout, je ne le connais presque pas.

— Vous avez reçu un héritage impressionnant, quant à vous, madame Lajoux.

L'intéressée le regarda d'un air effaré.

— Vous êtes donc au courant ? Est-ce que c'est possible, commissaire ? Est-ce que vous avez le droit de le savoir ? Cela me met vraiment très mal à l'aise, vous comprenez ?

— Il s'agit d'un meurtre, madame.

— Cela ne me plaît pas du tout.

Elle était pâle.

— Alors vous êtes également au courant de la lettre ?

— Oui.

— Est-ce que vous l'avez lue ?

Sa voix tremblait.

— Non. Non. Personne ne l'a lue. Cela dépasse les autorisations de la police. Pour cela, il aurait fallu une ordonnance du tribunal. Mais je…

— Vous… vous êtes au courant de… de notre relation ?

Ses yeux s'emplirent de larmes et sa voix faiblit au point de n'être plus qu'un fil ténu.

— Oui.

— D'où, comment pouvez-vous, je…

— Ne vous inquiétez pas, madame. C'est votre vie. Tout cela ne regarde personne d'autre que vous. Je n'ai rien à dire à ce sujet. Tout ce qui nous intéresse, c'est ce qui concerne le meurtre. J'ai besoin de connaître la nature de votre relation avec Pierre-Louis Pennec pour me faire une idée globale de la situation.

— Ce n'était pas une aventure. Ce n'était absolument pas comparable à toutes ces histoires de fesses dégoûtantes. Je l'aimais. Depuis le premier jour. Et lui m'aimait aussi, même si c'était un amour impossible. Il n'aimait pas sa femme. En tout cas il ne l'aimait plus, si tant est qu'il l'ait aimée un jour. Je crois qu'il ne l'a jamais aimée. Ils étaient beaucoup trop jeunes quand ils se sont rencontrés et quand ils se sont mariés. Elle ne s'est jamais intéressée à l'hôtel. Pas le moins du monde. Mais Pierre-Louis ne le lui a jamais reproché. Il avait un caractère d'une grande noblesse.

Nous ne pouvions pas nous voir en public, vous comprenez ? Jamais. C'était sans issue.

— Tout cela, madame, ne regarde que vous.

Dupin avait répliqué d'un ton un peu plus dur qu'il n'aurait voulu, mais madame Lajoux ne sembla pas s'en apercevoir.

— Quelle relation entreteniez-vous avec Loïc Pennec ?

— Ma relation ?

— Oui. Que pensiez-vous de lui ?

— Moi ? Pierre-Louis Pennec a toujours souhaité que son fils reprenne tout cela, qu'il devienne un véritable hôtelier, une forte personnalité, comme son père et sa grand-mère. Il n'aimait pas Catherine, il…

— Vous m'avez déjà dit tout cela. Mais vous, comment avez-vous perçu la relation entre le père et le fils ?

— Il était peut-être un peu déçu par son fils, c'était l'impression que j'avais. Loïc était mou. C'était incompréhensible. Sa voie était toute tracée, une voie royale. Mais il faut de l'énergie pour être à la hauteur des obligations qu'implique la gestion d'un tel hôtel ! Il faut être prêt à y consacrer sa vie. Entièrement.

Sa voix s'était faite impitoyable.

— Il faut avoir un minimum de dignité !

— De dignité ?

— Oui, il faut de la dignité pour relever un tel défi.

— Est-ce que Loïc et vous vous parliez, de temps en temps ?

— Non.

La réponse avait fusé brusquement, tranchante.

— Pourtant, il était souvent ici…

— Oui. Mais il ne parlait qu'avec son père. Il ne faisait pas partie de l'hôtel, vous savez. C'était un étranger, ici.

— Est-il vrai que monsieur Pennec vous donnait parfois de l'argent, en plus de votre salaire mensuel, je veux dire ?

Madame Lajoux lui jeta de nouveau un regard indigné.

— Oh, oui. Vous savez, j'ai sacrifié toute ma vie pour l'hôtel et pour Pierre-Louis. Ce n'était pas des faveurs, cela n'avait rien à voir avec le fait que nous nous aimions. J'ai consacré toute mon énergie au Central. Tout. Qu'allez-vous penser ?

— De quel type de montants s'agissait-il ?

— Dix mille euros, la plupart du temps. Parfois moins. Une ou deux fois par an.

— Des sommes que vous avez versées à votre fils, au Canada ?

— Je… Oui, à mon fils. Il est marié, et il s'est mis à son propre compte. Il est en train de monter une affaire. Je l'ai soutenu, oui.

— Vous lui avez donné l'intégralité de cette somme ?

— Oui, tout.

— Quel âge a-t-il ?

— Quarante-six ans.

— Depuis quand lui versez-vous ces montants ?

— Pendant les vingt dernières années.

— Et vous n'avez vraiment pas la moindre idée de ce qui a pu se passer ici ?

Madame Lajoux sembla soulagée de changer de sujet.

— Non. Ici, tout le monde réagit toujours de manière très émotive, mais de là à commettre un meurtre…

— Pourquoi trouvez-vous que cette donation n'était pas une bonne idée ?

La mine de la gouvernante s'assombrit.

— Il ne m'en a jamais parlé. Je n'en savais rien. Il aurait…

Elle s'interrompit.

— Je dois vous demander une dernière chose. Ne la prenez pas personnellement, s'il vous plaît, c'est une simple question de routine policière. A ce stade de l'enquête, nous devons connaître les moindres faits et gestes de chacun.

— C'est bien normal.

— Où étiez-vous hier soir ?

— Moi ? Vous voulez savoir où j'étais, moi ?

— Exactement.

— J'ai travaillé jusqu'à dix-neuf heures trente, il y avait beaucoup à faire, vous savez, tout est sens dessus dessous avec ces histoires. Il faut bien que quelqu'un garde un œil sur tout cela. Les clients sont nerveux. Je crois que je suis arrivée à la maison vers vingt heures. J'étais épuisée, je suis allée me coucher tout de suite. J'ai fait ma toilette, je me suis brossé les dents…

— Cela me suffit amplement, madame. Quand vous couchez-vous, d'ordinaire ?

— Je me couche assez tôt depuis quelques années, vers vingt et une heures trente. Je me lève très tôt, vous savez, à cinq heures et demie. Tous les matins. Quand je travaillais le soir, j'avais un rythme différent.

— Merci, madame. Je n'ai pas besoin d'en savoir davantage. Est-ce que quelqu'un vous a vue quitter l'hôtel ?

— Madame Mendu, je crois. Nous nous sommes brièvement croisées ici, en bas, juste avant mon départ.

— Très bien. Vous devriez rentrer chez vous, maintenant.

— J'ai encore quelques bricoles à faire, ici…

Quelque chose semblait la tourmenter.

— Je…

Elle s'interrompit une nouvelle fois.

Dupin comprit où elle voulait en venir.

— Laissez-moi vous rassurer une dernière fois : toute cette conversation restera entre nous, madame, soyez tranquille. Aucun de mes hommes ne dira quoi que ce soit.

Elle sembla un peu soulagée.

— Merci. C'est vraiment très important. Je ne veux pas que les gens s'imaginent des choses, vous comprenez. Ce serait insupportable, pour moi. Et surtout pour ce pauvre Pierre-Louis…

— Merci encore, madame Lajoux.

Ils quittèrent le restaurant ensemble. Dupin verrouilla la porte derrière eux.

Manifestement, Le Ber et Labat n'étaient pas dans les parages. Il fallait pourtant qu'il parle à l'un d'eux. Madame Lajoux avait presque disparu en haut des escaliers quand il se souvint soudain d'une question urgente.

— Excusez-moi, madame Lajoux, il me reste une dernière question. Cet homme que vous avez vu parler avec Pierre-Louis Pennec, devant l'hôtel, mercredi, vous voyez de qui je parle ?

L'intéressée s'était retournée avec une réactivité et une vigueur étonnantes.

— Oh, oui, bien sûr. Vos inspecteurs m'ont déjà interrogée à ce sujet.

— J'aimerais que vous regardiez attentivement une photographie et que vous me disiez s'il s'agit du même homme. L'un de mes inspecteurs va vous montrer la photo.

— Ils me trouveront dans la salle du petit déjeuner.

Dupin sortit sur le perron de l'hôtel et remplit plusieurs fois ses poumons d'air frais. Prises d'assaut par les touristes, la place et les rues étroites étaient en proie à une agitation joyeuse et multicolore. Dupin tourna à droite et s'engagea dans la petite ruelle déserte où il avait pris ses habitudes.

Il était vingt heures. Il avait perdu toute notion du temps, un phénomène qui se répétait à chaque fois qu'il était plongé dans une enquête. Aujourd'hui, le jour ne s'était levé que dans l'après-midi, ce qui n'arrangeait pas les choses, et il faisait soudain une chaleur écrasante, comme si le soleil souhaitait se faire pardonner son infidélité. La journée était loin d'être finie, se dit Dupin, et ce serait la troisième de suite.

Sans s'en rendre compte, Dupin avait poursuivi sa route jusqu'au bout de la ruelle puis il avait tourné à droite, poussant jusqu'à la rivière qu'il avait traversée en empruntant le pont menant au port. C'était déjà devenu une sorte de rituel. Cela se passait toujours ainsi : une fois qu'il avait découvert un endroit qui lui plaisait, ses pas l'y guidaient sans même qu'il s'en rende compte. Il composa le numéro de Le Ber.

— Où êtes-vous ?

— La pharmacie de Trévignon, j'en sors tout juste.

— Alors ?

— Madame Pennec est venue hier soir, en effet, vers vingt et une heures quarante-cinq. Elle a acheté du Mogadon – c'est du nitrazépam. Elle était en possession d'une ordonnance pour une dose importante et elle est restée dans la pharmacie environ dix minutes. C'est une certaine madame Efflammig qui s'est occupée d'elle, une employée qui était également là ce soir, je viens de lui parler.

De sa main gauche, Dupin extirpa tant bien que mal son carnet de sa poche.

— Très bien. Maintenant, il faut encore que nous sachions quand elle est rentrée chez elle.

— Comment voulez-vous qu'on vérifie ça ?

— Je ne sais pas. On ne va probablement pas y parvenir. Il y a encore pas mal d'autres choses à faire, Le Ber. Vérifiez quand madame Lajoux a quitté le Central, hier soir. Et faites parler madame Mendu, c'est important.

— D'accord.

— Il faut absolument que je voie monsieur Beauvois. Est-ce que vous avez réussi à le dénicher ?

— Oui. Il était au musée. Apparemment, il y avait une réunion de l'association des artistes, aujourd'hui. Elle a duré assez longtemps et après il a eu quelques affaires à régler. Des coups de fil, des histoires de mécènes.

— Très bien. Je lui rendrai visite tout à l'heure, il faut d'abord que je parle à Fragan Delon. Dites à Beauvois que je le verrai vers vingt et une heures, on va l'appeler. Il faudra qu'il vienne à l'hôtel. Et André Pennec, il est réapparu, lui aussi ?

— Nous avons réussi à le joindre à Rennes, via son bureau. Il va rentrer tard. Il sait que vous voulez le rencontrer d'urgence.

— Rappelez-le et convenez d'un rendez-vous précis. Est-ce que Labat est à l'hôtel ?

— Oui.

— Il faut qu'il aille voir sur le site Internet du musée d'Orsay s'il trouve une photo de Charles Sauré à montrer à madame Lajoux. Elle est prévenue. Je veux savoir si c'est bien lui qu'elle a vu discuter avec Pierre-Louis Pennec, devant l'hôtel. Une dernière chose. Mademoiselle Cassel ne va pas tarder à arriver à l'hôtel. Si je n'y suis pas encore, j'aimerais que vous l'accompagniez dans la salle de restaurant. Elle aura peut-être besoin de votre aide. Il faut qu'elle étudie le tableau.

— La copie du Gauguin ?

— Oui. Nous espérons trouver une indication qui nous permettra d'identifier le copiste. Elle est déjà en route.

Une flottille de kayaks arrivait dans le port à ce moment-là et s'amarra sur la rive opposée, sous l'un des grands palmiers. Des voix enjouées lui parvinrent, bruyantes et excitées. Un joyeux tumulte bariolé de bateaux jaunes, rouges, verts et bleus.

Le chemin le plus court pour se rendre chez Delon depuis l'endroit où il se trouvait était certainement de franchir le coteau, mais Dupin craignait encore de se perdre dans le labyrinthe des ruelles et préféra repasser devant le Central, quitte à affronter la foule des badauds.

Une fois arrivé, le commissaire frappa à la lourde porte de bois. A la droite de celle-ci, une fenêtre était grande ouverte.

— Entrez. Ce n'est pas fermé.

Dupin pénétra dans la maison. Comme à son premier passage, il fut frappé par l'aspect douillet et accueillant du foyer de Delon. L'étage inférieur de la jolie bâtisse de pierre ne comprenait qu'une seule pièce faisant office à la fois de salon, de salle à manger et de cuisine. Elle ne différait pas beaucoup de la maison de Beauvois, même si elle comptait probablement quelques mètres carrés de moins, mais l'impression qui s'en dégageait était très différente. C'était un autre monde.

— J'étais sur le point de grignoter un petit quelque chose.

— Oh, excusez-moi, j'arrive comme un cheveu sur la soupe. Je ne me suis même pas annoncé.

— Tenez-moi donc compagnie.

— Je n'ai que quelques questions à vous poser, je ne vais pas vous déranger longtemps.

Dupin ne savait pas lui-même ce qu'il entendait dire par là : oui, je vais vous tenir compagnie quelques instants ou plutôt non, je préfère rester debout près de la porte puisque je n'en ai pas pour longtemps. Il décida finalement de s'asseoir. Sur la vieille table de bois, installée presque exactement au milieu de la pièce, trônait une assiette avec des langoustines, un pot de rillettes de Saint-Jacques, de la mayonnaise et une bouteille de muscadet. Une baguette – ou plutôt un « dolmen », le pain préféré du commissaire – était posée juste à côté. Dupin contempla ces mets avec d'autant plus de convoitise que son estomac venait de se rappeler à son souvenir : il mourait de faim.

Sans rien ajouter, Delon était allé chercher une seconde assiette et un verre dans le placard situé à côté de la cuisinière et les avait disposés sur la table, juste devant Dupin. Le commissaire lui jeta un regard reconnaissant et entreprit aussitôt de couper un morceau de pain, d'attraper quelques langoustines et de les décortiquer.

— Pierre-Louis venait aussi, de temps en temps, finit par dire Delon. On s'asseyait tous les deux à table, exactement comme maintenant. Il aimait passer du temps ici, il aimait la baguette sur la table, les choses simples…

Delon lâcha un éclat de rire chaleureux, sentimental. Contrairement à l'avant-veille, où Dupin avait dû user de tout son charme pour lui arracher quelques mots, il semblait aujourd'hui d'humeur diserte.

— J'imagine que vous êtes au courant de l'existence du tableau ?

Delon lui répondit du même ton calme qu'il avait employé depuis le début de leur conversation.

— Il ne m'a jamais vraiment intéressé. Je crois d'ailleurs que Pennec était bien content que je m'en fiche.

Dupin ne s'était pas attendu à autre chose. Ils étaient donc sept à connaître l'existence du tableau. Au moins sept.

— Pourquoi ne vous y êtes-vous jamais intéressé ?

— Je ne sais pas. Tout le monde lui tournait autour à cause de ce tableau.

— Qu'entendez-vous par là ?

— Tout le monde ne voyait que l'argent. Ils espéraient tous pouvoir en profiter un jour – voire récupérer la somme entière, d'ailleurs… Je crois que Pennec s'en rendait compte, de temps en temps. Une somme pareille, ça déforme tout.

— De quoi se rendait-il compte ?

— Du fait que tout le monde voulait ce tableau.

— Qui le voulait, exactement ?

Delon lança un regard surpris à Dupin.

— Eh bien, tout le monde. Son fils, sa belle-fille, madame Lajoux. Je ne sais même pas qui était au courant. Beauvois, oui, lui aussi, sûrement. Et puis son demi-frère.

— Pourtant, il n'avait pas prévu de le vendre, si ?

— Non, mais il était toujours là, sous leurs yeux, vous comprenez ? Tout le monde se disait qu'avec un peu de chance… qui sait ?

Il sembla soudain très abattu.

— Pensez-vous qu'une de ces personnes aurait été capable de tuer pour ce tableau ?

Un étonnement sincère se peignit de nouveau sur le visage de Delon.

— Eh bien, chacun d'eux, je crois.

Il avait prononcé ces mots sans manifester la moindre émotion.

— Vous croyez toutes ces personnes capables de meurtre ?

— Combien de millions vaut cette peinture ?

— Quarante, peut-être même davantage.

Dupin regarda Delon d'un air interrogateur mais ce dernier se contenta de prendre la bouteille de muscadet et de remplir leurs verres.

— Je ne connais pas grand monde qui renoncerait à une somme pareille, même s'il fallait tuer pour l'obtenir.

Sa voix n'exprimait ni cynisme ni résignation. Il se contentait de constater calmement une vérité d'ordre général.

Dans le fond, Dupin partageait son avis.

— Ils attendaient tous qu'il casse enfin sa pipe. Ils ne pensaient qu'à ça, tout le temps. J'en suis certain.

Un long silence s'installa, rompu seulement par le bruit de leur mastication et le tintement des couverts.

— Ils en avaient tous après ce tableau, et pourtant aucun n'était censé l'obtenir un jour. Saviez-vous que Pierre-Louis Pennec avait prévu d'en faire don au musée d'Orsay ?

Pour la première fois depuis le début de leur conversation, Delon sembla pris de court.

— Non. C'était vraiment son intention ? En tout cas, c'est une bonne idée.

Dupin fut tenté de lui répondre que c'était sans doute précisément cette bonne idée qui avait mis le feu aux poudres et entraîné le meurtre du vieil homme. Juste après avoir appris qu'il souffrait de graves problèmes cardiaques, il s'était tourné vers le musée d'Orsay, quelqu'un avait dû l'apprendre et cette personne avait voulu empêcher la donation. Une personne qui s'était hâtée d'agir avant qu'il ne soit trop tard.

Dupin se tut. Delon avait raison. En soi, l'idée était plutôt bonne.

Delon affichait désormais une mine grave.

— Il aurait dû la faire plus tôt, alors, cette donation. C'était la meilleure chose à faire, il aurait dû la faire tout de suite. J'ai toujours eu peur que d'autres personnes de son entourage n'apprennent l'existence de ce tableau. Quand plus de deux personnes sont dans la confidence, tout le monde finit forcément par l'apprendre.

— Vous avez raison.

— Pennec n'avait jamais peur. C'était vraiment curieux, il n'avait peur de rien. Absolument rien.

— Est-ce que l'une de ces personnes vous semblait avoir un intérêt particulier, je veux dire, un intérêt majeur, par rapport aux autres, à posséder ce tableau ?

— Quand on parle de montants pareils, tout le monde peut y trouver un intérêt majeur.

Décidément, se dit Dupin en son for intérieur, Delon lui ôtait les mots de la bouche.

— Comment qualifieriez-vous la relation que Pierre-Louis Pennec entretenait avec son fils ?

Delon remplit une nouvelle fois leurs verres.

— Une véritable tragédie. Tout. L'histoire de ces deux hommes et puis leur mort, maintenant. Quelles tristes vies.

La sonnerie tonitruante du téléphone portable du commissaire l'interrompit soudain. C'était Le Ber. Dupin décrocha à contrecœur.

— Commissaire ? Ce serait bien que vous veniez voir ça tout de suite.

Le Ber semblait si agité qu'il peinait à s'exprimer.

— Qu'est-ce qu'il y a ?

— Nous avons sorti la toile de son cadre, mademoiselle Cassel et moi. Elle a apporté des… des instruments spéciaux. Nous avons trouvé une signature sur la reproduction.

— Alors ?

— Frédéric Beauvois.

— Beauvois ?

— Lui-même.

— C'est lui qui l'a peint ? C'est lui qui a réalisé cette copie ?

— Exactement. Nous avons trouvé sa signature juste à côté de l'arbre, dans les branchages. Elle était bien cachée, mais elle est clairement lisible. Nous l'avons comparée avec celle des factures qu'il a soumises à Pierre-Louis Pennec. Il n'y a aucun doute sur son identité.

— Alors il peint ?

— Apparemment, oui. Mademoiselle Cassel dit que c'est un travail tout à fait remarquable.

— Je sais, oui.

— Cela me semble… enfin, en tout cas, j'ai un mauvais pressentiment.

— Et vous êtes catégorique ?

— Au sujet de mon pressentiment ?

— A propos de la signature de Beauvois.

— La signature ? Ah, oui. Mademoiselle Cassel est formelle, là-dessus. C'est Frédéric Beauvois qui a réalisé cette copie.

— J'arrive. On se voit à l'hôtel.

Dupin réfléchit un instant.

— Non, attendez. On va aller directement chez Beauvois. Je pars tout de suite. On se retrouve là-bas.

— Entendu.

Pendant toute la conversation, Delon avait poursuivi son repas sans manifester la moindre agitation.

— Il va malheureusement falloir que j'y aille.

— C'est ce que je me suis dit.

Dupin se leva.

— Vous n'avez presque rien mangé.

— Je me rattraperai la prochaine fois.

Dupin essaya de se repérer. Il ne pouvait être bien loin du domicile de Frédéric Beauvois, mais le dédale de ruelles de la vieille ville était tout aussi déroutant ici que dans les environs du port. Dupin opta pour la grand-rue. Il lui faudrait cinq minutes à peine pour atteindre son objectif. A son arrivée, il aperçut Le Ber qui l'attendait à quelques mètres de la maisonnette. Le portail du jardin était fermé.

— Vous avez sonné ?

Ils n'obtinrent aucune réaction. Le Ber actionna la sonnette une deuxième, puis une troisième fois.

— Allons voir au musée.

— Vous savez s'il y est ?

— Non, mais on va tenter notre chance. Où est mademoiselle Cassel ?

— A l'hôtel. Je l'ai priée de nous attendre sur place.

Dupin ne put réprimer un sourire. Le Ber le regarda avec étonnement.

Ils rebroussèrent chemin et remontèrent d'un pas pressé la rue jusqu'au musée en passant l'hôtel et la place Gauguin. Le musée se trouvait tout au plus à une centaine de mètres de l'hôtel. Son entrée était située dans la partie moderne de l'édifice, adossée à l'hôtel Julia. C'était une construction aussi ambitieuse que laide, composée de béton peint en blanc, d'acier et de verre.

La porte était verrouillée. Le Ber frappa d'une poigne vigoureuse, sans provoquer de réaction. Il frappa une nouvelle fois, plus fort encore. Aucune sonnette visible. Seul le silence répondit à ses coups. Le Ber recula de quelques pas. A gauche du musée, un étroit passage ouvrait sur toute une série de galeries d'art – dix à quinze devantures étroites affichant toutes sortes de tableaux. A peine un mètre plus loin, à droite de l'entrée, une autre porte, en acier, massive, était dissimulée dans un triste renfoncement bétonné. Elle semblait mener aux installations techniques du musée.

A côté de la porte, une sonnette était placée si bas qu'elle passait aisément inaperçue. Le Ber l'actionna trois fois avec insistance. Quelques instants plus tard, un léger bruit leur parvint depuis le musée, comme le claquement d'une porte.

— Il y a quelqu'un ? Police, ouvrez cette porte !

Le Ber s'était mis à hurler, et Dupin fut presque tenté d'éclater de rire.

— Ouvrez immédiatement cette porte.

Le commissaire s'apprêtait à lui demander de se calmer quand la porte s'ouvrit d'abord un peu, puis entièrement. Devant eux se tenait Frédéric Beauvois, un sourire aimable sur les lèvres.

— Ah, l'inspecteur et le commissaire. Bonsoir, messieurs. Soyez les bienvenus au musée de Pont-Aven.

L'amabilité mielleuse de Beauvois finit de déstabiliser Le Ber, si bien que Dupin se vit contraint de prendre la parole.

— Bonsoir, monsieur Beauvois. Nous aimerions vous parler.

— Tous les deux ?

— Oui.

— Alors ce doit être important. La fine fleur de la police ! Voulez-vous que nous allions chez moi ? Ou plutôt à l'hôtel, peut-être ?

— Nous serons très bien ici, dans le musée. Il y a bien une pièce où nous pourrons nous entretenir un moment ?

L'espace d'un instant Beauvois sembla déstabilisé, mais il retrouva aussitôt contenance.

— Mais bien entendu, oui. Nous disposons d'une salle de réunion dans laquelle nous serons parfaitement installés. Je suis enchanté de vous la montrer. Nous l'utilisons pour les réunions de l'une de nos nombreuses associations. Suivez-moi, c'est à l'étage.

Le Ber et Dupin emboîtèrent le pas à Beauvois. Le Ber n'avait pas pipé mot. Arrivés en haut des escaliers, ils prirent un couloir exigu qui menait à une porte étroite. Beauvois l'ouvrit d'un coup et pénétra dans la salle. L'intérieur du musée n'était pas beaucoup plus plaisant que son extérieur. Manifestement, on s'était davantage soucié du fonctionnel que de l'esthétique. La pièce, cependant, était étonnamment grande, sûrement dix mètres de longueur. Des tables bon marché y étaient disposées en demi-cercle.

Ils prirent place à l'une des tables d'extrémité.

— Comment puis-je vous être utile, messieurs ?

Confortablement installé sur sa chaise, Frédéric Beauvois semblait détendu.

Dupin fronça les sourcils. Sur le chemin du musée, déjà, une question l'avait taraudé : pourquoi Beauvois avait-il signé cette copie ? Il devait bien savoir qu'il se mettait en danger en agissant de la sorte, tout de même. A quoi cela rimait-il ? C'était un homme intelligent. Cela n'avait pas de sens et, surtout, cela ne prouvait pas sa culpabilité. Cela aurait été bien trop évident.

— Nous possédons un mandat de perquisition, monsieur Beauvois.

Dupin avait prononcé ces mots d'un ton glacial. Le Ber regarda son supérieur avec incrédulité : ils ne possédaient, bien entendu, pas le moindre mandat de perquisition. Frédéric Beauvois était bien trop préoccupé par son propre sort, cependant, pour en demander la preuve. Il se passa plusieurs fois la main dans les cheveux, secoua légèrement la tête et retroussa les lèvres – tout cela simultanément. Il semblait réfléchir intensément. Près d'une minute entière s'écoula avant qu'il ne reprenne la parole, d'une voix plus doucereuse que jamais.

— Suivez-moi, messieurs. Je vais vous montrer quelque chose.

Il se leva, patienta jusqu'à ce que le commissaire et l'inspecteur, interloqués, se décident à bouger, puis suivit rapidement en sens inverse le chemin qu'ils avaient parcouru. Le couloir, l'escalier. En face de la porte d'entrée, à gauche de l'escalier, il ouvrit enfin une porte que Dupin et Le Ber n'avaient pas remarquée en arrivant. Elle menait au sous-sol. Beauvois alluma la lumière et les précéda d'un pas décidé.

— Voici notre entrepôt, messieurs. Et aussi notre atelier.

Ils débouchèrent bientôt sur une vaste pièce.

— Il y a parmi les membres de notre association des peintres passionnés – d'ailleurs, en toute modestie, je dois dire que certains d'entre eux ont un talent remarquable. Des œuvres superbes sont conservées ici. Mais suivez-moi.

Plusieurs longues tables étroites étaient alignées dans l'angle opposé de la pièce. Le Ber et Dupin avaient eu toutes les peines du monde à suivre le rythme de Beauvois, mais le professeur finit enfin par s'immobiliser devant l'une des tables. D'instinct, les deux policiers se placèrent de chaque côté de lui.

Ce dernier saisit alors un interrupteur qui pendait du plafond. De puissants projecteurs s'allumèrent. Il fallut quelques instants aux deux visiteurs éblouis pour retrouver l'intégralité de leur vision.

La première chose qu'ils virent fut l'orange du fond, vif, presque aveuglant. Puis leur regard embrassa l'ensemble du tableau. Il était là, juste devant eux. Ils auraient pu le toucher s'ils avaient tendu le bras. Intact et bouleversant.

Un petit moment s'écoula avant que Dupin et Le Ber ne mesurent la portée de ce qu'ils avaient sous les yeux. Le Ber murmura presque imperceptiblement :

— Je le savais.

Après une courte pause, il ajouta :

— Quarante millions d'euros.

Mais avant que l'un d'eux ait pu réagir, Beauvois avait attrapé un couteau qui traînait au milieu d'un amas désordonné de crayons épais, de pinceaux divers et variés, de racloirs et autre matériel de peinture, et l'enfonça dans la toile. Au dernier moment, Dupin tenta d'intercepter le bras du professeur, mais c'était trop tard. Tout s'était déroulé avec une rapidité extrême.

Non sans habileté, Beauvois découpa un petit carré de toile qu'il éleva à bout de bras pour le tenir à contre-jour, juste devant le projecteur.

— Gilbert Sonnheim. Une copie. Vous voyez ? Un peintre inconnu de la colonie, originaire de Lille, au talent médiocre, un syncrétiste. Et pourtant c'était un bon copiste, par Toutatis ! Il a fait là un travail excellent.

Beauvois se comportait comme s'il était sous amphétamines.

Dupin réfléchissait à toute allure, les différents scénarios possibles se succédaient à une allure vertigineuse, il en avait presque la nausée. Les yeux brillants, Beauvois brandissait son morceau de toile, comme une conjuration.

Dupin fut le premier à retrouver la parole.

— Vous avez donc remplacé une copie par une autre copie. En d'autres termes, vous vouliez voler le tableau et le remplacer par votre copie afin que personne ne s'en rende compte. Le problème, c'est qu'il avait déjà été volé – et déjà remplacé par une reproduction fidèle. Il en existe donc deux copies.

La confusion de Le Ber, déjà manifeste avant l'explication de Dupin, atteignit son comble. Puis, d'un coup, les traits de son visage se détendirent.

Beauvois replaça le morceau de toile sur la peinture avec une précision presque maniaque.

— Je l'ai fait avec joie – avec fierté, même, oui.

Sa voix s'était gonflée d'une sorte de pathos suffisant et parfaitement grotesque.

— Pierre-Louis Pennec aurait approuvé ce que j'ai fait, il aurait même salué mon courage ! Il se serait retourné dans sa tombe si son fils avait hérité du tableau, car il l'aurait revendu à la première occasion, cela ne fait aucun doute. Il n'attendait que cela, depuis toujours. Pierre-Louis Pennec, lui, s'intéressait vraiment au musée. Tout cela était primordial pour lui, Pont-Aven, son histoire, la colonie d'artistes. Primordial, parfaitement !

— C'est vous qui vous êtes introduit par effraction dans l'hôtel, la nuit suivant le meurtre. C'est vous qui avez échangé les tableaux. C'est vous qui avez accroché une reproduction.

Le Ber s'interrompit un instant pour reprendre son souffle.

— Vous avez remplacé la copie existante par la vôtre et vous avez emporté la première. C'est donc cette œuvre, que vous venez de détruire…

— Tout à fait, inspecteur. Je me suis laissé duper. Moi, Frédéric Beauvois ! Mais il faisait noir dans le restaurant, on n'y voyait rien et je n'avais qu'une petite lampe de poche, sans compter que cette copie est excellente. Pas aussi parfaite que la mienne, si je puis me permettre. Dans les branchages, là-haut, il y a quand même quelques traits qui sont inexacts.

— Quand avez-vous réalisé cette copie ?

La voix de Dupin était très calme, il semblait extrêmement concentré.

— Oh, c'était il y a plusieurs dizaines d'années, déjà. Presque trente ans, pour être exact. Juste après que Pennec m'a mis dans la confidence. Je suis devenu son expert personnel. Vous comprenez, Pennec était un hôtelier, pas un connaisseur en art, ni un historien. Ça, non. Mais il avait la responsabilité de ce fabuleux héritage artistique et historique – d'abord l'hôtel, bien entendu, mais surtout ce tableau exceptionnel. Une pure merveille. C'est l'œuvre la plus audacieuse de Gauguin, croyez-moi. Du point de vue de l'inventivité, les autres ne lui arrivent pas à la cheville. Je ne dis pas cela pour…

— Et pourquoi avez-vous réalisé cette copie ?

— Je voulais l'étudier. J'étais admiratif, tout simplement fasciné. J'ai commencé par le prendre en photo, puis je l'ai peint. Je ne sais pas si je vous l'ai déjà dit, mais la peinture est ma grande passion, depuis toujours. Je connais mes limites, bien sûr, mais on ne peut nier que je dispose d'un certain talent. Je…

— Et cette signature, sur la peinture, c'est l'orgueil du peintre ?

— Une erreur de jeunesse, oui. Une coquetterie.

Pourquoi pas ? se dit Dupin. C'était plausible, comme tout le reste, aussi absurde que cela puisse paraître dans un premier temps.

— Est-ce que Pierre-Louis Pennec était au courant de l'existence de cette copie ?

— Non.

— Est-ce que quelqu'un la connaissait ?

— Non. Je l'ai gardée pour moi pendant toutes ces années. Je suis le seul à l'avoir contemplée régulièrement. Pour voir Gauguin. La force incroyable de cette peinture, son esprit démesuré. Elle dépasse tout ce qu'on connaissait auparavant.

— Saviez-vous qu'il en existait probablement une seconde copie ?

— Ah, non. Certainement pas.

— Et Pierre-Louis Pennec ? Ne vous a-t-il jamais parlé d'une copie ?

— Non.

— D'où vient cette œuvre que vous avez là, alors ?

— Je ne peux que le supposer, commissaire. Quand Gauguin a définitivement quitté Pont-Aven pour s'installer en Polynésie, cela n'a pas pour autant marqué la fin de l'école de Pont-Aven. De nombreux artistes sont restés ici pendant des années, et Sonnheim en faisait partie. Bien entendu, le temps passant, ce sont surtout les artistes de moindre envergure qui sont restés. Peut-être que Marie-Jeanne a commandé elle-même cette copie à Sonnheim. Ce ne serait pas une procédure exceptionnelle. Après tout, elle a exposé de nombreuses œuvres dans son restaurant. Elle a commencé par des originaux, puis elle les a peu à peu remplacés par des reproductions, tout comme mademoiselle Julia dans son hôtel. Peut-être que Marie-Jeanne avait prévu de conserver l'original de ce Gauguin en lieu sûr, quelque part. Tout cela, cependant – et j'insiste sur ce point –, n'est que spéculation.

— Cette copie a donc plus de cent ans, presque autant que son original ?

— Sans aucun doute.

— Où se trouvait-elle pendant toute cette période ?

— Là non plus, je ne peux pas vous répondre. Peut-être que Pierre-Louis en a hérité en même temps que de l'œuvre originale. La petite pièce attenante à sa chambre, dans l'hôtel, accueillait ses archives photographiques. C'est également là que Pierre-Louis conservait les copies qui n'avaient pas de place dans le restaurant.

Nous avons parlé à plusieurs reprises de ces reproductions, car il songeait à les donner au musée. Il parlait toujours d'une douzaine de tableaux ; je ne les ai jamais vus personnellement, mais peut-être que celui-ci faisait partie du lot. A moins qu'il ne l'ait pas conservé là et, dans ce cas, peut-être que quelqu'un en avait la garde ?

Beauvois fit une pause.

— On peut aussi imaginer qu'il n'était pas au courant de l'existence de cette copie… Qui sait ?

— Oui, qui sait ? Cependant, quelqu'un devait bien la posséder, ou alors cette personne connaissait son existence et savait comment se la procurer.

Dupin s'exprimait désormais d'un ton décidé, légèrement irrité.

— Le meurtrier a dû remplacer le tableau dans la nuit même où il a commis son crime…

Beauvois était perdu dans ses réflexions.

Dupin était certain que le professeur avait raison. Cela avait dû se passer ainsi. La veille encore, Sauré admirait l'original dans le restaurant, à l'emplacement exact où il était resté exposé durant un siècle. Depuis la nuit du crime, cependant, il ne semblait plus y avoir que des copies, si fidèles soient-elles.

— Qu'aviez-vous prévu de faire avec ce Gauguin, monsieur Beauvois ?

La voix de l'interpellé s'éleva, de nouveau chargée d'emphase.

— Le musée et l'association en auraient bénéficié, bien sûr – et entièrement.

Il hésita un bref instant.

— Je n'ai tout de même pas besoin de vous préciser que je n'aurais rien gardé pour moi, pour mes intérêts personnels. Cet argent nous aurait permis de faire de grandes choses. Une annexe du musée digne de ce nom. Un nouveau centre pour la peinture contemporaine. Tant de choses ! Pierre-Louis Pennec ne voulait pas que son fils ou sa belle-fille héritent du tableau. Il avait prévu d'en faire don au musée d'Orsay.

Il lâcha cette dernière phrase comme on dévoile son plus gros atout.

— Nous sommes au courant, monsieur.

— Bien sûr, oui. Il y pensait depuis longtemps, sans jamais s'en occuper concrètement. La semaine dernière, tout à coup, il m'a demandé comment il devait s'y prendre. Comme ça, sans crier gare. Il était très décidé, et il voulait que cela se fasse vite. Je lui ai recommandé monsieur Sauré, un homme brillant. C'est un conservateur d'Orsay.

— C'est vous qui les avez mis en relation ?

— Il n'avait pas la moindre idée de la procédure. Pour ces choses-là, il comptait toujours sur moi.

— Est-ce que vous vous êtes entretenu avec monsieur Sauré, vous aussi ?

— Non, je me suis contenté de lui donner son nom et son numéro. Je lui ai proposé de m'en charger, mais il voulait s'en occuper personnellement.

— Savez-vous qu'ils se sont rencontrés ? Monsieur Sauré est venu ici, il a vu le tableau.

Beauvois sembla surpris.

— Non. Quand est-ce que monsieur Sauré est venu à Pont-Aven ?

— Mercredi.

— Hum.

— Où vous trouviez-vous jeudi soir dernier, monsieur Beauvois ? Et hier soir ?

Beauvois se redressa brusquement et son ton changea du tout au tout. Il parla d'une voix sévère, mais toujours teintée de complaisance.

— Cela est parfaitement grotesque, monsieur. Vous n'allez tout de même pas me soupçonner, moi ? Je n'ai absolument aucun reproche à me faire.

Dupin se rappela alors le bref coup de fil que Beauvois avait passé alors qu'ils étaient au restaurant : il avait été frappé par le changement brusque de son attitude et sa froideur soudaine.

— Monsieur Beauvois, sachez que c'est moi qui décide qui est suspect et qui ne l'est pas.

Dupin en avait par-dessus la tête. Dans cette affaire, chacun semblait se considérer comme l'unique défenseur désintéressé de la cause de Pierre-Louis Pennec, comme une âme noble et courageuse. Il ne faisait aucun doute que le meurtrier userait de la même défense. Pourtant, tous avaient menti dès les premiers interrogatoires. Tous lui avaient caché l'élément essentiel, celui sur lequel toute l'enquête reposait. Tous connaissaient l'existence du tableau, et chacun savait que d'autres étaient dans la confidence. Et tous s'étaient comportés comme s'il s'agissait là d'une information négligeable.

— Comment justifiez-vous ce soupçon ridicule ? cracha Beauvois.

Dupin le regarda, passablement amusé.

— Peut-être que c'était vous, en réalité, qui possédiez cette seconde copie… Qui sait ? Peut-être que vous avez entièrement imaginé ce judicieux stratagème ? Vous volez le tableau, et ensuite vous inventez cette histoire de copie que vous auriez volée et remplacée par une autre.

Pour la première fois, Beauvois sembla réellement déstabilisé. Il se mit à bredouiller.

— Mais enfin, c'est absurde. Je n'ai jamais rien entendu d'aussi absurde de toute ma vie !

Le Ber renchérit :

— Sans compter le reste ! Vous vous êtes rendu coupable d'effraction, monsieur, ce n'est pas une bagatelle. Vous avez brisé la fenêtre du restaurant et vous vous êtes introduit dans l'hôtel avec une discrétion digne d'un professionnel, dans l'intention de subtiliser une œuvre d'une valeur de quarante millions d'euros !

Dupin se réjouit de l'intervention de Le Ber, qui n'eut pourtant aucun impact sur le professeur, incapable de mesurer la portée de son acte tant il se complaisait dans son rôle de justicier.

— Tout cela est parfaitement grotesque, inspecteur. Qu'est-ce que j'ai fait, en fin de compte ? Je possède tout au plus cette reproduction sans valeur que vous voyez là. Rien d'autre. De quel crime parlons-nous, enfin ? D'une tentative de vol avortée ?

— Allons, monsieur. Où étiez-vous donc la nuit dernière, et celle de jeudi ?

— Je ne répondrai pas à ces questions.

— C'est votre droit le plus strict, bien entendu. Vous pouvez faire appel à un avocat.

— C'est bien ce que j'ai l'intention de faire. Ce retournement de situation est infamant. Je ne me faisais pas beaucoup d'illusions sur le tact et la sensibilité de la police, certes, mais tout de…

— L'inspecteur Le Ber va vous escorter jusqu'à Quimper, à l'antenne de la police judiciaire. Ainsi, les choses pourront suivre leur cours réglementaire.

L'humeur de Dupin s'était considérablement dégradée.

— Vous n'êtes pas sérieux, commissaire !

Beauvois perdait le peu de contenance qui lui restait.

— Je suis tout ce qu'il y a de plus sérieux, monsieur. Et je suis stupéfait que vous en doutiez.

Dupin se détourna une bonne fois pour toutes de son interlocuteur. Il avait besoin d'air.

— Le Ber, je vous envoie un véhicule.

Il n'avait pas pris la peine de se retourner pour prononcer ces mots et se trouvait déjà au milieu de l'escalier.

— Commissaire, sachez que cela aura des conséquences…

— Je vais leur dire de faire vite, Le Ber, ne vous inquiétez pas.

Les insultes du professeur se firent de plus en plus indistinctes à mesure qu'il avançait. Arrivé en haut des marches, Dupin ouvrit la lourde porte métallique et sortit au grand air.

Le soleil venait de disparaître derrière les collines, le ciel était d'un rose intense. Le commissaire était épuisé par la discussion qu'ils venaient d'avoir mais surtout, il ne savait toujours pas quoi penser de Beauvois. Les derniers rebondissements ne lui avaient pas apporté de certitude à son sujet. Quelle personnalité détestable ! Il n'avait pas le droit, cependant, d'accorder trop d'importance à son propre sentiment. Avait-il appris toute la vérité, en fin de compte ? A moins que le professeur ne leur ait servi une nouvelle histoire à coucher dehors dans le seul but de masquer un autre scénario ? Beauvois se sentait investi d'une mission divine, c'était évident, et il n'était pas bête. Dans cette enquête, le schéma récurrent semblait être que rien n'était comme il paraissait. Et que tout était compliqué. Mais surtout, il ne fallait pas qu'il oublie que tout était encore possible. Il n'avait pas le droit de s'enfermer dans ses propres raisonnements. Le meurtrier avait donc été en possession d'une reproduction du tableau réalisée peu de temps après la création de l'original, et dont personne ne lui avait parlé jusqu'alors. Cela dit, il n'avait jamais interrogé quiconque, non plus, sur l'existence d'une telle reproduction. Et comme personne, ici, ne semblait vouloir raconter quoi que ce soit de sa propre initiative…

Un phénomène bien connu, cependant, travaillait Dupin : il avait de nouveau cette sensation étrange d'avoir omis un détail dans la discussion avec Beauvois. Quelque chose clochait, c'était évident, mais il avait beau se torturer l'esprit, il n'arrivait pas à mettre le doigt dessus. Peut-être se faisait-il des illusions. Peut-être cette sensation n'était-elle que le résultat de l'accumulation des événements de l'après-midi, de son épuisement et de sa faim dévorante. Il avait à peine grignoté chez Delon.

Dupin ne se rendit pas directement au Central. Au lieu de cela, il s'engagea dans la ruelle bordée de galeries puis tourna à droite et gravit les quelques marches qui débouchaient sur le sentier grimpant à flanc de colline. Tout en marchant, il ne cessait de feuilleter son calepin Clairefontaine et manqua se casser la figure une bonne douzaine de fois. Il n'y trouva rien qui puisse être à l'origine de l'étrange agitation qui ne le quittait pas. Une fois arrivé en haut de la colline, il appela Labat et lui expliqua ce qui s'était passé. Labat n'était pas de nature à se laisser impressionner par ce genre de revirements. Il s'était contenté d'envoyer à Le Ber un véhicule de Pont-Aven, conduit par Bonnec, et tout ce petit monde était désormais en route vers

Quimper, où ils espéraient pouvoir tirer les vers du nez de Beauvois.

A son tour, Labat lui rendit brièvement compte des derniers événements. Madame Lajoux avait effectivement reconnu, sous les traits de Sauré, l'homme qui avait discuté avec Pennec devant l'hôtel. Quant à André Pennec, Labat avait eu beau insister – et il était toujours très fort pour obtenir ce qu'il voulait –, il avait refusé d'indiquer à quelle heure il serait de retour de Rennes, où il avait des « obligations professionnelles ». Labat lui avait annoncé qu'ils l'attendraient à l'hôtel et qu'ils partaient du principe qu'il rentrerait avant minuit. Dupin demanda à Labat de vérifier dès le lendemain l'emploi du temps précis de Pennec à Rennes, de se faire confirmer précisément chacun de ses rendez-vous et de reconstruire sa journée heure par heure. En outre, Marie Morgane Cassel avait demandé à parler à Dupin. Elle avait quelque chose à lui dire, mais Labat ne savait pas de quoi il s'agissait.

Dupin avait ressenti le besoin de prolonger ce moment de solitude. Sur le chemin du retour, il était resté quelques minutes immobile, sur le port, le regard rivé aux bateaux sans pourtant les voir. Puis il était retourné à l'hôtel et avait échangé deux ou trois mots avec Labat avant de monter l'escalier jusqu'au premier étage. Marie Morgane Cassel était installée dans la salle de petit déjeuner, à la table où ils avaient partagé un café ce matin-là. Il sembla à Dupin qu'il s'était écoulé une éternité depuis.

— Bonsoir, mademoiselle. Mille mercis pour votre aide ! Vous nous avez donné un indice essentiel. Grâce à vous, nous avons enfin pu découvrir qui s'était introduit dans le restaurant la nuit dernière.

— Vraiment ? J'en suis ravie. Que s'est-il passé, alors ?

Dupin hésita.

— Oh, excusez ma curiosité. J'imagine que c'est encore confidentiel.

— Je…

— Je comprends très bien, je vous assure ! Je suis heureuse d'avoir pu vous aider.

L'historienne semblait fatiguée. Après tout, elle aussi venait de traverser vingt-quatre heures de « disponibilité ».

— Eh bien, vous savez, je… Mais vous devriez le savoir, tout de même. Vous pourriez aussi nous…

Dupin avait l'impression de lui devoir quelques explications. Marie Morgane Cassel le considéra avec amusement.

— Est-ce que vous avez mangé quelque chose, commissaire ? J'ai une faim de loup.

— Faim ? Pour dire la vérité, oui, terriblement. Je n'ai pas encore trouvé le temps de m'alimenter aujourd'hui… Et puis de toute façon, il faut que j'attende quelqu'un qui n'arrivera certainement pas avant minuit.

Il jeta un bref coup d'œil à sa montre et reprit :

— C'est-à-dire dans une heure et demie.

— J'ai quelque chose à vous dire au sujet du tableau et de Charles Sauré.

— Tant mieux, comme cela nous pourrons joindre l'utile à l'agréable.

— Très bien. Vous connaissez sûrement une bonne adresse, ici.

Dupin réfléchit.

— Je crois que je sais où nous pourrions aller. Vous connaissez Kerdruc ? C'est à deux ou trois kilomètres à peine de l'hôtel en descendant le long de la rivière. En voiture, nous en aurons pour cinq petites minutes. Vous verrez, c'est un ravissant petit port avec un merveilleux restaurant, tout simple, juste au bord de l'eau.

Mademoiselle Cassel sembla quelque peu surprise par l'enthousiasme de Dupin mais le commissaire n'avait aucune envie de s'installer à l'une de ces terrasses prises d'assaut par les touristes, et encore moins de dîner au moulin de Rosmadec. Il avait besoin de s'éloigner un peu.

— Très volontiers. Je ne vais pas pouvoir rester longtemps, malheureusement, car j'ai un cours demain matin, mais cela me fera du bien de manger quelque chose. Je serais ravie de découvrir ce fameux Kerdruc.

— Je vous y emmène.

Labat se tenait à la réception.

— Vous repartez ?

— Il faut qu'on voie deux ou trois choses, mademoiselle Cassel et moi. Appelez-moi dès qu'André Pennec est arrivé.

Labat lui jeta un regard noir.

— Il se pourrait qu'il arrive plus tôt que prévu, vous savez, commissaire.

— Eh bien, appelez-moi dès qu'il est là.

Le paysage se fit plus enchanteur à mesure qu'ils roulaient. La petite route s'enfonçait sous des arbres alourdis par le gui et le lierre, aux troncs couverts de mousse. A certains endroits, les branches se rejoignaient de part et d'autre pour former un long tunnel d'un vert sombre. De temps à autre, l'Aven qui coulait à leur gauche lançait quelques éclairs d'argent à travers les feuilles, comme chargé d'électricité. La lumière du crépuscule plongeait le tout dans une atmosphère féerique. Dupin connaissait bien ce paysage et cette ambiance que Nolwenn qualifiait d'« aura bretonne ». Il n'aurait pas été surpris de voir apparaître un lutin, un korrigan ou quelque autre créature fabuleuse au détour d'une clairière.

Kerdruc était merveilleusement situé. Les berges de l'Aven formaient à cet endroit une pente douce et la route serpentait paisiblement jusqu'à la rivière. De belles maisons anciennes ainsi que quelques villas cossues étaient dispersées çà et là, au milieu de la végétation luxuriante. Des palmiers, des mélèzes, des pins, des citronniers, des rhododendrons, des chênes, des hortensias, des hêtres, des bambous, des cactus, des lauriers, d'épais buissons de lavande, mille espèces végétales poussaient ici dans un joyeux désordre. Aucune flore ne représentait plus typiquement la Bretagne. Tout comme à Port Manech, le village voisin niché à l'embouchure de l'Aven, on avait l'impression de se trouver au cœur d'un jardin botanique. L'Aven se déployait, large et majestueux, au fond de la vallée, à mi-chemin de la mer.

La rue débouchait sur une jetée. Une dizaine de doris voisinaient avec quelques bateaux à moteur, ainsi qu'une poignée de voiliers appartenant sans doute à des vacanciers. La marée montait visiblement, la mer déjà haute formait de longues vaguelettes plates.

Dupin se gara sur la jetée. Dix voitures tout au plus trouvaient de la place ici. Les tables et les chaises du petit restaurant avaient été installées tout près de l'eau, dangereusement près, même, pour certaines. Une douzaine de platanes bordaient le quai presque désert à cette heure tardive.

Ils prirent place à l'une des tables situées près de l'eau. Un serveur apparut aussitôt, nerveux, petit, rapide comme l'éclair – une qualité que Dupin admirait tout particulièrement. La cuisine était sur le point de fermer et ils se hâtèrent donc de s'accorder sur un menu et de passer commande. Des belons sorties tout droit de la rivière du même nom qui coulait à une centaine de mètres du restaurant, suivies d'une lotte grillée à la fleur de sel, au poivre et au citron. Pour accompagner le tout, un très jeune vin rouge de la vallée du Rhône.

— Cet endroit est vraiment ravissant, vous aviez raison.

Marie Morgane Cassel laissait son regard caresser les alentours.

Dupin mesura soudain ce que la situation avait d'irréel : se retrouver pour un dîner en tête à tête dans l'un des coins les plus pittoresques et romantiques de la côte alors qu'il venait de vivre une journée terriblement éprouvante, marquée par la découverte d'un second cadavre et par une première garde à vue. Le plus improbable, surtout, était que l'enquête était loin d'être résolue. Pourtant, oui, c'était merveilleux d'être ici.

La jeune femme le tira de ses réflexions.

— J'ai reçu un coup de fil, ce soir, d'une amie journaliste à Paris. Il semblerait que Charles Sauré se soit adressé à l'un de ses confrères qu'il connaît bien, et qu'il lui ait parlé du Gauguin. Il prévoirait un article en exclusivité pour *Le Figaro*.

— Quoi !?

— Comme vous dites. Apparemment, la parution est prévue pour demain matin. Un article accompagné d'une interview.

— Ils vont en faire un gros coup, alors ?

— Sans doute, oui. Je vous l'ai déjà dit : cette histoire va faire le tour du monde. Tous les journaux vont en parler. Est-ce que vous pourriez faire en sorte que cela… soit interdit, par exemple ?

— Vous voulez savoir si on peut empêcher le journal d'en parler pour des raisons policières ?

Dupin appuya sa tête sur une main. Il ne manquait plus que cela. Dès que le public apprendrait l'existence de ce tableau et de son incroyable histoire, la nouvelle se répandrait comme une traînée de poudre. Le fait qu'un meurtre voire deux y soient associés n'allait qu'ajouter à son attrait, peu importe qu'on n'ait pas encore le fin mot de l'histoire. Bien au contraire, cela ne ferait qu'attiser la curiosité.

— Qu'est-ce qu'ils vont raconter, exactement ?

— Je n'en sais rien. Mon amie n'a pas pu en apprendre davantage.

Dupin se tut quelques instants.

— Pourquoi ? Pourquoi Sauré fait-il cela ? Cet après-midi encore, il n'a pas cessé de nous parler du respect de la confidentialité, de la discrétion obligatoire… Il nous a raconté qu'il n'était pas allé voir la police en apprenant la mort de Pennec parce qu'il voulait préserver l'aspect confidentiel de la chose !

— C'est un coup énorme pour lui. Certainement la plus grosse histoire de sa vie. Imaginez : il sera l'homme qui a découvert un Gauguin inconnu à ce jour, sans parler du fait qu'il s'agit sans doute de l'œuvre la plus importante de la carrière du peintre. Vous vous demandez pourquoi il le fait ? Je vais vous le dire : pour la renommée, la célébrité, les honneurs. Pour sa carrière. Vous connaissez cela, tout de même.

Elle avait vraiment raison. Leur repas arrivait. Tout semblait succulent. Dupin avait tellement faim qu'il défaillait presque. Ils commencèrent à dîner en silence.

Marie Morgane Cassel fut la première à reprendre la parole :

— Cela ne va pas vous faciliter la tâche, n'est-ce pas ? Le monde entier aura les yeux rivés sur votre enquête.

— J'espère que Sauré ne s'étendra pas trop sur cet aspect de l'affaire. Le meurtrier lira les journaux. Il en saura autant que nous. J'aurais préféré que personne ne sache où nous en sommes.

— Je comprends, oui.

— Comment vend-on une œuvre d'art de cette envergure, d'ailleurs ?

— Il suffit de connaître les bonnes personnes, ou tout au moins d'être mis en relation avec elles. C'est beaucoup plus facile que ça n'en a l'air.

— Qui sont ces gens, et où se cachent-ils ?

— Oh, ce sont pour la plupart des collectionneurs privés. Des mégalomanes, des puissants, des riches. Il y en a partout dans le monde. Ils font partie d'une sorte de réseau fluctuant, officiellement inexistant.

— Un réseau qui ne se frotte jamais à la police.

— Beaucoup de choses illégales se passent dans ces cercles-là. Un collectionneur vraiment passionné se moque de la provenance d'une œuvre et de la manière dont elle est arrivée sur le marché. Tout cela se passe de manière extrêmement… discrète.

— Il faut absolument que nous mettions la main sur ce tableau avant qu'il n'arrive sur le marché. C'est notre seule chance.

— Certainement, oui. Est-ce que vous pensez qu'il est encore ici, je veux dire à Pont-Aven ou dans les environs ?

— Ce soir, nous avons découvert une autre copie de cette œuvre.

— Une deuxième copie de *La Vision* ? C'est incroyable !

— Oui, réalisée par un disciple de la colonie de Pont-Aven. Gilbert Sonnheim. Apparemment, cette reproduction aurait été peinte quelques années seulement après la création de l'original.

— Oui, je connais Sonnheim. C'était plutôt courant à l'époque que des « élèves » copient les œuvres de leurs maîtres pour mieux les étudier. La colonie ne faisait pas exception.

— A moins que cette copie n'ait été commandée.

— Et qui possédait cette copie ?

— Là non plus, nous ne sommes pas encore bien avancés. Sans doute le meurtrier. J'imagine que c'est pendant la nuit où…

Dupin rendit les armes avant même d'avoir essayé. Il avait voulu lui relater toute l'histoire, à commencer par sa visite chez Beauvois, mais il ne savait pas comment s'y prendre. Il n'était plus en mesure, ce soir, de s'exprimer de manière à la fois concise et compréhensible. Toute cette histoire lui semblait extrêmement confuse, à lui aussi.

Marie Morgane Cassel jeta un coup d'œil à sa montre.

— Il est presque minuit. Il faut que je rentre à Brest, j'ai un cours demain matin que je dois encore préparer. Cette fois ce sont les fauves, Matisse et ses acolytes.

Dupin se leva et entra dans le restaurant pour régler l'addition.

Quand il en ressortit, l'historienne se tenait au bord du quai et contemplait l'Aven. La marée avait atteint son point le plus haut et la nuit était tombée d'un coup. En un instant, la couleur argentée du fleuve, qui avait scintillé jusqu'à la disparition du dernier petit rayon de lumière, s'était muée en une masse indistincte, noire et profonde. Il n'y avait pas eu de transition. De la rivière à la mer, tout n'était plus que cette obscurité presque palpable, qui avalait tout.

— C'est vraiment un endroit très particulier.

Oui, se dit Dupin. Il collectionnait secrètement les lieux particuliers, ceux dont émanait quelque chose d'inhabituel. Il faisait cela depuis de nombreuses années, déjà. Quand il était enfant, il les avait même compilés dans des listes qui s'étaient allongées au fil des années. Kerdruc en faisait partie, c'était évident. C'était un lieu très spécial.

Quelques minutes plus tard, ils étaient de retour dans le port de Pont-Aven et Dupin garait sa voiture à côté de celle de la jeune femme. Cette dernière semblait soudain épuisée et ils prirent congé sans tarder. Dupin attendit qu'elle ait fait demi-tour et qu'elle ait remonté la rue du Port à une vitesse impressionnante avant de rentrer dans l'hôtel.

Labat ne l'avait pas appelé, ce qui signifiait qu'André Pennec n'était pas encore de retour. Il s'en doutait. Cela correspondait exactement à l'impression que Pennec lui avait faite. Indépendamment de l'interrogatoire du demi-frère de la victime, il lui restait beaucoup de travail à abattre. Tout d'abord, il avait intérêt à informer personnellement le préfet de la publication de l'article dans *Le Figaro*. Il ne s'imaginait que trop bien le tour houleux que leur conversation ne manquerait pas de prendre. « Comment est-il possible que n'importe quel journaliste en sache davantage sur l'enquête que moi ? Qu'est-ce que c'est que cette manière de procéder ? Alors comme ça, la police s'adresse directement aux médias, maintenant ? » Cette affaire autour de Gauguin prenait des proportions énormes. Depuis le début, il avait omis d'informer régulièrement le préfet de l'avancement de son enquête. L'éternelle procédure. C'était toujours la même rengaine. Il s'aperçut cependant avec soulagement que, au fond, tout cela lui était indifférent. Tout lui était égal, d'ailleurs : il était à bout de force. Il n'en pouvait plus.

Posté à l'entrée de l'hôtel, Labat scrutait la nuit d'un œil sombre.

— Monsieur Pennec n'est toujours pas là. Il se fiche complètement de ce que nous avions convenu.

— On s'en occupera demain, Labat. Il est temps d'aller nous coucher. Cela vaut pour tout le monde.

— Pardon ?

— Vous avez bien entendu : allez vous coucher. On verra ça demain, Labat. Bonne nuit.

Labat sembla vouloir tenter une dernière protestation mais il y renonça, sans doute tout aussi submergé par la fatigue que son chef. Il disparut du côté de la réception et Dupin lui emboîta le pas.

— Au fait, connaissez-vous l'existence d'une petite pièce, en haut, à côté de la chambre de Pennec ? Apparemment, il y conservait ses archives photographiques et aussi quelques tableaux.

— Oui, bien sûr.

Dupin réfléchit.

— Non… non, on verra ça demain. C'est fini pour ce soir.

Cette fois, Labat sembla carrément soulagé.

— J'y vais, commissaire. C'est Montner qui va s'occuper de monter la garde, cette nuit.

— Montner ?

— Oui, c'est un confrère d'ici, de Pont-Aven. Un collègue de Bonnec et d'Arzhvaelig.

— Très bien.

— Bonne nuit.

Ils quittèrent tous deux l'hôtel et partirent chacun dans une direction.

Peu avant minuit et demi, Dupin gara sa voiture dans l'une des ruelles proches de son appartement. Le grand parking était déjà interdit au public à cause du festival des Filets Bleus, qui commençait dès le lendemain. Au bout de la rue, la maison dans laquelle il résidait se trouvait juste là, sur la gauche. Il resta quelques instants face à l'imposante muraille qui encerclait toute la ville close, et laissa son regard se perdre dans la noirceur infinie de l'Atlantique. On ne pouvait voir la mer, bien entendu, mais, même invisible, elle était présente. A l'ouest brillait le phare de l'île aux Moutons, non loin de l'archipel des Glénan : un faisceau qui perçait le ciel, précis et puissant, à la fois rapide et régulier.

Un quart d'heure plus tard, il dormait.

LE QUATRIÈME JOUR

Dupin commanda un troisième petit café. Ecrasé de fatigue, il ne ressentait toujours pas l'effet des deux premiers. Il était sur pied depuis une heure, déjà, et sa montre n'indiquait que sept heures et quart. La brise fraîche du matin qui l'avait accompagné sur le chemin de l'Amiral n'y avait rien fait non plus. Réveillé à trois heures et demie, il n'avait pas retrouvé le sommeil. Une sensation de malaise diffus ne l'avait pas quitté et il ne cessait de se repasser mentalement les entretiens de la veille. Quelque chose lui avait échappé, c'était évident. Pendant un instant, il lui avait semblé appréhender enfin la vérité, mais il s'était laissé distraire et avait de nouveau perdu le fil. Il détestait quand cela lui arrivait.

A sa lassitude s'ajoutait une bonne dose de mauvaise humeur. *Le Figaro* avait publié l'histoire. Le journaliste n'avait pas fait les choses à moitié : la page de titre clamait « Une découverte sensationnelle : un Gauguin inconnu sorti de nulle part ! » et renchérissait avec le sous-titre : « Pendant plus d'un siècle, le tableau est resté accroché au mur d'un restaurant sans être remarqué. » L'histoire était ensuite résumée en quelques lignes suivies d'une invitation à consulter la page trois. La moitié de celle-ci était consacrée à l'interview de Charles Sauré, illustrée d'un portrait du conservateur, l'autre moitié au récit détaillé de sa découverte. Une grande reproduction du tableau complétait l'ensemble.

L'accent que Sauré avait mis sur certains points de son récit était intéressant. Bien entendu, le mérite de cette découverte fabuleuse lui revenait entièrement. Un petit hôtelier de province – la phrase n'était pas exprimée en ces termes, mais c'était bien ce qu'on lisait entre les lignes – l'avait laissé accroché là pendant toutes ces années sans avoir la moindre idée de l'importance de l'œuvre, l'exposant de manière quasi criminelle aux aléas du climat et de mille détériorations possibles. Il allait de soi que cette peinture était sans doute « le tableau le plus représentatif de l'œuvre de Gauguin, d'une part, mais aussi une pièce fondatrice de l'histoire de la peinture moderne dans son ensemble ».

Tout, dans cet article, était abject. Sauré racontait qu'il avait découvert le tableau dans le restaurant et il avait même le culot d'avancer qu'il avait « probablement » joué un rôle dans le meurtre de l'hôtelier, le propriétaire du chef-d'œuvre. Si l'auteur de l'article avait retranscrit ses propos, il avait néanmoins eu la décence de ne pas s'attarder dessus. « Une enquête policière est en cours », se contentait-il de préciser de manière laconique. Ils échappaient ainsi aux détails et autres spéculations morbides sur ce point de l'affaire – le décès de Loïc Pennec, deuxième victime probable du même meurtrier, n'était pas même mentionné.

L'histoire était désormais officielle. En arrivant à l'Amiral, Dupin avait bien remarqué que les conversations allaient bon train, mais il était si fatigué qu'il n'avait pas prêté attention à leurs chuchotements animés. Lily Basset avait lu la presse, bien évidemment, mais elle s'était contentée de lui servir un premier café en commentant l'information d'un bref « Quelle histoire ! », avant de l'encourager d'un simple : « Ne vous faites pas de soucis, ça va se calmer. »

Sauré s'attardait longuement, en revanche, sur les conditions de la donation. « Au cours de nos conversations, monsieur Pennec a exprimé le noble dessein de rendre ce chef-d'œuvre accessible au grand public en l'offrant au musée d'Orsay. Un geste généreux, qui était aussi son plus grand souhait. » Il insistait tout particulièrement sur ce point dans des périphrases habilement disséminées tout au long de l'interview, et le journaliste renchérissait en s'attardant également sur cette donation. Dans un premier temps, Dupin n'avait pas bien saisi le but de la manœuvre. Puis, enfin, il avait compris. Sauré était malin : il espérait de toute évidence que le décès de Pierre-Louis Pennec ne changerait rien à l'accomplissement du vœu du défunt. Malgré les nouvelles circonstances, certes dramatiques, il fallait à tout prix que la donation se fasse. Cet article lui permettait d'exercer une subtile pression sur les héritiers, quelle que soit la nouvelle donne. Faute de connaître l'identité des légataires du tableau, et sans même savoir si Pierre-Louis Pennec avait eu le temps d'inclure la donation dans son testament, il assurait ainsi ses arrières. Il ne lui restait pas d'autre choix. Si la donation ne se faisait pas, il serait parfaitement ridicule. Dupin ne put s'empêcher de sourire. Enfin une perspective réjouissante en cette matinée morose. D'après ce qu'il avait pu percevoir de la personnalité de Catherine Pennec, cette dernière ne se laisserait certainement pas influencer par qui que ce soit. La situation était pour le moins absurde et elle avait de fortes chances de le rester, mais cela, Sauré ne pouvait le savoir. Pour le moment, l'œuvre originale était inexistante. Tout ce qu'on avait, c'étaient deux reproductions, si réussies soient-elles. Sauré ne semblait pas être au courant du vol du tableau.

Ouest-France en revanche relatait le décès de Loïc Pennec en des termes plutôt convenus. La disparition du fils Pennec ne semblait pas intéresser grand monde, d'ailleurs, se dit Dupin. Le journaliste ne s'était même pas donné la peine d'avancer des hypothèses et se contentait de constater le meurtre, « deux jours seulement après celui de son père ». Il ajoutait que l'enquête policière était en cours et consentait tout de même à dire que c'était « une tragédie immense et mystérieuse qui, en l'espace de quelques jours, frappait coup sur coup cette ancienne famille bretonne ». Curieusement, il s'interdisait toute supposition concernant un lien possible entre les deux meurtres. Manifestement, il avait peur de s'avancer et préférait attendre des nouvelles un peu plus fiables avant de s'exprimer sur la question. Dupin ne connaissait pas ce rédacteur, sans doute une nouvelle recrue. La rédaction de *Ouest-France* à Concarneau siégeait dans une vieille maison de pêcheurs qui penchait dangereusement à force d'affronter les tempêtes, à quelque cent mètres à peine de l'Amiral. Le commissaire en connaissait toute l'équipe, certains étaient presque des amis.

Voilà donc l'état de l'information. Dupin allait devoir s'y intéresser au cours des jours à venir, chacun allait immanquablement avoir lu l'un ou l'autre de ces articles. Il avait prudemment programmé son téléphone portable sur « muet » et s'aperçut qu'il avait été bien inspiré. Six appels en l'espace d'une heure. Il n'avait aucune envie de connaître leur provenance. Il s'en doutait, de toute façon, et puis son humeur était déjà suffisamment exécrable sans cela. Il était grand temps de se mettre au travail.

Dupin était rentré si fatigué, la veille, qu'il n'avait pas pris la peine de noter mentalement où il avait garé sa voiture. Cela n'avait jamais été son fort. Cette mauvaise habitude l'avait parfois rendu fou quand il habitait Paris. Il lui était arrivé une fois ou deux de chercher sa Citroën pendant plusieurs heures. Il commença par tenter sa chance dans les rues les plus probables pour élargir ensuite son cercle d'investigation. Ce n'est qu'arrivé à la dernière rue qu'il découvrit enfin son véhicule, garé tout près de chez lui. Il était juste parti dans le mauvais sens.

Le pied sur l'accélérateur, le commissaire se mit aussitôt à triturer les touches de son téléphone.

— Le Ber ?

— Patron, le préfet veut absolument vous parler. Il est un peu… agité, dirons-nous. Il a essayé de vous joindre plusieurs fois avant de tenter sa chance chez Labat puis chez Nolwenn.

— Où êtes-vous ?

— A l'hôtel, je viens d'arriver.

— Comment ça s'est passé, avec Beauvois ?

— J'ai connu des moments plus agréables. Ça a duré toute la nuit. Mais ça n'a pas été facile, son avocat est détestable, on a mis un temps fou à obtenir l'accord du juge, c'était moins une.

— Quand pourrons-nous l'interroger ?

— Dès ce matin. Est-ce que vous voulez y aller ?

— Non, je reste ici.

Dupin n'avait qu'une hâte, c'était de comprendre d'où lui venait ce sentiment de malaise, cette nervosité latente qui le poursuivait depuis la veille.

— Allez-y, vous.

Dupin réfléchit un instant.

— Non, attendez, j'ai besoin de vous. Envoyez Labat. Est-ce qu'il est arrivé ?

Labat était intraitable pendant les interrogatoires, et il préférait garder Le Ber auprès de lui.

— Il s'occupe de la petite pièce, à côté de la chambre de Pennec. On l'avait déjà fouillée au cours des derniers jours, mais je suppose que vous cherchez quelque chose en particulier, maintenant, n'est-ce pas ?

— J'aimerais lui parler.

Dupin entendit Le Ber gravir les marches de l'escalier.

— Prenez la suite de Labat dans la petite chambre. Fouillez soigneusement toute la pièce. Il faut surtout que vous interrogiez madame Lajoux, madame Mendu, madame Kann et tous les autres. Je veux savoir si une copie de *La Vision* a été conservée là à un moment ou un autre.

— Je m'en occupe.

— Ensuite, j'aimerais que quelqu'un fouille le musée, en particulier le sous-sol.

— Qu'est-ce qu'on y cherche ?

— Tout ce qui pourrait vous frapper. Qui sait, peut-être que l'original s'y trouve, ou alors d'autres copies. J'aimerais surtout que Salou regarde la reproduction qui se trouve là-bas. Il faut qu'il relève les empreintes digitales. Après tout, Beauvois dit qu'il l'a récupérée dans le restaurant de l'hôtel. S'il dit vrai, c'est le meurtrier qui l'a accrochée là. Ensuite, j'aimerais voir André Pennec dans la salle de restaurant, disons dans… vingt minutes.

— Très bien. Je suis à côté de Labat maintenant, je vous le passe.

— Labat ?

— Oui, j'ai…

— Ecoutez-moi bien : j'aimerais vous confier une mission un peu délicate.

Dupin était certain que cette expression appâterait Labat.

— Rendez-vous tout de suite à Quimper et interrogez Beauvois. Demandez à Le Ber de vous refaire un compte rendu précis de tout ce qui s'est passé hier soir. J'aimerais que vous soyez très offensif avec Beauvois, vous m'entendez ? Je veux savoir tout ce qu'il a fait au cours des derniers jours. Dans les moindres détails. Tout. Je veux qu'il nomme des témoins pour chaque alibi qu'il avance. Insistez. Faites-lui répéter son histoire deux ou trois fois, soyez attentif à tous les détails !

Un bref silence lui répondit à l'autre bout de la ligne.

— Très bien.

— C'est très important, Labat. Vérifiez bien que nous sachions tout, absolument tout ce que Beauvois a à raconter sur cette affaire. Une bonne fois pour toutes.

— Comptez sur moi. Patron, vous devriez passer un coup de fil au préfet Guenneugues le plus vite possible, il m'a déjà appelé deux fois. Il était très énervé d'apprendre l'histoire du tableau par les journaux.

— Un instant, Labat. Ce n'est pas possible, mais qu'est-ce qu'il fabrique ?

— Que voulez-vous dire, commissaire ?

Dupin s'était lancé dans une manœuvre de dépassement quelque peu délicate sur une route qui n'offrait aucune visibilité. Un tracteur, traînant une remorque de fumier, s'était engagé juste devant lui sur la départementale sinueuse qui reliait Trégunc à Névez. Le convoi avançait à moins de trente kilomètres à l'heure et répandait dans son sillage une odeur pestilentielle. Dupin dépassa le tracteur en écrasant l'accélérateur et n'eut que le temps de se ranger pour éviter la voiture qui arrivait en face.

— Labat ?

— Je suis là.

— Il faut qu'on trouve une piste.

— Je pars tout de suite.

— Repassez-moi Le Ber.

Il entendit le téléphone passer de main en main.

— Le Ber ?

— Oui, patron.

— Restez en ligne et allez voir madame Lajoux.

Le Ber ne répondit pas, mais Dupin imagina l'inspecteur dévalant le vieil escalier de bois. Il entendit les craquements et le grincement des marches, trahissant leur siècle et demi d'existence, puis la voix de Le Ber expliquant la situation à madame Lajoux. Le jeune inspecteur mit un moment à se faire comprendre avant de lui confier enfin le combiné.

— Monsieur le commissaire, c'est bien vous à l'appareil ?

— Bonjour, madame. J'espère que vous avez passé une bonne nuit.

— Moi ? Oh, oui, oui. Merci.

— Je n'ai qu'une seule question à vous poser, madame. J'aimerais savoir si vous étiez au courant de l'existence d'une copie du Gauguin ? Est-ce que vous en avez entendu parler ?

— Une copie du tableau ?

— Oui, c'est ça.

— Non. Il n'existait aucune copie.

— Eh bien, il se trouve que nous en avons déjà trouvé deux, madame.

— Deux reproductions de *La Vision* ?

— Je me disais que l'une des deux copies aurait pu être entreposée dans la petite pièce attenante à la chambre de Pierre-Louis Pennec.

— Pierre-Louis ne m'a jamais parlé d'une copie. Cela me semble très invraisemblable qu'il en existe une.

— Non seulement il en existe une, mais il y en a une deuxième.

— Non, non. Il n'y a pas deux copies de *La Vision*.

Dupin se fit la réflexion que ce dialogue aurait été du meilleur effet dans une pièce de théâtre comique. En tout cas, il avait la réponse qu'il cherchait.

— Connaissez-vous les tableaux qui sont entreposés là-haut ?

— Non. Enfin, si. Je sais lesquels, parmi les tableaux qui étaient accrochés dans le restaurant, n'y sont plus depuis les travaux, bien entendu. Et je sais qu'ils ont été conservés dans cette pièce…

Elle marqua un bref silence, comme si elle hésitait, puis elle conclut :

— Après tout, peut-être qu'il y en avait d'autres, depuis le début.

— Mais ceux-là, vous ne les avez jamais vus.

— Non, non, jamais. Je ne peux pas m'occuper de tout !

— C'est tout ce que je voulais savoir.

— Je serais vraiment surprise qu'il existe une copie. Il ne m'en a jamais parlé.

Elle sembla davantage prononcer ces derniers mots pour elle-même que pour Dupin.

— Vous pouvez me repasser l'inspecteur Le Ber, madame, s'il vous plaît ? Merci encore !

— Je vous en prie, monsieur le commissaire.

— Le Ber ?

— Oui.

— Je suis là. Enfin, je viens d'arriver à Pont-Aven, c'est ce que je voulais dire.

De fait, le commissaire venait de dépasser le premier rond-point. Il avait circulé sans plus d'encombre.

— Ah, très bien.

— On commence par André Pennec. Tout de suite.

— Je vais l'avertir.

Le député était vêtu d'un complet sombre taillé sur mesure, manifestement très cher, d'une chemise blanche et d'une cravate rouge ornée de motifs jaunes, parfaitement ridicule. Il s'était confortablement installé sur la banquette du coin où Marie Morgane Cassel s'était assise la veille. Toute sa posture exprimait une attitude de défi. Quand le commissaire entra dans la salle, il releva la tête avec un manque d'entrain ostensiblement exagéré. Son regard méprisant effleura à peine le commissaire.

— Où étiez-vous hier, pendant la journée, la soirée et la nuit ?

Dupin n'attendit pas sa réponse. Il n'avait aucune envie de tempérer sa colère et d'ailleurs, il n'avait aucune raison de le faire.

— J'aimerais une réponse précise, s'il vous plaît, et non des généralités.

Pennec brûlait visiblement de répondre à Dupin sur le même ton agressif et le commissaire s'y attendait. Il opta, cependant, pour une autre stratégie.

— J'ai profité de mon séjour ici, en Bretagne, pour rencontrer quelques collègues du parti. Des membres des commissions nationales les plus diverses, au sein desquelles je représente mon département. Je peux vous faire parvenir une liste de mes interlocuteurs, si cela vous fait plaisir. La réunion a commencé à neuf heures et elle a duré jusqu'à vingt et une heures, presque en continu, déjeuner compris. Le soir, j'ai longuement dîné avec René Brevalaer, le représentant du parti pour l'ensemble de la Bretagne, le leader de l'opposition. Un vieux copain.

— J'aimerais que vous me fassiez parvenir cette liste assez rapidement, oui.

— Nous ne nous sommes pas quittés avant minuit et demi. Nous avons dîné à la Fontaine des Perles. Je vous donnerai l'adresse, aussi. Mais passons maintenant aux choses sérieuses : où en est l'enquête ? On parle de l'un des tableaux les plus chers du monde, tout de même, un Gauguin inconnu à ce jour ! Cette histoire va faire le tour du monde, sans compter deux morts en l'espace de deux jours : est-ce que vous avez enfin un coupable ? Des suspects, peut-être ? Quand les bouclez-vous ?

Pennec savourait l'ironie de ses propos et ne s'en cachait pas.

— Où étiez-vous samedi soir ?

— Je vais me faire un plaisir de répondre à votre question, mais je dois vous avouer que je suis un peu déçu. J'espérais vous voir consacrer votre temps et votre énergie à des choses plus importantes. Mais enfin, c'est votre enquête, après tout. J'étais invité à dîner chez le maire de Quimper. Nous étions une dizaine de convives, et tous m'ont vu tout au long de la soirée. Vous devriez être content. J'y suis resté jusqu'à une heure du matin, environ. Je suppose que Loïc est décédé plus tôt dans la soirée ? Quoi qu'il en soit, je n'aurais pas pu le tuer avant deux heures du matin.

— Je suis très heureux d'apprendre que des gens pourront en témoigner, monsieur Pennec. Et je vous serai tout aussi reconnaissant de bien vouloir nous communiquer un emploi du temps précis de votre séjour en Bretagne depuis le tout premier jour. Vous êtes irréprochable, vraiment. Vous nous aidez considérablement dans notre enquête. Tout serviteur de l'Etat digne de ce nom devrait prendre exemple sur vous.

André Pennec se maîtrisait à la perfection.

— S'agit-il d'un meurtre, d'ailleurs ? Je parle du décès de Loïc Pennec.

— Nous ne sommes pas encore en mesure de le dire.

— Bien entendu, oui. Vous avez conscience cependant que deux membres d'une des plus grandes familles bretonnes sont décédés à deux jours d'intervalle, n'est-ce pas ?

— Je vous remercie pour ce résumé concis de la situation, monsieur Pennec.

— Et cette histoire d'effraction sur le lieu du crime ? J'ai bien remarqué que vous ne vous étiez pas donné la peine de m'en avertir lors de notre dernière entrevue, alors que cela venait tout juste de se produire. Est-ce que vous avez avancé sur ce point, au moins ?

— A l'heure qu'il est, je ne puis malheureusement rien vous révéler du tout.

— Je suppose que le tableau n'a pas été détérioré à cette occasion, sinon vous me l'auriez dit…

André Pennec avait deviné que le tableau était le motif réel de cette entrevue et il avait anticipé la question du commissaire.

— En effet.

Dupin était agacé de n'avoir pas abordé le sujet lui-même.

— Vous êtes-vous bien assuré qu'il s'agissait de l'original ?

— Que voulez-vous dire ?

— Eh bien, ce serait un jeu d'enfant : on remplace l'œuvre par sa reproduction et le tour est joué. Mais je suis sûr que vous avez déjà écarté cette éventualité.

Dupin ne réagit pas.

— Depuis quand connaissez-vous l'existence de ce tableau, monsieur ?

— Mon père m'en avait parlé. Et puis nous étions plutôt proches, à une époque, Pierre-Louis et moi. C'était une histoire de famille, nous en parlions de temps en temps. Rien de plus normal.

— Vous avez donc toujours su que ce Gauguin inconnu existait ?

— Toujours.

— Ce tableau faisait partie de l'héritage de votre père, Charles Pennec, héritage dont il vous a exclu…

— En effet. C'était logique. Le tableau faisait partie intégrante de l'hôtel.

— Vous avez quand même engagé un avocat pour contester ce testament. Cela ne vous était pas si indifférent que cela.

— Où voulez-vous en venir, commissaire ?

— Votre frère aussi vous a rayé de son testament, il y a trente ans déjà. De manière catégorique et irrévocable.

— Je ne vois absolument pas à quoi mène cette discussion.

— Vous n'avez jamais eu le moindre espoir de profiter de cette œuvre, pas même partiellement.

André Pennec ne répondit pas.

— Si vous n'aviez pas été radié du testament de votre demi-frère, vous auriez hérité il y a trois jours de cela d'une somme importante. Plusieurs millions, au bas mot.

— Vous voyez, vous le dites vous-même. Je n'avais rien à gagner à la mort de mon demi-frère. Non seulement j'ai un alibi solide, mais en plus je n'ai aucun mobile.

— Votre déception ou votre colère auraient pu vous donner des idées… Vous auriez pu vouloir obtenir ce tableau par d'autres moyens.

— Et vous pouvez continuer de gaspiller votre temps comme bon vous semble, bien entendu. Après tout, c'est vous le commissaire, l'enquête est entre vos mains. Tout ce que je peux vous dire, c'est que l'impatience croît d'heure en heure. Hier encore, à Rennes, on m'a demandé pourquoi l'enquête ne donnait aucun résultat.

— Je vous remercie. Cette conversation a été très fructueuse, monsieur Pennec. Vous nous avez été d'une grande aide.

Pennec répondit presque du tac au tac. Cet homme était vraiment vif d'esprit.

— Ce fut un plaisir et, comme vous le dites vous-même, c'est un devoir de citoyen. En tant que député, je me fais un devoir d'y répondre.

Dupin se leva. Il en avait assez.

André Pennec ne fit pas un geste.

— Je vous souhaite bonne chance pour votre enquête, commissaire. Vous allez en avoir besoin.

Dupin quitta la salle du petit déjeuner, descendit l'escalier et sortit de l'hôtel. Il avait envie d'air frais, de se dégourdir les jambes. Il n'avançait pas. Il éprouvait une aversion profonde à l'encontre d'André Pennec, lequel ne l'appréciait guère plus. De ce point de vue-là, tout au moins, leurs relations étaient franches. Ce n'était pas lui le coupable. Il n'était pas l'assassin ou, en tout cas, ce n'était pas lui qui s'était chargé de la sale besogne.

Dupin descendit dans la rue du Port, encore déserte à cette heure matinale. Les galeries et autres boutiques n'ouvraient pas avant onze heures et demie. Il se rendit au port, s'immobilisa quelques instants au même endroit que d'habitude, juste au début du quai. Puis il reprit sa marche en longeant la rive ouest de l'Aven et se laissa entraîner bien plus loin qu'au cours des jours précédents.

Ici, tout au bout du port, Pont-Aven ressemblait déjà davantage à Kerdruc ou Port Manech. Les collines qui flanquaient l'Aven étaient moins hautes et s'élevaient graduellement depuis les berges, leurs pentes harmonieuses et fleuries avaient tout d'un jardin botanique. Des palmiers se dressaient à quelques mètres les uns des autres, y compris cette variété aux troncs minces et élancés que Dupin affectionnait tout particulièrement et qui poussait toujours en petits groupes, tendus ensemble vers le ciel. D'énormes buissons de rhododendrons. Des genêts. Des camélias. Cela sentait le matin et la mer, le sol meuble et couvert d'algues qui se découvre à marée basse. Les dernières maisons du village disparaissaient dans la végétation, au fond de leurs jardins aux dimensions généreuses. De véritables villas. La route s'arrêtait ici, le bourg aussi, et seul un sentier continuait. C'est là que la rivière commençait à dessiner ses méandres, à s'élargir brusquement pour se resserrer aussitôt, à former des bras, des cuvettes, de grands bancs de sable. C'était là, surtout, que commençait la forêt, l'épaisse forêt de chênes et de hêtres ponctués de gui, couverts de mousse et de lierre. Le légendaire bois d'Amour avait joué un rôle important pour les artistes de la fin du XIXe siècle, on le reconnaissait sur de nombreuses peintures.

Sans réfléchir, Dupin se laissa entraîner sur le chemin forestier. A chaque croisement, il optait pour le sentier le plus proche de l'eau. Son téléphone portable vibrait de temps à autre, affichant des numéros qu'il ne reconnaissait pas ou qui ne l'inspiraient pas, tel le préfet Guenneugues, à deux reprises.

Dupin avait marché durant près de trois quarts d'heure sans mesurer à quel point il s'éloignait du village. Il n'avait même pas pris conscience de la nature qui l'entourait. Sa réflexion tournait en rond et son humeur s'était encore assombrie. Surtout, au lieu de le réveiller, cette promenade au grand air avait encore accentué sa fatigue et ne lui apportait décidément rien de bon. Ce dont il avait besoin, c'était de caféine. Il aurait mieux fait d'aller dans un bistrot. Tout à coup, cette errance lui sembla parfaitement grotesque. Il était arrivé au point critique d'une enquête épineuse et la seule chose qu'il trouvait à faire, c'était d'aller se balader dans les profondeurs sauvages de la forêt celte.

Le sentier étroit menait tout droit à la berge de la rivière. Dupin s'immobilisa. Il fallait qu'il rentre. A cet endroit, quand la mer était basse, l'Aven se transformait en charmant ruisseau pour suivre son cours vers la mer. Son téléphone se remit à vibrer. Dupin reconnut le numéro de Nolwenn. Cette fois, il décrocha.

— Oui ?

— Où êtes-vous, patron ?

— Je suis dans le bois d'Amour.

— Et qu'est-ce que vous faites ?

— Je réfléchis.

Dupin savait que cela pouvait sembler bizarre – ou plutôt que *c'était* bizarre. Mais il savait aussi que Nolwenn le connaissait bien.

— Vous voulez m'énumérer toutes les personnes qui ont essayé de me joindre et que je dois rappeler dans les plus brefs délais. Vous voulez me dire que tout le monde s'agite ?

— Vous avancez ?

Nolwenn savait que c'était mauvais signe quand son chef ne se manifestait pas spontanément.

— Je ne sais pas. Je ne crois pas.

— Ne désespérez pas, je vais faire de mon mieux pour calmer tout ce petit monde. Et n'oubliez pas, patron, que la Bretagne repose sur de très anciennes et très solides masses telluriques.

Encore un de ces mantras que Nolwenn affectionnait et dont le sens lui restait généralement hermétique, peu importe dans quelle situation elle les prononçait. Quoi qu'il en soit, cependant, elle plut à Dupin.

— Oui, des masses de terre incroyablement solide et puis des blocs de granit, d'énormes blocs de granit.

— C'est exactement ça, commissaire.

Il ne pouvait nier que cette phrase avait sur lui un effet calmant.

— Il faut que j'appelle le préfet, n'est-ce pas ? Il doit être fou furieux. Je ne donne pas cher de ma peau.

— Je pense que vous feriez bien de le rappeler, oui.

— Je vais le faire. J'aimerais seulement…

Dupin ne prononça pas le reste de la phrase. Pendant un instant, il resta comme pétrifié.

— Et merde.

Il se tapa le front et se passa plusieurs fois la main dans les cheveux. Ça y est, ça lui était revenu. Cette inquiétude qui le tarabustait depuis un moment, cette agitation qui l'avait tenu éveillé toute la nuit. Ce qui clochait dans l'histoire, ce qui était forcément faux. Ce qu'il avait gobé sans réfléchir.

— Allô ? Patron, vous êtes encore là ?

— Je vous rappelle tout de suite.

Dupin raccrocha. Voilà, c'était ça. A moins qu'il ne se trompe à nouveau, bien sûr. Les pensées se succédaient à toute allure dans son esprit, les différents éléments s'emboîtaient enfin.

Il était grand temps d'agir.

S'il se dépêchait, il en aurait pour une demi-heure jusqu'à sa voiture, pas davantage. Il se demanda s'il valait mieux que Le Ber vienne le chercher quelque part, mais le seul endroit où celui-ci aurait pu le rejoindre en voiture était à deux pas de son propre véhicule.

Dans un premier temps, il s'agissait de savoir où il devait se rendre. Tout en marchant, il sortit de sa poche son petit calepin. Il savait qu'il l'avait noté quelque part. Il trouva ce qu'il cherchait en marge d'une page couverte de notes griffonnées et fit aussitôt dérouler tous les numéros composés au cours des derniers jours sur le minuscule écran de son téléphone portable. Il n'était pas certain que ce soit bien le numéro de la notaire mais il n'avait pas appelé tant de monde que ça à Pont-Aven. Avec un peu de chance, il tomberait sur elle.

— Madame de Denis ?

— Bonjour, commissaire. J'espère que vous allez bien. J'ai lu *Le Figaro*. L'affaire a pris une tout autre dimension, dites-moi.

— Vous ne croyez pas si bien dire, maître. Et à ce propos, j'aurais besoin d'un renseignement.

— Si je peux vous aider, ce sera avec plaisir.

— Vous m'avez parlé de deux terrains assez grands que possédait Pierre-Louis Pennec et dont il aurait lui-même hérité, si je me souviens bien. Ceux sur lesquels se trouve un hangar ou une grange. J'ai noté qu'il y en avait un au Pouldu et l'autre à Port Manech, c'est bien cela ?

— Exactement, Port Manech et Le Pouldu, c'est ça. Le terrain de Port Manech est plus grand, la grange aussi. Celui du Pouldu semble plutôt être une sorte de hangar, mais je dois vous dire que je n'en ai vu aucun personnellement. Il me les avait brièvement décrits, c'est tout. D'autres terrains figurent également dans le lot, mais ils sont plus petits.

— Pouvez-vous me dire précisément où se trouvent ces deux terrains et plus particulièrement les constructions qui se trouvent dessus ? Est-ce qu'ils ont une adresse ?

— Le testament se contente de nommer les biens. Il les désigne par des numéros de cadastre. Les titres de propriété doivent se trouver dans les papiers. Peut-être que les Pennec – pardonnez-moi, je voulais dire, peut-être que madame Pennec sait où ils se trouvent exactement. Vous pouvez aussi demander à madame Lajoux, ou monsieur Beauvois.

— J'aimerais mieux l'apprendre autrement.

— Hum, dans ce cas, vous pouvez passer par la mairie. Je suis désolée de ne pas pouvoir vous aider davantage.

— Mais vous m'avez été d'une grande aide !

— Très bien, alors j'en suis ravie, commissaire. Vous allez bientôt venir à bout de cette enquête, j'en suis sûre.

Dupin se surprit à sourire.

— Cette fois, cela pourrait bien être vrai, maître. Au revoir !

Il n'avait pas la moindre idée de la distance qu'il avait déjà parcourue dans la forêt. Pas plus à l'aller qu'au retour. Port Manech et Le Pouldu. En voiture, il fallait compter dix minutes pour se rendre à Port Manech et trois quarts d'heure pour Le Pouldu. Il lui fallait absolument les adresses exactes.

— Nolwenn ?

— Vous réfléchissez encore ?

— Il me faut deux informations.

— Eh bien, vous avez fait vite, en fin de compte.

— Quoi donc ?

— Non, rien. J'imagine qu'il vous faut ces informations très rapidement, n'est-ce pas ?

— Exactement. Pierre-Louis Pennec possédait deux terrains assez grands, environ mille mètres carrés, un à Port Manech, l'autre au Pouldu. Tous deux sont dotés d'une sorte de grange, ou de hangar. Il me faut leurs adresses exactes.

— Donc. Un à Port Manech, un au Pouldu.

— C'est ça.

Nolwenn avait raccroché.

C'était maintenant le tour de Marie Morgane Cassel. Il composa son numéro. Cette fois, quelques sonneries retentirent avant qu'elle ne décroche.

— Bonjour, commissaire.

— Eh bien, euh… Oui, c'est moi.

— Où voulez-vous que j'aille, cette fois ?

— Vraiment ? Je veux dire, si vous pouviez, si vos obligations vous permettaient, eh bien, il me semble que vous pourriez de nouveau nous être d'une grande aide. Je crois que nous ne sommes plus très loin du dénouement de cette enquête.

— C'est vrai, vous en êtes au dernier acte ?

— C'est possible. Retrouvons-nous à l'hôtel, je crois que c'est ce qu'il y a de mieux. Oui, ce sera parfait. Si vous pouviez venir à l'hôtel, l'inspecteur Le Ber vous y attendra.

— Je me mets en route.

— Merci. Merci beaucoup.

Il ne manquait plus que Le Ber. Il composa son numéro. L'inspecteur décrocha immédiatement.

— Oui, commissaire ?

— Mademoiselle Cassel est en route depuis Brest, elle sera là dans une heure. Ce serait bien que vous me rejoigniez avec elle – à Port Manech, je pense. Je vous transmettrai l'adresse exacte. Du nouveau chez Labat ? Est-ce que Beauvois a dit quelque chose ?

— Labat a dû arriver à Quimper il y a très peu de temps.

— Très bien, alors on sera entre nous. Quels collègues de Pont-Aven sont avec vous ?

— Bonnec. C'est une pure folie, ici. Tout le monde a lu *Le Figaro*, et ceux qui ne l'ont pas lu en ont entendu parler. Les employés, les clients. La totalité du village, à mon avis. Et tout ce petit monde est convaincu que le tableau est encore accroché dans le restaurant. Les gens nous demandent s'ils peuvent le voir. Qu'est-ce qu'on fait ?

— Rien. On fait notre boulot. Ce n'est pas notre affaire.

— Et qu'est-ce qu'on va faire à Port Manech ?

— Vous allez voir ça dans pas longtemps.

— Très bien. Je me mets en route aussitôt que mademoiselle Cassel sera arrivée, commissaire.

— Dépêchez-vous. Je fonce dès que je suis dans ma voiture.

— Vous êtes où, d'ailleurs, patron ?

— On se voit à Port Manech, Le Ber. A tout de suite.

Pour Dupin, Port Manech était le plus beau village de la côte. C'est dans cet endroit protégé, magique, au milieu d'une crique, que l'Aven et le Belon se jettent dans la mer. Depuis la petite plage, on peut voir les embouchures des deux rivières et l'Atlantique à perte de vue. Une douzaine de palmiers se dressent au milieu du banc de sable fin d'un blanc éblouissant qui mène en pente douce vers la mer turquoise. Un véritable panorama de carte postale. Du côté du Belon, des collines abruptes se dressent à vingt ou trente mètres de hauteur. Recouvertes d'herbe déclinant toutes les nuances de vert, elles ne sont pas sans rappeler certains paysages d'Irlande. Plus hautes que celles de Pont-Aven, elles tombent dans la mer, si bien que les rues du village descendent en pente raide vers la plage et le port. Il y a trois Port Manech : celui d'en haut, sur le plateau, celui des pentes parsemées de magnifiques villas et le troisième, en bas, tout près de l'eau. Dupin avait un faible tout particulier pour le port.

Nolwenn lui avait demandé un laps de temps supplémentaire, l'affaire se révélant plus compliquée qu'elle ne le pensait. Rien n'était encore informatisé, il fallait donc envoyer quelqu'un chercher les renseignements demandés dans de gros registres.

Dupin avait absolument besoin de caféine. En haut de la plage, un peu en retrait, se trouvait un petit café sans prétention qui offrait une vue imprenable sur l'embouchure du Belon. Seules quelques tables avaient été installées sur la terrasse encore déserte. La serveuse, une jeune fille aux cheveux ébouriffés vêtue d'une robe d'un bleu délavé, ne semblait pas encore vraiment réveillée. Il commanda un café et un pain au chocolat. Il venait à peine de poser son téléphone portable devant lui que ce dernier se mit à sonner.

— J'ai les deux adresses. Le Pouldu, c'était facile, en fin de compte, mais Port Manech n'a pas été simple. J'ai dû m'adresser au maire en personne.

— Vous êtes fantastique. Je vous écoute.

Il sortit de sa poche son carnet de notes et son stylo.

— Où êtes-vous ?

— Je suis déjà à Port Manech. En bas, sur la plage.

— Formidable. Ecoutez-moi bien. Vous allez suivre la route qui longe la plage, la corniche du Pouldon, puis vous continuerez sur la route très pentue qui monte sur la gauche de la colline, comme pour sortir du village.

— Oui.

— Vous la suivez sur environ trois cents mètres, et juste avant qu'elle ne tourne à gauche de manière assez abrupte, vous verrez un chemin – pas une route asphaltée, un vrai chemin qui part sur la droite.

— OK.

— A gauche, vous apercevrez une villa. Il y a un groupe de grands pins à cet endroit, vous verrez. Vous suivez ce chemin sur plus ou moins deux cents mètres – vous vous dirigez vers l'Aven, en fin de compte. Là, vous allez voir un autre chemin partir sur votre gauche, parallèle à l'Aven, qui redescend un peu de la colline. Vous l'empruntez.

— Comment pouvez-vous connaître tous ces détails, Nolwenn ?

— J'ai sous les yeux la copie du cadastre que m'a faxée la mairie – et puis j'ai Google Maps, bien sûr. Une fois arrivé là, vous vous dirigerez droit sur le hangar, il sera environ à trois cents mètres, pile devant vous.

Dupin avait soigneusement noté tout ce que Nolwenn lui avait dit.

— Je vais trouver. Merci.

— La *nouvelle* Citroën est dotée d'un système de navigation très perfectionné, vous savez.

— Je sais.

C'était le sujet de conversation préféré de Nolwenn et dans le fond, elle avait raison. Un tel système lui serait d'un grand secours dans ce genre de situation. Il allait y songer sérieusement. Il avala son café d'un trait, se leva, prit son pain au chocolat, déposa quelques pièces sur la table et se dirigea vers sa voiture.

La description de Nolwenn était exacte, au mètre près. Cinq minutes plus tard, il s'engageait sur le dernier chemin, rien de plus en vérité qu'une piste de terre entre deux champs. Il coupa le moteur et parcourut lentement le dernier tronçon qui le séparait du hangar. Ici aussi, le paysage était magnifique. Les collines aux pentes douces, les champs, les prés, quelques bois. On les reconnaissait tout de suite, les paysages de Gauguin, de Laval, de Bernard. On y vivait. Très peu de choses avaient changé ici au cours des cent dernières années. C'est extraordinaire, se dit Dupin, à quel point ces peintures peuvent sembler réalistes quand on se tient ici. Elles sont plus vraies que n'importe quelle photographie.

A sa grande surprise, le hangar n'en était pas un. C'était une grange ancienne de belle apparence. Dupin s'était attendu à autre chose, une construction un peu plus petite. Les murs en pierre faisaient bien quinze mètres de longueur, mais ils étaient en mauvais état. Le toit en ardoise naturelle entièrement recouvert de mousse se creusait dangereusement en son milieu.

La façade aveugle donnant sur l'Aven s'ouvrait par une énorme porte de bois cintrée. Dupin n'eut aucun mal à l'ouvrir, elle céda à la première poussée, comme si elle avait servi peu de temps auparavant. Un espace immense, imposant, bien plus grand qu'il n'y paraissait depuis l'extérieur, s'ouvrit à lui. Le sol était fait de terre battue. Il entra. Une ouverture dans la toiture, qu'il n'avait pas remarquée, dispensait un mince filet de lumière. Tout était silencieux. Il régnait une odeur de renfermé. Dupin sursauta quand la sonnerie de son téléphone rompit le silence.

— Oui, Le Ber ?

— Mademoiselle Cassel est arrivée à l'hôtel. Où devons-nous aller ? Ah, et puis Labat aimerait vous dire quelque chose au sujet de Beauvois. J'ai déjà parlé avec Salou, il était furieux de ne pas avoir été mis au courant de l'avancement de l'enquête et d'avoir tout appris des journaux…

— Je vous rappelle.

Dupin raccrocha. Ce n'était pas le moment. Il attendit que ses yeux se soient habitués à l'obscurité puis arpenta deux fois la pièce de long en large. La grange était complètement vide. De toute évidence, aucun objet n'y avait été entreposé depuis de longues années. Le sol ne trahissait aucune trace récente.

Dupin était sûr de son pressentiment, pourtant, et voilà qu'il s'était trompé, tout au moins en ce qui concernait sa première intuition. Mais peut-être s'était-il aussi trompé sur toute la ligne.

Il regagna la porte, sortit de la grange et en fit le tour. Là non plus, il ne remarqua rien d'inhabituel. Pas le moindre détail susceptible de retenir son attention. Il referma la porte et extirpa son téléphone de sa poche.

— Le Ber, on va se retrouver au Pouldu plutôt qu'à Port Manech. Juste à l'entrée du village. Je suppose que vous y serez avant moi.

— Au panneau d'entrée du village ?

— Exactement.

— Quand ?

Dupin devait d'abord rejoindre Pont-Aven par les petites routes puis traverser le village, passer de l'autre côté de l'Aven et se frayer un chemin à travers les rues animées de Riec-sur-Belon, contourner le Belon puis prendre la direction de l'ouest, de nouveau vers la mer. Il lui faudrait une heure.

— Je pars tout de suite, j'y serai d'ici une demi-heure.

Il était midi et quart quand Dupin arriva au Pouldu. Il avait réussi à parcourir le trajet en vingt-sept minutes et avait tout de suite repéré la Renault rouge vif de Le Ber garée juste à côté du panneau d'entrée du village – si près, d'ailleurs, qu'il s'en fallait de peu qu'il ne l'ait renversé. La pancarte annonçait « Le Pouldu » et, juste au-dessous, la version celte du même nom, *Poull du*, la « mer noire ». S'ajoutait à cela, en lettres épaisses, l'inscription : « Chemin des peintres ». C'était là le slogan marketing sur lequel plusieurs agences avaient bûché pendant plus d'un an et demi, dans le cadre d'un concours destiné à attirer l'attention du public sur l'héritage culturel et artistique de la Bretagne. Comme d'innombrables artistes avaient résidé aux quatre coins de la région, ce panneau était planté à presque tous les coins de rue.

Nolwenn lui avait fait une description tout aussi précise du trajet vers la grange du Pouldu que pour celle de Port Manech, mais, étant au volant, il n'avait pas pu prendre de notes. Il ralentit en dépassant Le Ber et lui adressa un signe de tête. Mademoiselle Cassel était assise sur le siège passager. Le Ber mit aussitôt son moteur en marche et entreprit de suivre Dupin le plus près possible.

Il prit à droite au premier carrefour après l'entrée du village et suivit la direction de la fameuse « buvette de la Plage » affichée un peu partout et qui accueillait depuis peu un musée. Gauguin avait vécu et travaillé ici durant quelques mois, accompagné de ses amis Meyer de Haan, Sérusier et Filiger. La maison avait également appartenu à Marie-Jeanne Pennec qui s'en était cependant défaite une fois que les artistes eurent déserté la région les uns après les autres.

Dupin roula jusqu'à la fameuse « buvette », observant à la lettre les instructions de Nolwenn, puis emprunta la route qui serpentait, parallèle à la mer. Au premier carrefour, il s'engagea sur un chemin de terre qui partait sur la droite, toujours suivi de près par Le

Ber. Les deux véhicules s'avancèrent très lentement sur une piste au relief irrégulier. Au détour d'un petit bois, le chemin tournait brusquement vers la droite, et d'un seul coup la grange se dressa là, devant eux, en plein milieu, comme sortie de nulle part. Elle ressemblait à une simple cabane avec ses dimensions modestes, ses murs de bois abîmés par les intempéries et son affreux toit de tôle ondulée. Dupin s'avança au plus près avant de couper le moteur, puis il descendit de sa voiture et se dirigea vers celle de Le Ber.

— Bonjour, mademoiselle. Je vous remercie vraiment d'avoir bien voulu nous…

— Ici ? Vous croyez vraiment que le Gauguin se trouve ici ? Un tableau d'une valeur de quarante millions d'euros, dans cette bicoque en ruine ?

Elle était très agitée.

— Si nous trouvons le tableau, vous pourrez me donner une première estimation de son authenticité, ce serait vraiment très important pour nous… Et puis, vous…

— Personne ne conserve un tableau de cette valeur dans un lieu pareil.

— Elle peut servir de cachette temporaire, tout de même.

— Comment avez-vous eu l'idée de venir le chercher ici ? Je veux dire, pourquoi cet endroit précisément ?

Dupin se sentit soudain un peu ridicule. Il avait mobilisé tout le monde en s'appuyant sur une simple intuition.

— C'est une longue histoire.

— Allons fouiller cette cabane, commissaire.

Le Ber s'était laissé gagner par l'excitation de son patron.

Curieusement, la porte d'entrée se trouvait de l'autre côté de la cabane, qu'ils contournèrent donc d'un pas rapide. Elle était verrouillée par un gros cadenas qui ne semblait pas particulièrement neuf, ni particulièrement ancien. La petite fenêtre qui jouxtait la porte était occultée par un film opaque. Avant même que Dupin dise quoi que ce soit, Le Ber fouilla dans sa poche et en sortit un morceau de fil de fer. Dupin oubliait toujours le sens pratique et l'habileté presque magique de son inspecteur. Marie Morgane Cassel ne cacha pas non plus son admiration. En l'espace de trente secondes tout au plus, le verrou était ouvert.

— J'y vais. Le Ber, vous restez ici avec mademoiselle Cassel.

La porte basse et étroite racla le sol irrégulier et ne tarda pas à se bloquer. Dupin eut toutes les peines du monde à l'entrouvrir. Il faisait complètement noir à l'intérieur, la seule lumière provenait de l'entrebâillement de la porte, mais cela n'allait pas loin.

— Je vais vous chercher une lampe de poche.

Le Ber marchait déjà vers sa voiture. Depuis la porte, Dupin et Marie Morgane Cassel essayèrent de distinguer les objets les plus proches d'eux. La cabane semblait pleine comme un œuf, des jerricans vides s'amoncelaient près de l'entrée, on apercevait également des outils agricoles, deux gros tonneaux, une vieille baignoire. Un instant plus tard, Le Ber revint auprès d'eux avec une énorme lampe de poche.

— C'est une Led Lenser X21.

A ces mots, une flamme traversa les yeux de l'inspecteur mais Dupin se contenta de hausser les épaules et d'allumer la lampe. Il se glissa avec agilité dans l'entrebâillement de la porte et commença à inspecter l'intérieur de la cabane. Il dut quasiment faire de l'escalade pour en faire le tour, dans une obscurité quasi totale. La lampe de poche jetait sur les objets accumulés un puissant faisceau aux contours clairs. Une vieille charrue, énorme et totalement rouillée, se dressait là et quelqu'un y avait amoncelé, dans un équilibre précaire, tout un stock de chaises cassées. Il manquait un dossier à l'une, un pied à l'autre, l'assise à une troisième. Derrière se cachaient des bidons vides de tailles variées. A chaque mouvement de Dupin, le rayon de lumière dansait follement sur les murs. Le commissaire était impressionné par la quantité d'objets que l'on pouvait entasser dans un espace de cette taille. Son propriétaire avait dû y ajouter des choses au fil des dernières décennies en poussant ou compressant l'ensemble pour y faire encore un peu de place, dans un désordre aussi chaotique qu'artistique.

Cahin-caha, Dupin était parvenu à se frayer un chemin jusqu'au milieu de la pièce et s'était immobilisé là, à regarder autour de lui. Une odeur forte, âcre, remplissait l'air. Une odeur repoussante. Dupin tourna lentement sur ses talons et ausculta méthodiquement les environs avec sa lampe de poche.

— Commissaire ?

Seuls quelques mètres les séparaient, et pourtant la voix de l'inspecteur lui parvint étouffée, presque lointaine.

— Tout va bien, ici.

— Vous avez trouvé quelque chose ?

— Non.

Dupin se ménagea un passage jusqu'au mur opposé. Rien ne laissait supposer que quelqu'un ait déplacé quoi que ce soit ici au cours des derniers jours. La couche de poussière qui recouvrait tout était épaisse comme le doigt.

— Il n'y a rien, ici.

Dupin dut crier pour se faire comprendre. Il revint sur ses pas jusqu'au milieu de l'espace et tenta de rejoindre les différents angles de la cabane depuis ce point – tout au moins autant que cela lui était possible. La personne qui avait caché le tableau ici avait forcément rencontré les mêmes obstacles. Cette théorie ne tenait plus la route.

— Je ressors.

La déception lui ôtait la force de crier. Il franchit les obstacles jusqu'à la porte. Juste avant d'arriver à celle-ci, le rayon de la lampe balaya l'arrière de la vieille baignoire. Une grosse poutre était posée en travers de celle-ci et la coupait presque en deux. Derrière la baignoire, Dupin aperçut une couverture, ou tout au moins ce qui ressemblait à un bout d'étoffe. Un tissu blanc. En mesurant ses gestes, il enjamba la poutre qui s'avançait loin dans la pièce. Cela ressemblait presque à un drap. Un drap tout propre. Il se tenait maintenant juste à côté de la baignoire et se mit à palper précautionneusement l'objet. Sous le drap se cachait quelque chose de mou, et dessous quelque chose de dur, d'anguleux, d'étroit. L'objet était grand. De la main droite, il chercha le bord du tissu pour dévoiler ce qui s'y dissimulait, mais il n'y parvint pas.

— Le Ber ?

— Oui ?

— J'ai besoin de votre aide.

— Vous avez trouvé quelque chose ?

— Venez voir.

Le Ber tenta une nouvelle fois d'ouvrir grand la porte, mais en vain.

— Je vous éclaire, Le Ber. Je ne suis pas loin de l'entrée, mais il faut d'abord que vous vous rendiez au milieu de la pièce avant de revenir vers moi.

Le Ber trouva habilement son chemin jusqu'à Dupin.

— Tenez la lampe, j'aimerais prendre cet objet.

Le Ber éclaira dans sa direction et Dupin souleva précautionneusement l'objet en question. Il avait exactement le format adéquat. Ce ne pouvait être que cela. Un sentiment de calme l'envahit.

— Sortez le premier.

Ils prirent à la queue leu leu le chemin de la sortie. Depuis l'entrée, Marie Morgane Cassel observait leur étrange procession, sa tête se découpait dans l'embrasure de la porte. Ils atteignirent enfin la sortie.

— Glissez-vous dehors, Le Ber, je vous le passerai ensuite.

Quand Dupin ressortit à la lumière, il dut fermer les yeux pendant quelques instants. Le soleil n'était pas loin du zénith, la clarté était éblouissante. Enfin, il ouvrit lentement les paupières. Le Ber avait déposé l'objet enveloppé dans l'herbe, en bordure du chemin. Sans dire un mot, ils s'accroupirent tous les trois. Quand Dupin écarta le drap blanc, une épaisse couverture bleue leur apparut. Dupin l'écarta à son tour en prenant mille précautions. Même dans la lumière éclatante du soleil, l'orange vif était extraordinairement lumineux.

Dupin dégagea la surface du tableau. Il n'avait subi aucun dommage. Tous trois s'abandonnèrent en silence à la contemplation du Gauguin et se laissèrent envahir par sa magie envoûtante. Marie Morgane Cassel s'en libéra la première.

— Il faut le protéger du soleil.

— Est-ce que vous pouvez déjà dire quelque chose, mademoiselle Cassel ?

Dupin savait que la question était idiote, puisque la jeune femme venait tout juste de découvrir l'œuvre.

— Il faudrait d'abord que je l'étudie de plus près, avec mes outils de travail. Je n'en suis pas certaine, mais j'ai bien l'impression qu'il pourrait s'agir de l'original.

Elle semblait comme absente.

— Déposons-le dans mon coffre, il y sera en sécurité et vous pourrez l'étudier plus tranquillement. Quant à vous, Le Ber, faites le tour du bois et postez-vous de manière à avoir une bonne vision sur la route.

Il fit une pause, puis ajouta :

— Et emportez votre arme.

Le Ber le regarda un instant d'un air indécis, aussitôt imité par mademoiselle Cassel.

— Est-ce que je dois appeler du renfort ?

La voix de Le Ber trahissait une sourde inquiétude.

— Non, non. Contentez-vous de sécuriser la route. Surtout, faites en sorte d'être invisible. Suivez-moi, mademoiselle.

Dupin saisit le tableau et le porta précautionneusement jusqu'à sa voiture. Marie Morgane Cassel le devança et ouvrit le coffre pour lui permettre d'y déposer l'œuvre sans difficulté.

— Je vais chercher mon matériel.

Elle se dirigea vers la voiture de Le Ber et prit une grosse sacoche sur la banquette arrière. Puis elle revint vers Dupin.

— J'ai besoin de mon stéréomicroscope.

Elle sortit de son sac un appareil sophistiqué, l'alluma et se pencha sur le coffre de la voiture.

— Cela va prendre un petit moment, et ne vous attendez pas à un avis définitif, je ne pourrai sans doute rien vous donner de plus qu'une première estimation.

— Cela me suffit amplement. Je vous laisse travailler en paix.

Muni de son arme, Le Ber avait marché jusqu'à l'embranchement, derrière le petit bois, avant de s'enfoncer dans les arbres et de disparaître.

Dupin réfléchit. Il retourna à la porte de la grange puis se dirigea vers la mer qui apparaissait ici et là, entre les branchages et les collines. Il s'aperçut seulement à cet instant à quel point il était sale. La quantité de poussière qui s'était accumulée dans cette bicoque était impressionnante. Il allait en porter l'odeur durant toute la journée, c'était inévitable. Il essaya vainement d'épousseter ses vêtements. Il s'était tout juste éloigné de quelques mètres quand il entendit Marie Morgane Cassel l'appeler.

— Commissaire ? Monsieur Dupin, vous êtes là ?

Quelques secondes plus tard il se tenait près d'elle, légèrement hors d'haleine, et la regardait avec impatience. Le visage de la jeune femme n'exprimait aucune émotion. Elle déclara d'un ton très professionnel :

— J'ai attentivement étudié la couche de peinture, à plusieurs endroits différents, ainsi que le trait et la signature. Je ne peux évidemment pas vous l'affirmer de manière catégorique, il me faudrait d'autres instruments pour cela, mais à mon avis nous sommes en présence d'un tableau peint par Gauguin lui-même.

Le visage de la jeune femme se mit soudain à rayonner.

— C'est bien notre tableau.

Le visage de Dupin se fendit d'un grand sourire de soulagement. Ils avaient le tableau.

C'était un bon début. Maintenant, il n'était pas question de se reposer sur ses lauriers. Il n'avait pas de temps à perdre, le plus dur était encore à faire. Quelle que soit la personne qui avait caché le tableau ici, elle savait que c'était l'original et elle était sans doute capable de tuer encore. Il ne faisait aucun doute que cet individu allait revenir chercher le tableau, et Dupin était prêt à parier qu'il n'allait pas vouloir le laisser longtemps dans la grange. C'était un abri un peu trop précaire pour quarante millions d'euros.

— Je serais plus rassuré si vous acceptiez de quitter les lieux, mademoiselle.

Sa voix s'était involontairement chargée d'une note alarmiste qui fit sursauter Marie Morgane Cassel.

— Pardonnez-moi. Ce que je veux dire, c'est que je ne souhaite pas vous mettre dans une situation qui pourrait se révéler dangereuse ou ne serait-ce qu'inconfortable. Le type qui a fait ça n'a pas hésité à tuer, voyez-vous, peut-être même deux fois. L'inspecteur Le Ber va vous ramener.

— Très bien.

— Merci infiniment, mademoiselle. Vous nous avez été d'une très grande aide, cette fois encore. Nous vous sommes très redevables. Sans vous…

— Je vous en prie. Vous devriez charger le musée d'Orsay de faire l'estimation définitive. Vous n'êtes pas obligé de passer par monsieur Sauré pour cela. Vous pouvez très bien vous adresser directement à son supérieur, le conservateur en chef du musée. Quant à moi, je lirai le dénouement de l'histoire dans les journaux.

— Non, non. Je vous donnerai des nouvelles.

— Ce serait formidable, oui. Donnez-moi des nouvelles.

Dupin se sentit soudain embarrassé, sans savoir pourquoi. Mais, surtout, il était inquiet. Il fit quelques pas de côté, sortit son téléphone portable et composa le numéro de Le Ber.

— Le Ber, j'aimerais que vous raccompagniez mademoiselle Cassel à sa voiture qui est garée au Central.

— Est-ce qu'il s'agit bien de notre tableau, patron ?

— Oui.

— C'est incroyable ! Vous avez un vrai Gauguin dans votre coffre… Quarante millions d'euros. C'est fou. Vous croyez que…

La voix de Le Ber était chargée d'incrédulité.

— Nous n'avons pas le temps de nous lancer dans des suppositions pour le moment, Le Ber. Il faut que vous remettiez le cadenas et que vous refermiez la porte. Personne ne doit pouvoir voir que nous sommes passés par là.

— J'arrive tout de suite.

Une minute plus tard, Le Ber les rejoignait, essoufflé.

— On peut y aller.

Soudainement empoté, Dupin serra la main de mademoiselle Cassel et tous deux échangèrent un sourire.

— Au revoir, commissaire.

— Au revoir, mademoiselle.

La jeune femme se retourna, rejoignit le véhicule de Le Ber d'un pas leste et s'y installa. Pendant ce temps, Le Ber s'était rapproché de Dupin et lui demanda à voix basse :

— Est-ce que j'emporte le tableau ? C'est sans doute plus prudent, vous ne croyez pas ?

Dupin réfléchit un instant.

— Oui, prenez-le, Le Ber. Le mieux serait que vous le déposiez directement à l'hôtel, dans un premier temps. Dans le restaurant. Chargez l'un des policiers de Pont-Aven de monter la garde si jamais vous devez vous absenter. Quand tout sera terminé, l'un de vous deux, Labat ou vous-même, devra apporter le tableau au commissariat.

— Et vous, qu'est-ce que vous allez faire, commissaire ?

— Je vais attendre.

— Est-ce que vous voulez que je revienne ici, une fois que j'aurai déposé mademoiselle Cassel ? Avec Labat, peut-être, pour assurer vos arrières ?

— Non, merci. Je vais rester seul.

Dupin savait que cela allait à l'encontre des règles de conduite obligatoires au sein de la police.

— Enfin dans un premier temps, et ensuite on verra. Peut-être qu'on devra définir des tours de garde, qui sait. Quoi qu'il arrive, tenez-vous prêts.

— OK, on se tiendra prêts.

— Ne dites rien à personne au sujet du tableau. Rien de tout ce qui s'est passé, à personne, vous entendez ? J'appelle Labat tout de suite.

— Très bien.

Le Ber se rendit à la voiture de Dupin, empaqueta le tableau dans sa couverture de laine et l'emporta avec mille précautions jusqu'à son propre coffre, où il le déposa avec le plus grand soin. Auparavant, il en avait ôté les objets qui y traînaient habituellement, une trousse de premiers secours, un rouleau de Sopalin et une sacoche remplie de matériel de police, et les avait posés sur la banquette arrière. Il s'installa au volant, démarra, baissa la vitre, se pencha par la fenêtre et adressa un bref signe de tête à Dupin. A sa droite, Marie Morgane

Cassel lança un dernier sourire au commissaire. Puis Le Ber enclencha la marche arrière et ne tarda pas à disparaître lentement derrière le petit bois.

Dupin rejoignit sa voiture, mit le contact et s'engagea à son tour en marche arrière sur le chemin de terre. Personne ne devait voir que des voitures étaient passées par là. Une fois arrivé sur la route, il prit la direction de la mer et se gara sur le parking de fortune aménagé au-dessus de la grande baie. Une centaine de mètres seulement le séparait de la grange, et personne ne remarquerait son véhicule ici.

Il regagna aussi vite que possible son poste près de la bicoque en coupant à travers champs. Il préférait éviter la route. Avant de repartir, il avait pris soin d'attraper son pistolet dans la boîte à gants et de le glisser dans sa ceinture. Il allait se cacher dans le petit bois et attendre.

Il composa le numéro de Labat et s'aperçut par la même occasion que ce dernier avait essayé de le joindre à deux reprises. Il était treize heures trente, l'inspecteur avait sans doute terminé l'interrogatoire de Beauvois.

— Labat ?

— Oui, commissaire.

— Qu'est-ce que Beauvois vous a dit ? Est-ce que nous savons tout, maintenant ?

— Son avocat ne nous a pas facilité la tâche. Manifestement, les deux hommes s'étaient mis d'accord pour en dire le moins possible. Ensuite, Beauvois nous a resservi exactement la même histoire que celle qu'il vous avait racontée, à Le Ber et à vous. Il a tout confirmé jusque dans les moindres détails. Qu'il a peint cette copie il y a plus de trente ans parce qu'il était tellement fasciné par ce tableau qu'il…

— A-t-il des alibis pour les deux soirs en question ?

— Pas d'alibi sûr, non. Le jeudi soir, il serait resté au musée très tard à cause d'une visite guidée pour quelques personnalités politiques locales suivie d'une réunion avec les membres de l'association qui se serait prolongée jusqu'à vingt-deux heures, puis il serait rentré seul chez lui. Le samedi soir, il aurait assisté à une réunion au Pouldu. Un truc du conseil régional, sur des questions culturelles. Apparemment, la rencontre aurait duré jusqu'à vingt-deux heures, là aussi.

— Au Pouldu ?

— Oui. Il semblerait que leurs réunions aient toujours lieu à des endroits différents, selon un ordre préétabli. J'ai fait la liste des activités de Beauvois au cours des derniers jours, est-ce que vous voulez l'entendre ?

— Est-ce qu'il a quitté Pont-Aven pendant ces derniers jours ?

— Non, hormis le soir où il s'est rendu au Pouldu.

— Sinon, rien ?

— Il dit que non.

— Où se trouve-t-il maintenant ?

— Il a quitté nos locaux il y a un quart d'heure. Son avocat a fait en sorte qu'il puisse partir, mais il doit se tenir à notre disposition.

— J'aimerais que vous rejoigniez Le Ber à l'hôtel et que vous vous teniez prêts. Je pourrais bien avoir besoin de vous.

— Où êtes-vous ?

— Au Pouldu.

— Au Pouldu ?

— Oui, dans un petit bois, tout près de la buvette. Nous avons le tableau, Labat.

— Quoi ?

D'excitation, Labat avait crié dans l'écouteur.

— Nous venons de le mettre en sécurité.

— Où ?

— Il était dans une cabane, ici.

— Dans une cabane, le Gauguin ?

— Exactement.

— Et vous êtes sûr qu'il s'agit de la bonne version ?

— Labat, j'aimerais que vous partiez immédiatement rejoindre Le Ber au Central. Il est en train de ramener mademoiselle Cassel à l'hôtel. C'est lui qui a le tableau.

— Mademoiselle Cassel ?

— C'est elle qui a confirmé l'authenticité du tableau.

— Et qu'est-ce que vous allez faire, maintenant ?

— Je vais attendre jusqu'à ce que quelqu'un vienne le chercher dans la grange.

Un long silence s'installa.

— Est-ce que vous savez qui c'est ?

— Je crois, oui. Attendez à l'hôtel avec Le Ber. Mais surtout, ne dites à personne que nous avons mis le vrai tableau en lieu sûr. Personne ne doit l'apprendre.

— Mais…

Dupin raccrocha.

La température dépassait de nouveau les trente degrés, le soleil brûlait la terre, on se serait cru sur la côte méditerranéenne. Pour la Bretagne, cela équivalait à une véritable canicule, on pouvait être certain que les journaux allaient en faire leurs choux gras dès l'édition du lendemain. Dupin voyait d'ici les gros titres rivalisant d'enthousiasme. Le bois dans lequel il s'était caché n'était pas très étendu, cent mètres tout au plus de longueur, un paysage typiquement breton. Autrefois, le commissaire avait toujours associé cette région à d'immenses forêts de hêtres et de chênes. La réalité était tout autre. Si la Bretagne avait autrefois été une seule interminable forêt touffue, le défrichement systématique qui avait sévi depuis le Moyen Age en faisait aujourd'hui l'un des territoires les moins boisés du pays.

L'attente risquait d'être longue, mais il n'avait aucune envie de passer tous les coups de fil urgents qui étaient en attente. Il voulait savoir s'il avait eu raison et clore enfin cette histoire. Le reste ne l'intéressait pas.

Il était maintenant dix-sept heures quinze. Dupin avait patienté plus de quatre heures et il détestait être bloqué sans pouvoir agir. Il avait passé tout son temps à arpenter le bois de long en large. Il lui semblait maintenant connaître par cœur chaque arbre, chaque buisson et chaque fougère des environs. Il avait compté les chênes, les mélèzes, les hêtres et les châtaigniers qui peuplaient ce bois, et en était venu au constat intéressant que les chênes étaient mieux représentés ici que toute autre espèce d'arbres. Puis il avait cherché la fougère la plus haute. L'arbre le plus envahi par le gui. Dupin aimait beaucoup les infusions à base de gui. Il avait appelé Nolwenn à trois reprises, trouvant à chaque fois une raison urgente de lui parler, mais il n'avait jamais réussi à passer plus de dix minutes au téléphone. Nolwenn savait à quel point son supérieur détestait attendre. En quelques mots, il l'avait tenue au courant des derniers progrès de l'enquête, puis elle avait posé quelques questions. Elle avait soigneusement évité d'évoquer le préfet Guenneugues et toutes les autres urgences incontournables mais lui avait rappelé qu'il avait promis de passer un coup de fil à sa sœur. Son téléphone avait bien vibré une dizaine de fois, mais le commissaire s'était contenté de regarder d'où provenaient les appels. Tenaillé par la mauvaise conscience, il avait cependant pris la ligne quand Salou avait tenté de le joindre pour la quatrième fois depuis le matin. Après tout, peut-être l'équipe technique avait-elle du nouveau. Le scientifique n'avait pas décoléré, affirmant que le comportement de Dupin n'était ni plus ni moins qu'un boycott de son travail. Trop occupé par sa mission, Dupin ne s'était pas laissé impressionner et n'avait pas davantage ressenti le besoin d'informer Salou de ses dernières découvertes. A la fin de leur conversation, Salou lui avait, du bout des lèvres, résumé les résultats peu concluants de l'analyse de la copie trouvée dans le musée ainsi que les conclusions « officielles » des relevés effectués sur la falaise :

— Des indices incertains laissent conclure à la présence d'une seconde personne, mais sans preuve concrète et fiable. En somme, rien de nouveau.

Dupin avait faim et, surtout, soif. Il conservait bien une bouteille de Volvic dans la voiture, mais cela ne servait à rien car il ne pouvait en aucun cas s'éloigner. Il aurait dû demander à Le Ber de revenir. Faute de mieux, il allait devoir se distraire. Peut-être que ce n'était pas une si mauvaise idée d'appeler sa sœur, après tout.

Il reprit son téléphone.

— Lou ?

— C'est toi ?

— Oui.

— Alors, tu as coincé le coupable ?

— Quoi ?

Lou se mit à rire.

— Nolwenn m'a dit que tu avais appelé, avant-hier. Comment ça va ?

— Tu es en train d'attendre quelqu'un quelque part, j'ai raison ?

— Je…

— Tu appelles toujours quand tu es en train d'attendre.

Elle avait raison mais elle ne semblait pas en colère.

— Moi, je suis assise sur un toit à Quirbajou. Nous avons presque terminé. Il fait quarante degrés. La maison est dingue, tu devrais voir ça. Sinon, tout va plutôt bien, j'ai pas mal de boulot, mais que des beaux projets.

Sa sœur s'était installée dans les Pyrénées avec Marc, sept ans plus tôt. Un village minuscule au milieu des vignes et des oliviers, dominé par un château cathare et deux importantes carrières, pas loin de Perpignan. De trois ans sa cadette, elle était architecte et menuisière, et construisait des bâtisses extraordinaires, entièrement réalisées en bois – des maisons à basse consommation d'énergie. Dupin adorait sa sœur, quand bien même ils se voyaient rarement et se parlaient peu.

— Oui, je suis en pleine enquête. Et tu as raison : je suis en train d'attendre quelqu'un.

— Une affaire compliquée ?

— Oui.

Visiblement, la nouvelle ne lui était pas encore parvenue.

— Deux morts et un vrai Gauguin.

— Un vrai Gauguin ?

— Oui, un tableau inconnu jusqu'à ce jour, sans doute l'œuvre la plus importante de toute sa carrière. Lis *Le Figaro*.

— Sûrement pas ! s'exclama-t-elle en riant. En tout cas, ça a l'air passionnant. Maman va être ravie.

Leur mère tenait un commerce d'antiquités et nourrissait par ailleurs une passion pour les arts. Dupin s'étonna, d'ailleurs, qu'elle n'ait pas encore appelé. Cette enquête allait lui plaire, c'était certain.

— Tu n'avais pas l'intention d'aller à Paris lui rendre visite, la semaine prochaine ?

Anna Dupin ne se déplaçait jamais en province. Si ses enfants voulaient la voir, il fallait qu'ils se rendent dans la capitale.

— Je ne suis pas sûr de pouvoir partir d'ici, malheureusement. Je vais voir ce que je peux faire.

Dupin n'avait pas très envie d'y aller. Ce week-end coïncidait avec l'anniversaire d'une tante qu'il ne supportait pas. C'était l'une des trois sœurs de sa mère, une Parisienne arrogante et snob, de la pire sorte, qui ne manquerait pas de lui faire sentir pendant toute la soirée qu'il avait mieux à faire que de végéter en province.

— Prends ton enquête comme prétexte, alors. Tu la connais : elle serait trop contente de te faire des reproches.

— Je vais essayer, oui. Comment va Marc ?

— Très bien. Il est à Toulouse pour un congrès d'ingénieurs.

— C'est toi qui as construit la maison ?

— Celle sur laquelle je suis assise en ce moment ? Oui.

— J'aimerais bien la voir.

— Je vais t'envoyer des photos. Et toi, comment ça va, à part l'enquête ?

— Bah, pas mal. Je ne sais pas…

Lou avait l'art de poser des questions compliquées.

— Tu ne le sais jamais.

— Parfois, si. Quand même…

— T'es toujours amoureux ? Adèle, c'est bien ça ?

— Non.

Décidément, cela faisait vraiment un bout de temps qu'ils ne s'étaient pas parlé.

— Dommage, j'avais l'impression que c'était bien parti. Il y a quelqu'un d'autre ?

— Pas vraiment, non.

Lou était convaincue qu'il aimait encore Claire, elle le lui avait déjà dit à plusieurs reprises. Selon elle, c'était la raison pour laquelle il perdait si vite son intérêt pour d'autres femmes. Lou le connaissait bien.

— Si, si. Enfin je n'en sais rien, je ne suis pas sûr.

— Qu'est-ce que ça veut dire ?

— Je ne sais pas. Je… Attends un instant, Lou.

Dupin entendait quelque chose. Un bruit de moteur.

— Lou, je crois qu'il faut que je…

— Rappelle-moi plus tard !

— OK, je le ferai.

Il l'entendait très distinctement, maintenant. Une voiture remontait le chemin qui menait à la cabane. Dupin s'enfonça plus profondément dans le petit bois. Il fallait à tout prix qu'il reste invisible. Le véhicule tourna brusquement et freina d'un coup. Une portière s'ouvrit et se referma aussitôt en claquant. Dupin patienta encore quelques instants, puis il sortit son arme et s'avança très lentement entre les branches, jusqu'à la grange. Enfin, il discerna la voiture entre les branchages. Elle était sombre. Il hâta le pas, puis sortit du bois.

Une grosse limousine noire stationnait juste devant la cabane, son pare-chocs touchait presque le bois de la cloison.

— André Pennec, murmura Dupin stupéfait.

Une heure et demie plus tard, Labat se rendit pour la seconde fois à Quimper. Cette fois, c'était André Pennec qui occupait la banquette arrière de son véhicule en compagnie de Bonnec. Labat l'emmenait à Quimper. La scène qui s'était déroulée près de la grange n'avait pas été agréable, mais au moins elle n'avait pas duré longtemps.

Dupin quant à lui se tenait devant la villa sombre et laide qu'il commençait à connaître. Le Ber ne tarderait pas à arriver et patienterait dans sa voiture, juste devant la maison.

Il sonna, deux coups brefs.

— Bonsoir, madame. J'aimerais échanger quelques mots avec vous.

L'espace d'un instant, le regard de Catherine Pennec exprima la plus franche aversion. Puis, sans transition, il se teinta d'une profonde résignation. Elle portait la même robe noire au col montant que la veille. Elle ne répondit pas. Sans montrer la moindre émotion, elle fit volte-face et se dirigea lentement vers le salon.

Dupin entra. Il n'était pas d'humeur à s'adonner à de petits jeux de pouvoir.

— Nous avons retrouvé le tableau, madame. Il est en sécurité.

Le commissaire fit une courte pause.

— André Pennec nous a tout raconté.

Catherine Pennec ne manifesta aucune réaction et poursuivit son chemin sans paraître avoir entendu. Une fois arrivée dans le salon, elle s'immobilisa brusquement.

Dupin l'avait suivie.

— André ? Alors comme ça, il vous a tout raconté ? Non, oh non ! Il ne vous a pas tout raconté. Il ne vous a rien dit du tout.

Elle prit place dans le grand canapé de style baroque. Elle resta un instant parfaitement immobile, puis laissa échapper un bref éclat de rire, aigu mais faible, comme étouffé.

— Qu'est-ce qu'il sait, d'ailleurs ? Et vous, qu'est-ce que vous savez ? Il ne sait absolument rien. Et vous n'en savez pas davantage. Rien, il ne vous a rien raconté.

— Eh bien… A vous l'honneur, dans ce cas.

Dupin était resté debout à côté de la grande cheminée, à trois ou quatre mètres de la veuve. Cette dernière fixait le sol d'un regard vide et semblait littéralement enfouie dans ses pensées. Dupin attendit longtemps.

— Vous n'êtes pas obligée de parler, madame. Vous avez le droit de vous taire.

Un nouveau silence s'installa.

— L'inspecteur Le Ber va vous conduire à nos bureaux de Quimper. Vous pourrez vous entretenir avec votre avocat une fois arrivée là-bas. Suivez-moi.

Le commissaire fit volte-face et se dirigea vers le couloir. Finalement, c'était presque mieux comme cela.

Dans un premier temps, il ne fut pas certain d'avoir entendu quelque chose. Catherine Pennec s'exprimait d'une voix basse, beaucoup plus grave que d'ordinaire, creuse et profonde. Une voix de machine. Elle chuchotait presque.

— C'était un perdant. Un véritable bon à rien. Il n'a jamais rien su faire de sa vie. Il était trop mou, il n'avait aucune ambition, aucune volonté.

Dupin se retourna doucement et resta debout à l'endroit où il était.

— Il n'a fait preuve de courage qu'une fois dans sa vie, une seule et unique fois. Il n'avait pas prévu de réagir comme cela, mais à ce moment-là il a osé s'opposer à son père. Son père l'a détruit, cet homme a détruit son propre fils. Il lui a toujours fait comprendre qu'il le considérait comme un faible, qu'il ne valait rien, qu'il n'était pas un vrai Pennec. C'est devenu encore pire après la mort de sa mère. Et ces menaces incessantes ! Mais, un jour, Loïc a osé se défendre. Il le fallait. Oui, il n'a pas eu le choix. Un jour, il a trouvé la force de se défendre. C'était cette nuit-là.

Elle s'interrompit et sembla secouer imperceptiblement la tête.

— N'est-ce pas amusant ? Ce couteau était un cadeau de son père, quand il était encore tout jeune homme. Son laguiole… Il l'adorait.

Pendant un moment, un sourire spectral s'afficha sur son visage, puis ses traits retrouvèrent leur rigidité cireuse.

— Cela fait si longtemps, déjà, que nous attendons de vivre notre vie. Nous avons patienté, patienté, pendant des années, des décennies – il ne voulait pas mourir. Nous n'avons fait qu'attendre. Tout nous revenait de droit : l'hôtel, le tableau… Ce tableau aurait tout rendu possible. Une autre vie.

Catherine Pennec releva la tête et planta quelques instants son regard dans celui du commissaire. Elle semblait parfaitement maîtresse d'elle-même.

— Est-ce qu'André Pennec vous a raconté tout cela ? Oui ? La voilà, la vérité. Mon beau-père était incroyablement buté. Un vieillard épouvantable. Qu'est-ce que lui apportait ce tableau ? Il était accroché là, et personne ne pouvait en profiter. Pierre-Louis n'avait sans doute que quelques jours à vivre. Si nous l'avions su ! Quelques jours seulement ! Nous étions persuadés qu'il avait déjà fait modifier son testament.

Catherine parlait comme si elle voulait construire une argumentation logique, systématique et surtout dépourvue de toute émotivité. Ses yeux étaient de nouveau rivés au sol.

— Nous étions au courant de la donation. Il l'a dit à mon mari, ce soir-là. Il lui a expliqué qu'il avait l'intention de le faire. Ils se sont disputés. Nous nous sommes contentés de prendre ce qui nous appartenait. Ce tableau nous appartient. Pourquoi ce musée devrait-il en hériter à notre place ? Il a toujours appartenu à la famille. Mon mari avait des droits. Il ne les a fait valoir qu'une fois, une seule fois dans sa vie. Mais tout de suite après, il est devenu pleurnichard, pitoyable. Il voulait tout avouer. Il n'arrêtait pas de gémir qu'il n'était pas capable de supporter tout cela. Il faisait tellement pitié. Je ne pouvais pas laisser faire ça, c'était impossible. Pour lui. Il fallait que j'agisse. Il aurait tout gâché. Son père a eu raison de le mépriser… Oh, oui. Il l'a méprisé toute sa vie, c'était plus fort que lui. Il le méprisait du fond du cœur.

Elle planta de nouveau son regard dans les yeux de Dupin, froide, sûre d'elle.

— Moi aussi ! Moi aussi, je l'ai méprisé, oui. Tout aurait été possible. Tout était là, à portée de main. Est-ce que c'est cela qu'André vous a raconté ?

Dupin garda le silence.

— André est venu vous voir, alors ? Il n'a pas su tenir sa langue ?

— Non. Il est allé chercher le tableau. Il devait l'emporter à Paris dès que possible, n'est-ce pas ? Nous l'avons coincé au Pouldu. A l'heure qu'il est, il est en route pour l'antenne de la PJ de Quimper.

Catherine Pennec laissa de nouveau échapper un éclat de rire brutal, inattendu. Pendant quelques instants, elle secoua la tête, comme en transe, puis elle s'immobilisa une nouvelle fois, pétrifiée.

— Comment avez-vous su où il se trouvait ?

Dupin décela soudain quelque chose comme de la peur dans le regard de la veuve. Sa voix, pourtant, était très ferme.

— J'étais sûr qu'il était en votre possession et j'ai supposé que vous alliez le cacher, dans un premier temps.

— Pourquoi moi ?

— Ce ne sont ni vos déclarations ni votre comportement qui m'ont mis la puce à l'oreille. Au contraire, c'est plutôt votre manque de réaction. Toutes les personnes que nous avons interrogées se sont inquiétées du sort du tableau, sauf vous. Or, seul celui qui sait où se trouve l'objet que l'on cherche n'a pas d'inquiétude à se faire, n'est-ce pas ? Lors de notre conversation, le lendemain de l'effraction, votre mari et vous-même ne m'avez demandé aucun détail sur ce qui s'était passé et vous n'avez pas essayé, non plus, de prétexter une autre raison pour justifier votre curiosité. Et cela s'est répété quand nous avons ouvertement évoqué l'existence du tableau : pas une seule fois vous ne vous êtes préoccupée des résultats de l'effraction. Si le tableau n'avait pas été en sécurité chez vous à ce moment-là, il aurait été tout à fait légitime de votre part, nonobstant votre deuil, d'exprimer votre inquiétude au sujet du tableau. Ces quarante millions d'euros vous revenaient, tout de même. A ce moment-là, vous saviez déjà qu'il faisait partie des biens dont vous alliez hériter. Il vous appartenait. Vous auriez dû être rassurée par cette information, d'ailleurs, mais vous ne l'étiez pas le moins du monde. C'est cela qui m'a frappé, mais je ne m'en suis pas aperçu tout de suite. Je n'en ai pris conscience que ce matin.

— Je…

Catherine Pennec en resta là.

— Bien entendu, vous vouliez avant toute chose que je remarque votre deuil.

Dupin n'avait pas prévu de s'étendre sur le sujet, mais il ne pouvait nier qu'il éprouvait une certaine satisfaction à le faire.

— Vous avez admirablement bien joué votre rôle, madame. Vous avez su feindre, avec un à-propos exemplaire, les émotions qu'on s'attendait à voir au moment où on les attendait – jusqu'à ce que le rôle devienne un peu trop compliqué pour vous. Vous ne disposiez pas de tous les éléments, loin s'en fallait. Si Beauvois n'avait pas tenté de voler le tableau, vous n'auriez même pas pu commettre cette erreur.

Catherine Pennec se taisait, aussi immobile qu'une statue.

— Je n'en étais pas certain, cependant. J'avais juste le soupçon que vous possédiez le tableau. Mais il me fallait absolument trouver celui-ci pour pouvoir le prouver. Il fallait que je vous prenne en flagrant délit, avec le tableau, au moment où vous viendriez le chercher. J'étais sûr que ce serait vous. Quant à la cachette, c'est pareil. Ce n'était d'abord qu'une supposition. Madame de Denis avait mentionné ces terrains dans l'héritage. Il fallait bien que vous mettiez le tableau en sûreté quelque part, vous n'alliez pas le cacher chez vous. Or, personne ne connaissait l'existence de cette grange, hormis les membres de votre famille.

Catherine Pennec ne semblait pas l'écouter, mais cela lui était égal.

— Oui, les choses reposaient sur pas mal de coups du hasard. Si vous aviez su qu'il n'avait pas modifié son testament et qu'il n'avait plus que peu de temps à vivre, vous n'auriez eu qu'à attendre que les choses se fassent toutes seules. Le Gauguin vous appartiendrait aujourd'hui, en toute légalité. Vous n'auriez eu aucun besoin de remplacer le tableau au cours de cette nuit, vous n'auriez pas eu besoin de mettre André Pennec dans la confidence, vous n'auriez rien eu à faire du tout. Rien. Tout vous serait revenu le plus naturellement du monde. Vous…

Dupin s'interrompit. Cela suffisait comme cela. Il était épuisé et furieux.

— Partons maintenant, cela suffit. Suivez-moi.

Dupin se tourna brusquement vers la porte et Catherine Pennec se redressa d'un coup, comme si le commissaire avait appuyé sur un bouton. Elle se tint un instant immobile, droite comme un I, puis elle lui emboîta le pas la tête haute, sans dire un mot.

Tout s'était déroulé très vite. Dupin n'avait qu'une envie : quitter cette maison, cette atmosphère pesante, insupportable. Il arriva à la porte, l'ouvrit d'un coup sec et sortit. Madame Pennec se tenait juste derrière lui.

Garé devant le portail, Le Ber avait observé la maison pendant toute la durée de leur entrevue. Dès qu'il aperçut Dupin et madame Pennec, il sortit de son véhicule et le contourna pour ouvrir la porte arrière gauche à la veuve.

— Bonsoir, madame. Je vais vous conduire à Quimper.

L'intéressée prit place sur la banquette arrière sans dire un mot. Elle semblait parfaitement extérieure aux événements. Le Ber rejoignit tranquillement le commissaire.

— Vous allez sûrement appeler le préfet, commissaire.

— Oui.

Le Ber sourit.

— Très bien.

Il s'assit au volant, mit le contact et démarra aussitôt. Dupin eut juste le temps d'apercevoir une dernière fois madame Pennec par la vitre de la voiture. Elle avait baissé la tête. Il les suivit du regard jusqu'à ce qu'ils aient disparu dans le virage, non loin du pont, puis il traversa la route.

C'était terminé.

Peu après, Dupin se retrouva une dernière fois à l'endroit où il s'était tenu si souvent au cours des derniers jours, dans le port, tout près du mur du quai. La marée avait atteint son point le plus haut. Il était huit heures moins le quart et pourtant il faisait toujours aussi chaud. Même la brise légère des derniers jours avait disparu, l'air stagnait sans être lourd. Un voilier imposant était amarré au quai, juste devant lui. Ses yeux en détaillèrent la silhouette, c'était un magnifique bateau, capable de traverser l'Atlantique, conçu pour affronter les caprices de la haute mer et de l'océan. Manifestement, il naviguait déjà depuis quelques années. La mer était juste là, tout près, elle avait remonté tous ces kilomètres et on la sentait dans les narines, sur la langue, sur la peau. Oui, cet endroit était magnifique. Pourtant, il se réjouissait de tourner bientôt le dos au bourg et à cette enquête. Il était heureux de retourner à Concarneau. Cette histoire le poursuivrait encore un moment. Tout un travail en aval l'attendait au cours des prochains jours : les interrogatoires, les comptes rendus, les formalités et la liste interminable d'appels à passer. La presse. La communication. Pour aujourd'hui, cependant, il en avait terminé.

A vingt heures quinze, le commissaire dépassait le dernier rond-point de Pont-Aven. Il traversa ensuite Névez et Trégunc et arriva enfin dans sa ville. Il avait baissé les fenêtres et ouvert au maximum le toit de la voiture. La circulation était dense. Le festival des Filets Bleus attirait du monde, ce soir. Cela ne le dérangeait pas, tout comme de devoir appeler le préfet. Il allait s'en acquitter rapidement pour en être débarrassé.

— Monsieur le préfet, commissaire Dupin.

— Ah, tiens donc, commissaire.

— Je suis en route vers Concarneau.

— J'ai déjà longuement parlé avec l'inspecteur Labat. Tout comme ces derniers jours, d'ailleurs, puisque vous n'étiez jamais joignable. Je n'ai pas pu vous joindre une seule fois au cours des dernières quarante-huit heures. Je… C'est…

Il observa un silence. Dupin devina qu'il pesait le pour et le contre : cela valait-il la peine d'exprimer encore une fois sa colère ? Peu importe ce qu'il décidait, Dupin n'en ferait jamais qu'à sa tête, c'était évident. Le préfet opta finalement pour une autre attitude.

— Eh bien, ce n'était pas une affaire si compliquée que cela, tout compte fait. Nous l'avons résolue.

Une fois résolues, en effet, les enquêtes n'étaient jamais bien compliquées. Dupin connaissait par cœur cette phrase qu'il entendait à chaque fois que « nous » avions résolu une affaire.

— Non, monsieur le préfet… Enfin oui, nous l'avons résolue, et non, ce n'était pas si compliqué, répondit-il aimablement.

— Tout le monde va être soulagé. La presse va être enchantée. Mais enfin, je dois quand même dire que vous…

La voix de Guenneugues semblait de nouveau sur le point de changer de ton.

— Enfin, en réalité, quand j'y pense… Eh bien, je crois qu'on peut dire que c'était une grande tragédie familiale.

Guenneugues semblait chercher les mots justes.

— Nourrir des sentiments aussi violents, et cela pendant tant d'années… C'est terrible, terrible.

Parfois, il prenait Dupin de court. C'était rare, mais cela arrivait quelquefois.

— Oui, monsieur le préfet, c'est exactement cela. Une tragédie familiale.

— Est-ce que le décès de Loïc Pennec – est-ce que c'était un meurtre ?

— Je le pense, oui.

— Avez-vous un aveu explicite de madame Pennec ?

— Un premier aveu, oui.

— Fiable, à votre avis ?

— Je ne peux pas encore le dire.

— Je vais devoir tenir une conférence de presse dès ce soir. J'aimerais que tous les médias fassent leurs gros titres sur l'élucidation de l'enquête dès demain matin. Avec un tableau pareil, c'est devenu une question nationale, Dupin.

Loin de se plaindre, le préfet semblait tirer quelque fierté de l'affaire.

— Les journaux vont bientôt boucler. Je n'ai pas besoin de tous les détails, mais il me faut les grandes lignes, l'essentiel. Tout ce que je veux, c'est qu'on parle correctement de notre travail. La police nationale maîtrise bien son métier, il faut que cela se sache !

— Je comprends.

Dupin était habitué. Guenneugues avait résolu l'affaire avec brio, ce serait là le cœur du message. Toujours le même.

— Pensez-vous que le fils avait prémédité ce meurtre ? Voulait-il se débarrasser de lui ? La presse va sûrement me poser la question.

— Je ne crois pas, non. Les choses ont pris ce tournant-là par hasard.

— Pourquoi précisément ce soir-là ?

— Pierre-Louis Pennec a dit à son fils qu'il avait l'intention de donner le Gauguin au musée d'Orsay au cours des prochains jours. Je crois…

A vrai dire, Dupin n'avait pas très envie de s'étendre sur le sujet. Il repensait au couteau. Au laguiole.

— Oui ? Que croyez-vous ?

— Rien.

— Est-ce que Pennec avait prévu de faire cette donation depuis longtemps ?

— Vaguement, oui, sans doute. Mais son idée s'est concrétisée après sa visite chez le docteur Pelliet.

— Oui. Je comprends. Est-ce que c'était l'appât du gain, en fin de compte ? Tout tournait autour de ces quarante millions, n'est-ce pas ?

— Il y a eu des blessures profondes, aussi. Des humiliations quotidiennes, pendant des décennies entières. Je…

Dupin finit tout de même par être agacé. Il n'avait pas prévu de se lancer dans de grandes confidences avec le préfet.

— Oui, Dupin ?

— Mais vous avez raison. Il s'agissait sans doute essentiellement des quarante millions d'euros.

— Que pensez-vous de madame Pennec ?

— Vous voulez savoir quels étaient ses mobiles ?

— Oui.

— Je pense qu'elle a agi de sang-froid.

Dupin sentit croître son énervement. Décidément, il en disait trop.

— De sang-froid ? C'est une formulation un peu dramatique, commissaire, vous ne trouvez pas ?

Dupin garda le silence.

— Et cette seconde copie, d'où provenait-elle ?

— Je ne le sais pas encore. Je suppose que Pierre-Louis Pennec la gardait quelque part et que son fils était au courant. Si ça se trouve, il la conservait même à l'hôtel. On ne va pas tarder à le savoir.

— Ah, et pendant que j'y pense : le député, André Pennec, vous savez qu'il bénéficie d'une immunité.

Dupin commençait vraiment à sentir monter la colère. Il devait faire attention.

— Eh bien, il faudra la lever.

— Je ne sais pas… Vous croyez vraiment ? Il fait plutôt bonne impression, non ? C'est sûrement un honnête homme. Plusieurs élus me l'ont formellement confirmé. Et puis ses avocats…

— Il avait l'intention de cacher un tableau volé, d'une valeur de quarante millions d'euros. Madame Pennec lui a proposé un quart du prix de vente de l'œuvre s'ils parvenaient à le revendre. Ce qui reviendrait à dix millions d'euros. Dix millions, tout de même !

— C'est madame Pennec qui lui a demandé de le faire, ce n'était pas son idée à lui. Bien sûr qu'il a demandé une provision, un vendeur perçoit toujours une provision, il n'y a rien d'illégal à cela. Sans compter que le tableau lui appartient, elle peut en faire ce qu'elle veut, non ?

Manifestement, le préfet avait été informé jusque dans les moindres détails. Dans le fond, il ne fallait pas s'attendre à autre chose.

— On vous a déjà appelé.

Guenneugues hésita.

— J'ai reçu quelques coups de fil. De Paris, Rennes et Toulon.

Il hésita encore.

— Et puis ses avocats, aussi, m'ont contacté.

Dupin s'étonna que le préfet admette avoir reçu ces appels, mais le fait qu'il les ait reçus n'était pas surprenant. André Pennec avait eu deux bonnes heures pour préparer sa défense.

— Quand madame Pennec a proposé à son beau-frère de le vendre, elle ne savait pas encore que l'œuvre lui appartenait. Elle partait du principe que Pierre-Louis Pennec en avait fait don au musée d'Orsay. Son mari et elle ont échangé les tableaux la nuit du meurtre, justement parce qu'ils ne savaient pas si le vieux Pennec avait eu le temps de modifier son testament. Catherine Pennec a appelé André Pennec durant cette même nuit, peu après le drame. Elle lui a raconté ce qui s'était passé, il s'est donc rendu coupable de complicité de meurtre. Il n'est pas allé voir la police. Il m'a systématiquement menti au cours de tous les interrogatoires des derniers jours. En agissant ainsi, il a considérablement retardé l'avancement de l'enquête.

Dupin était furieux, maintenant.

— Les avocats d'André Pennec disent que madame Pennec n'a pas clairement spécifié que son mari avait poignardé le vieux Pennec. Apparemment, elle aurait seulement parlé d'une « catastrophe ». Et puis elle aurait été très confuse, bouleversée. Comment aurait-il pu en être autrement, d'ailleurs ?

Cette situation était parfaitement grotesque. Abjecte, même. Voilà ce que Dupin détestait dans son métier. Ce qu'il haïssait. Sa voix prit de l'ampleur.

— « Pas clairement spécifié » ? « Une catastrophe » ? Mais qu'est-ce que ça veut dire, bon sang ?

— Est-ce que madame Pennec l'a chargé de cacher et de vendre le tableau pendant cette nuit-là ?

La voix de Guenneugues était calme au point d'en être insupportable.

— Il… non.

— Eh bien, vous voyez. Le lendemain, lors de l'ouverture du testament, madame Pennec a appris qu'il n'avait pas été modifié. Pierre-Louis Pennec n'avait pas acté sa donation. Elle savait que le tableau lui appartenait. André Pennec a rencontré Loïc et Catherine après l'ouverture du testament, puisqu'il est arrivé ce matin-là.

— C'est quand même… Il savait…

Dupin s'interrompit. L'erreur venait de lui, il ne s'était pas préparé. Il aurait dû le savoir : c'était comme ça que les choses se déroulaient dans ce genre d'enquête. On ne pouvait rien y changer. Pourtant, s'il avait choisi de devenir policier, si absurde et naïf que cela puisse paraître, si arrogant, aussi, c'est parce qu'il était incapable de supporter que quelqu'un parte du principe que sa position le tirerait sans dommage d'une injustice.

— C'est absolument inadmissible, et vous le savez très bien.

Guenneugues choisit d'ignorer la remarque de Dupin.

— Madame Pennec ne savait pas avec certitude si le testament avait été modifié. Quand son mari a compris qu'il n'en était rien, il s'est disputé avec son père. Il semblerait qu'il se soit laissé emporter…

— Qu'entendez-vous exactement par là, monsieur le préfet ?

— Eh bien, ceci : Catherine me semble être la seule coupable – coupable d'avoir tué son mari. A moins, bien sûr, qu'elle ne conteste aussi cela dans ses déclarations officielles.

Dupin fut tenté de le contredire mais il se tut, au prix d'un effort important. Voilà donc à quoi allait ressembler la version officielle.

— Je pense qu'André Pennec s'est contenté de lui rendre un petit service dans ce que vous avez vous-même appelé une catastrophe familiale. Cela prend un peu de temps avant que l'on retrouve ses esprits, après des événements aussi extrêmes.

— De « rendre un petit service » ? Vous dites qu'il s'est contenté de « rendre un petit service » ?

Dupin était stupéfait.

Une fois de plus, Guenneugues choisit de ne pas l'entendre.

— Et ce Beauvois, le président de cette association d'art ? C'est quand même un peu fort de café, vous ne trouvez pas ? Il ne faut pas le laisser s'en sortir comme cela, celui-là. C'est inadmissible !

Dupin n'en croyait pas ses oreilles. C'était donc à quelqu'un comme Beauvois qu'il fallait jeter la pierre ? A ces yeux, Beauvois était un type odieux, un insupportable Narcisse. Certes, il était sans doute prêt à tout, ou presque, pour parvenir à ses fins. Mais ce « presque », justement, avait son importance. Dans son métier, Dupin avait appris qu'un simple « presque » pouvait faire toute la différence.

— Beauvois n'a qu'un rôle parfaitement secondaire dans cette histoire.

Ce n'était pas facile de le défendre. Ces mots ne ressemblaient pas à Dupin, mais l'aversion qu'il ressentait à l'égard de ce qu'il observait en cet instant était encore beaucoup plus grande.

— C'est vous qui l'avez mis en garde à vue, quand même, et dans des conditions plus que discutables. Nous avons pris des risques non négligeables à cause de vous. Nous n'avions presque rien contre lui, après tout, et vous le saviez très bien. Je vous ai pleinement soutenu sur ce coup-là. C'est bien normal.

Dupin en avait assez entendu. Il allait trouver un autre chemin. Il se fit violence pour ravaler tout ce qu'il avait à dire.

— Eh bien, comme vous le disiez, monsieur le préfet : dans le fond, cette enquête n'était pas bien compliquée. Et l'essentiel, c'est qu'elle soit résolue, n'est-ce pas ?

— A la bonne heure ! Vous m'en voyez très heureux, commissaire. Vous avez fait du bon travail.

Le préfet laissa échapper un rire gras, complice.

— Avec tout ça, madame Pennec va être l'une des prisonnières les plus fortunées jamais incarcérées dans nos prisons françaises, si on exclut Louis XVI, bien sûr…

Manifestement, le préfet avait voulu faire une petite pirouette humoristique.

— Voilà, oui, c'est ça. Eh bien, au revoir, monsieur le préfet.

— J'aimerais encore vous poser quelques…

Dupin raccrocha.

Il avait réussi à garder son calme. D'accord, il lui avait raccroché au nez, mais il ne s'était pas laissé aller à l'un de ses accès de colère.

Et puis surtout, il avait eu une idée. Le visage de Dupin s'était éclairé d'un coup. Il s'était lié d'amitié avec une journaliste de *Ouest-France* il y avait quelques années, déjà, et avait parfois eu avec elle quelques conversations « de fond ». Lilou Breval. Il était bien possible qu'elle apprenne les dessous de cette affaire via un « informateur anonyme », au cours des prochains jours. Quelques petits détails concernant l'implication d'André Pennec réelle dans cette histoire, par exemple. Dupin ne savait pas si cela aurait une incidence sur le cours des événements, mais la presse raffolait de ces détails, et puis Pennec devait bien avoir quelques ennemis qui sauraient s'en servir.

Entre-temps, Dupin avait atteint le troisième des cinq ronds-points de Concarneau, juste après le grand pont. Il emprunta la sortie de gauche pour entrer dans la ville, celle qui traversait le port de pêche de haute mer. Le trajet avait vraiment duré une éternité, ce soir. La région tout entière était en émoi. C'était toujours ainsi pendant ces journées de festival. A peine arrivé au rond-point du haut, il avait perçu comme des pulsations le battement sourd des basses. Trouver une place de parking dans ces conditions était illusoire, réalisa-t-il soudain, l'intégralité de la ville ou presque était interdite à la circulation. Pour s'approcher au maximum de son domicile, il aurait dû contourner tout le centre et y entrer depuis l'autre côté, mais il n'avait pas envie de rebrousser chemin. Il décida de se garer dans le port industriel, à côté des gros thoniers et des chantiers navals, et de faire le reste à pied en longeant les quais. Il reviendrait chercher sa voiture demain.

Le port maritime n'était pas pittoresque pour un sou. Concarneau disposait encore aujourd'hui d'une flotte de pêche en haute mer, qui naviguait partout sur le globe. On était loin des modestes embarcations comme celles qu'utilisaient les pêcheurs côtiers. Non, il s'agissait de navires de haute technologie, extrêmement modernes, qui se refusaient cependant – les Bretons y accordaient une importance toute particulière – à utiliser ces abominables chaluts de fond en usage dans les grandes flottes japonaises. Des bateaux impressionnants dotés d'énormes bras de transport, capables d'affronter les mers les plus dangereuses. Le père de Véro avait travaillé sur ce type de navires pendant trois décennies, ce qui lui avait permis de découvrir les quatre continents. Dupin avait entendu toutes sortes de récits d'aventures datant de cette période. Les constructions portuaires, les bâtiments, les structures, les constructions et les machines, tout, ici, était d'abord fonctionnel. Malgré cela, Dupin aimait cette rade tout autant que le petit port beaucoup plus pittoresque d'en bas, qu'utilisaient encore les pêcheurs locaux avec leurs embarcations de bois.

En effet, quelques places de stationnement étaient encore libres ici, quand bien même il n'avait pas été le seul à avoir cette idée. Dupin rangea sa voiture tout près de l'eau. Ici, à la différence de Pont-Aven, la brise estivale de fin de journée soufflait, venue tout droit de la mer. Dupin prit une profonde inspiration. L'odeur d'iode, de sel et d'algues était particulièrement forte, ce soir. Pouvoir respirer cet air-là changeait tout.

Il flâna le long des quais. La conversation téléphonique avec le préfet était déjà presque oubliée. L'enquête, dans son ensemble, ne lui semblait plus qu'un mauvais rêve, confus et sombre. Il savait, bien sûr, qu'il n'était pas au bout de ses peines et que l'affaire le hanterait encore un moment, au-delà même de ses répercussions bureaucratiques.

Il se souvint tout à coup d'un appel qu'il voulait passer.

— Monsieur Dupin ?

— Bonsoir, mademoiselle Cassel.

— Est-ce que je dois me mettre en route ? Où se retrouve-t-on ?

Interloqué, Dupin hésita un instant puis se mit à rire.

— Non, non. Je…

— Je vous entends très mal. Qu'est-ce que c'est que ce vacarme, à côté de vous ?

— Je suis à Concarneau, en plein festival des Filets Bleus. Je marche le long du quai, et le festival bat son plein aujourd'hui. Je suis obligé de passer par là parce que la vieille ville est interdite aux voitures.

— Je comprends. Et alors, est-ce que c'était vraiment le dernier acte ? Est-ce que vous avez résolu l'enquête ?

— Oui, ça y est, c'est fait. C'était…

— Laissez tomber. L'essentiel, c'est que l'enquête soit résolue.

Dupin lui fut reconnaissant pour cette phrase.

— Quelle histoire incroyable ! Est-ce que vous avez toujours ce genre d'enquête ?

— Eh bien, ça dépend…

— Vous exercez un sacré métier.

— Vous trouvez ?

— Mais oui. Vous vivez en plein roman policier !

— Oh, ce n'est pas si compliqué. A vrai dire, votre monde ne me semble pas tellement plus simple.

— Vous avez raison.

Plus il s'approchait de la place, plus le vacarme devenait assourdissant. Un groupe de rock se produisait sur la plus grande des quatre scènes.

— Eh bien, dans ce cas… On se recroisera sûrement, n'est-ce pas ? On ne se perd jamais complètement de vue quand on habite au bout du monde.

Dupin se mit à rire. Il aimait la manière dont elle formulait les choses.

— Attendez un instant.

Il tourna à droite et s'engagea dans une ruelle un peu plus calme.

— Vous habitez bien à Brest, n'est-ce pas ?

— Oui. Presque en périphérie, tout près de la mer. Quand vous arrivez de l'ouest…

— Vous aimez les manchots ?

— Les manchots ?

— Oui.

— Vous me demandez si j'aime les manchots ?

— Est-ce que vous allez parfois à l'Océanopolis ?

— Ah, oui ! Bien sûr.

— Il y a des manchots incroyables, là-bas. Des manchots papous, des manchots Adélie, des manchots royaux, des manchots empereurs, des manchots du Cap, des manchots pygmées, des eudyptes, des manchots antipodes…

Marie Morgane Cassel riait aux éclats, maintenant.

— Oui, les manchots sont incroyables.

— On pourrait aller les voir ensemble, un jour.

Un bref silence lui répondit.

— D'accord. Vous avez mon numéro, n'est-ce pas ?

— Oui, je vous appelle.

— Eh bien, à bientôt, alors, commissaire.

— Au revoir, mademoiselle.

Ils raccrochèrent tous deux au même moment. Un instant plus tard, Dupin se souvint qu'il l'avait appelée pour la remercier, officiellement, au nom de toute l'équipe. Sans elle, ils n'y seraient jamais arrivés. Tant pis, il le ferait une autre fois.

Dupin retourna vers le quai et poursuivit jusqu'à la grande place et le quai Pénéroff où se trouvait l'Amiral. Le festival lui sembla encore plus exubérant que les années précédentes. C'était déjà la troisième année qu'il y assistait. (Il ne le disait jamais en ces termes, Nolwenn lui ayant bien fait comprendre qu'on ne pouvait s'en vanter qu'au bout de la dixième ou quinzième année.)

Ce festival était un événement joyeux, dont le succès reposait en partie sur la quantité d'alcool ingurgitée, comme pour beaucoup de fêtes bretonnes. Cependant, il avait aussi une dimension sentimentale non négligeable. Ce n'était pas seulement, bien sûr, la fête la plus importante de la ville, c'était aussi un symbole prestigieux. En ce jour, les Concarnois célébraient leur propre existence : leur capacité à ne jamais perdre confiance, même quand les temps étaient durs, et à dépasser ensemble les moments difficiles. N'importe quel enfant, ici, connaissait cette histoire par cœur et la racontait à son tour. Nolwenn la lui répétait tous les ans. Trois ou quatre semaines avant le festival, elle remettait invariablement le sujet sur le tapis.

Jusqu'à la fin du XIXe siècle, la sardine avait été la mine d'or naturelle de la Bretagne. La flotte de pêche à la sardine de Concarneau à elle seule comptait alors huit cents bateaux. Dans son bureau, Nolwenn avait accroché une gravure de grande taille représentant une partie de cette flotte à l'entrée au port. On y apercevait à peine l'eau tant les embarcations étaient nombreuses, serrées les unes contre les autres. Les pêcheurs, bien sûr, mais aussi toute une industrie dépendaient des caprices de ce petit poisson migrateur et imprévisible qui se déplaçait en bancs gigantesques. En 1902, la sardine avait brusquement disparu des eaux de la région, sans rien laisser dans son sillage. Elle était restée absente pendant sept longues années. Les pêcheurs, les ouvriers des usines et bien d'autres encore s'étaient retrouvés au chômage du jour au lendemain, et la misère avait été immense. La pauvreté s'était installée et avec elle la faim, la dépression. Il fallait s'imaginer le contraste quand les riches Parisiens venaient s'installer dans les pensions du coin, l'été, pour profiter de la mer. Une année, quelques artistes eurent l'idée d'organiser un festival de bienfaisance auquel l'ensemble de la région devait être convié. Il s'agissait d'abord, bien sûr, d'apporter une aide concrète aux habitants de la région, mais aussi de créer un symbole d'espoir. On baptisa le festival d'après la couleur des filets qui ramenaient autrefois ce poisson capricieux de la mer : une sorte de conjuration. Le premier festival fut un succès, des sommes importantes purent être réunies. De la musique celte, des concours de danse et de déguisements, une tombola, l'élection d'une reine de la fête, tout y était. On y mangea du thon – le seul poisson qui avait subsisté pour les Concarnois – mais surtout, justement : on y but. Depuis lors, c'est-à-dire depuis plus de cent ans, Concarneau célébrait son festival.

Comme chaque année, un fumet divin se répandit à travers la ville, l'odeur du poisson grillé sur de grands feux de charbon de bois. Dupin avait faim. Il se demanda s'il ne devait pas se laisser tenter par l'un de ces délicieux filets de thon rapidement grillés sur chaque face et quasiment crus au milieu. A cette perspective, l'eau lui vint à la bouche, mais il décida de ne pas céder à cette tentation. Il avait besoin d'être seul. Peut-être redescendrait-il un peu plus tard rejoindre Nolwenn qui s'y trouvait sûrement avec quelques autres de ses connaissances.

Lily Basset l'aperçut dès qu'il mit un pied dans le restaurant. Debout derrière le bar, elle s'affairait devant la machine à café.

Dupin sourit. Un sourire bref, mais heureux.

— Alors, ça va mieux, on dirait ! lui lança-t-elle avant de se concentrer de nouveau sur la grosse machine qui émit un merveilleux sifflement.

Dupin savait que Lily ne lui poserait pas de questions. Il prit place dans la salle presque vide, désertée par les clients qui préféraient déambuler sur les places animées.

L'entrecôte serait là dans quelques instants. Les pommes sautées, la moutarde, le vin du Languedoc. Il s'était installé à sa place favorite pour dîner, tout au fond de la salle, dans l'angle. A la seule table ronde de tout le restaurant. De là, il avait une vue d'ensemble sur toute la salle mais aussi sur la place, à travers les grandes baies vitrées. Il voyait même la ville close, le port et ses bateaux multicolores. Mais surtout, surtout, et malgré la foule qui se pressait juste devant la porte, il apercevait la mer.

Dupin laissa son regard s'échapper vers le large.

Tout était réglé.

Remerciements

Je remercie Marc et Véro – Catherine, Arnaud, Baptiste, Héloïse – Corinne – Yann-Baol, Annick – Pierre-Yves et Stéphane. Pour tout. Depuis près de trente ans, j'ai la chance d'être régulièrement invité en Bretagne – le « petit coin de terre » le plus heureux que je connaisse. J'ai trouvé là une seconde patrie, comme on dit, et surtout : de merveilleux amis.

Cet ouvrage a été composé et mis en page
par Nord Compo à Villeneuve-d'Ascq

Imprimé en France par CPI
en octobre 2019
N° d'impression : 3035813

Dépôt légal : avril 2015
S25536/09